주식시장의 주인공은 여러분입니다.
이 책을 통해
시장의 주인공이 되길 기원하겠습니다.
계속 응원할게요!

염 승 환
염.

주린이가 가장
알고 싶은
최다질문
TOP77

'염블리' 염승환과 함께라면 주식이 쉽고 재미있다

주린이가 가장 알고 싶은 최다질문 TOP 77

염승환 지음

메이트북스

메이트북스 우리는 책이 독자를 위한 것임을 잊지 않는다.
우리는 독자의 꿈을 사랑하고,
그 꿈이 실현될 수 있는 도구를 세상에 내놓는다.

주린이가 가장 알고 싶은 최다질문 TOP 77

초판 1쇄 발행 2021년 1월 20일 | **초판 164쇄 발행** 2025년 2월 1일 | **지은이** 염승환
펴낸곳 (주)원앤원콘텐츠그룹 | **펴낸이** 강현규·정영훈
등록번호 제301-2006-001호 | **등록일자** 2013년 5월 24일
주소 04607 서울시 중구 다산로 139 랜더스빌딩 5층 | **전화** (02)2234-7117
팩스 (02)2234-1086 | **홈페이지** www.matebooks.co.kr | **이메일** khg0109@hanmail.net
값 18,000원 | **ISBN** 979-11-6002-317-6 03320

이 도서의 국립중앙도서관 출판시도서목록(CIP)은 e-CIP홈페이지(http://www.nl.go.kr/ecip)에서
이용하실 수 있습니다.(CIP제어번호 : CIP2020054556)

"배움을 멈추지 않는 사람의 삶은
계속 오르막이다."

• 찰리 멍거 (버크셔해서웨이 부회장) •

주린이가 꼭 알아야 할 것들만
알차게 담았습니다!

2000년 6월, 닷컴버블이 꺼지고 주가가 급락세를 보이던 시기에 필자는 군대생활을 마감하고 제대를 했는데요, 당시 저는 주식투자에는 전혀 관심이 없었습니다. 그래서 당시 뉴스에 나오던 '닷컴버블, 주가급락'이라는 기사를 이해하지도 못했고 관심도 없었습니다.

그런데 아버지께서 어느 날 저에게 500만 원을 주면서 "기업들의 주가가 많이 떨어졌으니 주식투자를 해봐라"라고 말씀을 하셨습니다. 그렇게 매수와 매도가 무엇이고 어떻게 매매를 하는지 간단한 설명만 듣고는 주식투자를 시작하게 되었습니다. 아무것도 모르는 완전 백지상태에서 시작하게 된 것이죠.

지수, 기업, 호가, 차트, 재무 등 기본적인 지식이 전무한 상태로 그냥 감으로 매수를 했습니다. 다행히 처음 몇 번은 운 좋게도 수익을 낼 수 있었습니다. 몇 번의 수익을 내다 보니 주식투자가 너무 쉬워 보였고, '세상에 이보다 쉽게 돈을 버는 방법은 없다'고 생각을 하게 되었습니다.

500만 원은 어느덧 1,500만 원으로 불어났고 '이대로라면 1억도 벌 수 있겠구나'라고 생각했습니다. 돈을 벌던 그 시기에도 주식에 관해서는 그 어떤 공부도 하지 않았습니다. 주변의 소문, 아버지의 추천, 지인이 소개해 준 종목만으로 매매했고 너무도 쉽게 돈을 벌었습니다.

하지만 초심자의 행운은 오래가지 않았습니다. 지인의 소개로 알게 된 '다X'라는 기업에 투자자산 1,500만 원을 올인했고 매일 대박의 꿈을 꾸며 생활했습니다. 매수하고 몇 달 간은 주가가 크게 올라 한때 3,000만 원 가까이 자산이 늘어났습니다. 당연히 팔지 않고 지인의 말만 듣고는 계속 보유했습니다.

그런데 어느 날 "상장폐지"라는 뉴스를 접하게 되었습니다. 처음에는 그게 무슨 말인지 몰랐습니다. 알고 보니 주식시장에서 퇴출된다는 의미였습니다. 주가는 연일 급락세를 보였고, 정리매매 기간 동안 어쩔 수 없이 매도했는데 계좌에는 30만 원만 남아 있었습니다.

당시 저는 큰 충격을 받았습니다. 돈도 돈이었지만 믿었던 사람에게 배신을 당했다는 것에 더 화가 났습니다. 하지만 투자는 본인의 책임입니다. 그 사람이 손해를 보상해줄 수는 없습니다. 모든 것은 오로지 저의 책임이었습니다.

돈도 없었고 의욕도 상실해 주식시장에서 떨어져 있었는데, 어느 날 대학교 도서관에서 여러 서적들을 둘러보다가 우연히 주식투자와 관련된 책한 권을 보게 되었습니다. 20년 전에 나온 책이라 제목은 기억나지 않지만 내용은 어렴풋이 기억이 납니다. 실전투자자가 매일매일 매매한 일지를 적어놓은 일기 형식의 책이었는데, 읽다 보니 너무 재미가 있어서 연달아 세번을 읽었습니다. 그 책에는 주식매매는 어떻게 하고, 미국 나스닥 지수는 무엇이고, 주가는 어떻게 움직이고, 외국인투자자는 누구이고, 한국 주식시장에 상장된 기업들은 어떤 기업들인지 자세히 설명이 되어 있었습니다.

책을 읽고 주식 공부에 흥미가 생기자 도서관에서 다양한 종류의 주식투자 관련 서적을 읽기 시작했습니다. 재무제표, 차트, 투자방법, 유명 전문가들의 투자론 등 다양한 독서를 했고 '진짜 주식투자'가 무엇인지 알게 되었습니다. 공부를 열심히 한 덕에 다시 주식투자로 돈을 벌기 시작했고, 증권사에도 취직을 하게 되었습니다.

저는 지금도 매일 주식 공부를 하고 있는데요, 주식투자는 정답이 없다는 것을 알았기 때문입니다. 공부할 때마다 매일 새롭습니다. 주식시장이 항상 변화하기 때문인데요, 오늘의 정답이 내일은 오답이 될 수 있는 곳이 바로 주식시장입니다.

2020년 3월 코로나19가 전 세계를 강타한 후 글로벌 경제는 큰 타격을 받았습니다. 2년 가까이 지난 지금도 코로나19는 종식되지 않았고 글로벌 경제는 여전히 정상화되지 않고 있습니다. 그럼에도 주식시장은 달랐습니다. 과거 그 어느 때보다도 강력한 상승장이 연출되면서 미국 증시는 사상 최고치를 경신하였고 한국 증시는 3000포인트 시대를 열었습니다.

증시의 상승과 더불어 주식시장에 대한 개인투자자들의 관심도 매우 뜨거웠습니다. 2020년, 2021년, 2년간 개인투자자들은 국내 주식을 무려 130조 원어치 순매수했습니다. 2021년 하반기 약세장이 시작되면서 주식시장의 열기가 다소 꺾였지만 여전히 주식투자는 중요한 재테크 수단으로 인정받고 있습니다. 주식투자를 하는 인구도 1천만 명까지 늘어나며 투자 저변은 더욱 확대되고 있습니다. 주식투자 인구가 늘어나자 '주린이'라는 용어도 새롭게 등장하게 되었습니다. 주식과 어린이의 합성어로 주식투자를 처음 시작하는 주식 초보자를 의미합니다.

필자는 2000년 초반 주린이 시절 멋모르고 투자를 하다가 큰 손실을 보았습니다. 당시 주식투자가 무엇이고 어떤 것을 알아야 하고 어떻게 투자해야 하는지를 알았다면 큰 손실을 보지 않았을 것입니다. 그런 점에서 이 책은 여러분에게 안전판 역할을 해줄 것입니다. 이 책을 읽고 주식투자가 어떤 것인지를 이해하게 된다면 큰 손실을 방지할 수 있을 것입니다. 주식 초보자들이 가장 알고 싶어하는, 그래서 제게 가장 많이 물어보는 질문에 대한 답과, 주식투자 시 꼭 알아야만 하는 어렵지만 필수적인 지식을 이 책에 알차게 담아보았습니다.

1장에서는 주린이가 가장 궁금해하는 용어에 대해 설명했습니다. 2장에서는 주식의 개념을 정리했고, 3장에서는 전자공시에 자주 나오는 투자 지식에 대해 설명했습니다. 4장에서는 주식투자의 정석이 무엇인지 설명했습니다. 5장에서는 꼭 알아야 할 기술적 분석에 대해 설명했고, 6장에서는 주식시장을 변화시킬 수 있는 요인에 대해 알아보았습니다. 7장에서는 주린이들이 가장 의아해할 수 있는 주식시장만의 속성에 대해 설명했고, 8장에서는 주식으로 돈을 벌 수 있는 다양한 투자 팁에 대해 설명했습니다. 마지막 9장에서는 초보투자자들이 가장 주의해야 할, 투자 시 주의사항에 대해 알아보았습니다.

주식투자는 복권도 아니고 불로소득도 아니며 도박도 아닙니다. 주식투자는 기업에 대한 투자입니다. 기업을 분석하고 기업의 미래를 예측하며 그 예측이 맞았을 경우 큰 보상을 보는 투자 대상입니다. 따라서 기업, 산업 및 시장에 대한 적절한 공부를 한다면 손실을 줄이고 안정적인 수익을 낼 수 있습니다. 아무런 노력도 하지 않고 남의 말이나 소문만 듣고 투자하면 반드시 실패하지만 스스로 공부한 후에 투자를 한다면 수익을 낼 수 있습니다. 우리가 수학 공부를 하기 위해서 기초 공식과 다양한 용어, 개념 등을 배우듯이 주식 공부도 기초가 중요합니다.

필자가 15년 넘게 주식시장에 있으면서 경험했던 것을 바탕으로 꼭 알아야 할 주식투자 지식들을 이 책 안에 모두 모아 놓았습니다. 모쪼록 이 책이 처음 주식투자를 하거나, 경험이 있어도 주식투자에 대한 기본지식이 부족했던 분들에게 언제든지 꺼내서 볼 수 있는 사전 같은 책이 되었으면 하는 바람입니다.

이번에 미니 개정판을 출간하게 되었는데요. 전자공시 홈페이지와 분기, 반기, 사업보고서 내의 일부 항목이 변경되어 변경된 부분에 맞게 내용을 수정했습니다. 양질의 투자정보 사이트도 15개 사이트에서 19개 사이트로 늘렸습니다.

마지막으로 책을 집필하는 데 도움을 주신 메이트북스 관계자 여러분, 이베스트투자증권 동료 여러분과 제가 사랑하는 아내와 딸에게 감사의 인사를 드립니다.

염승환

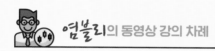 **염블리**의 동영상 강의 차례

주식투자를 하며 꼭 알아야 하거나 이해하기 어려운 내용에는 동영상 강의를 더했습니다. 독자들의 이해를 돕기 위한 염블리의 보너스 강의도 놓치지 마세요!

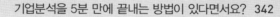

1장

1+1=2는 초등학교 때 배운 산수공식이지만 나이가 들어도 누구나 이 공식을 이해하고 있습니다. 주식투자에 있어서도 산수공식처럼 꼭 알아야 할 용어들이 있습니다. 시가총액, 주도주, 선물, 옵션, 씨크리컬, 성장주, 가치주 등이 그러한 용어들인데요, 1장에서는 주식투자자라면 필수적으로 알고 있어야만 하는 용어만 선정을 해보았습니다. 기초가 튼튼해야 오래갑니다. 1장을 통해 기초를 잘 다지고 스마트한 주식투자를 하시기 바랍니다. 자 그럼, 준비되셨나요? 이제 주식투자의 세계로 떠나보겠습니다!

주린이가 가장
궁금해하는
주식용어 9가지

시가총액이란
무슨 뜻인가요?

많은 주식투자자들이 주가를 매일 확인합니다. 1만 원에 거래되는 기업이 11,000원으로 상승하면 환호하고, 9,000원으로 하락하면 절망합니다. 이처럼 단순히 가격에만 집착하는 경우가 많습니다. 그리고 1만 원짜리 기업이 5,000원짜리 기업보다 좋고 비싸다고 단순화하는 경우도 많습니다. 하지만 주가는 단지 거래되는 가격일 뿐입니다.

주가가 상승한다는 것은 가격이 오르는 것일 뿐만 아니라 기업의 가치가 상승하고 있다는 의미입니다. 주식투자를 하는 사람들은 거래되는 가격인 주가보다는 항상 시가총액을 봐야 합니다. 시가총액은 기업의 크기를 의미하는데, 기업이 시장에서 얼마만큼의 가치를 인정받고 있는지를 나타내는 것이죠.

현재 주가에 그 기업의 총 주식수를 곱하면 시가총액이 계산됩니다. 물론 여러분들이 직접 계산을 할 필요는 없습니다. 네이버에서 삼성전자를 검색하면 손쉽게 바로 시가총액을 알 수 있습니다. 삼성전자의 가격은 73,400원(2020년 12월 11일 종가 기준)이고, 시가총액은 438.1조 원임을 확인할 수 있습니다.

출처: 네이버

삼성전자보다 가격이 비싼 기업은 정말 많습니다. 반도체 2위인 SK하이닉스는 10만 원대이고, LG생활건강은 150만 원이 넘습니다. 그렇다면 LG생활건강은 삼성전자보다 큰 기업일까요? 더 비싼 기업일까요?

누구나 알겠지만 삼성전자는 명실상부한 한국 1위 기업입니다. 우리는 삼성전자가 LG생활건강보다 큰 기업이라고 알고 있습니다. 가격은 LG생활건강이 비싸지만 기업의 크기인 시가총액은 삼성전자가 압도적으로 큽니다. 삼성전자의 시가총액은 426조 원, LG생활건강은 23조 원입니다. 삼성전자가 LG생활건강보다 10배 이상 큰 기업이죠.

주식투자자는 항상 시가총액을 봐야 합니다. 가격은 단지 거래되는 가격일 뿐입니다. 가격만 보면 기업가치의 변화, 경쟁기업과의 비교를 하기가 어렵습니다.

세계 1, 2위 배터리 제조사인 LG화학과 중국의 CATL*을 예로 들어보겠습니다.

CATL은 현재(2020년 12월 4일 기준) 중

> **CATL**
>
> 2011년 설립된 중국의 배터리 제조업체. 푸젠성 닝더에 본사를 두고 있음. 국내에서 BYD와 경쟁관계이고 파나소닉, LG화학, 삼성SDI와도 경쟁

코스피 시가총액 상위 10개 기업 (2020년 12월 11일)

국내증시 ▾   시가총액 상위종목 ▾   코스피 | 코스닥

종목명	현재가	전일대비	등락률	시가총액	거래량
삼성전자	73,400	▲ 500	+0.69%	438조1,820억	18,416,478주
SK하이닉스	115,500	▼ 1,000	-0.86%	84조842억	3,918,407주
LG화학	808,000	▼ 9,000	-1.10%	57조386억	309,977주
삼성전자우	69,300	▲ 1,500	+2.21%	57조260억	3,009,512주
삼성바이오로직스	820,000	▲ 1,000	+0.12%	54조2,553억	86,147주
셀트리온	361,000	▲ 1,000	+0.28%	48조7,342억	1,098,194주
NAVER	290,000	▲ 4,000	+1.40%	47조6,363억	502,033주
현대차	190,000	▼ 1,500	-0.78%	40조5,969억	1,572,645주
삼성SDI	556,000	▼ 4,000	-0.71%	38조2,330억	348,022주
카카오	374,500	▲ 4,000	+1.08%	33조721억	435,671주

출처: 네이버

국시장에서 249.720위안에 거래되고 있습니다. 이것을 원화로 환산하면 42,000원 정도입니다. LG화학은 846,000원에 거래되고 있습니다. 가격만 보면 LG화학이 비싸지만 시가총액은 CATL이 96조 원, LG화학은 60조 원입니다.

세계 1위 배터리 제조사인 LG화학이 CATL의 절반 수준에 거래되고 있는 것입니다. 시가총액만 비교하면 LG화학은 경쟁사보다 분명히 저평가된

글로벌 주요기업 시가총액 순위

Rank	Name		Market Cap	Price	Today	Price (30 days)	Country
1		Apple AAPL	$2.892 T	$176.28	0.36%		≡ USA
2		Microsoft MSFT	$2.512 T	$334.69	0.45%		≡ USA
3	G	Alphabet (Google) GOOG	$1.951 T	$2,943	0.13%		≡ USA
4		Saudi Aramco 2222.SR	$1.900 T	$9.51	0.85%		▬ S. Arabia
5	a	Amazon AMZN	$1.735 T	$3,421	0.02%		≡ USA
6	T	Tesla TSLA	$1.071 T	$1,067	5.76%		≡ USA
7	f	Meta (Facebook) FB	$932.55 B	$335.24	1.45%		≡ USA
8		NVIDIA NVDA	$738.62 B	$296.40	0.82%		≡ USA
9	B	Berkshire Hathaway BRK.A	$659.51 B	$444,654	0.01%		≡ USA
10		TSMC TSM	$625.85 B	$120.68	-0.51%		▬ Taiwan
11		Tencent TCEHY	$578.72 B	$60.26	5.79%		▬ China
12	VISA	Visa V	$470.89 B	$216.62	-0.61%		≡ USA
13		UnitedHealth UNH	$466.57 B	$495.38	0.25%		≡ USA
14	JPM	JPMorgan Chase JPM	$464.74 B	$157.26	0.36%		≡ USA
15		Samsung 005930.KS	$455.63 B	$67.86	0.75%		✖ S. Korea

것입니다.

　　이처럼 시가총액을 확인하면 경쟁사와의 비교를 통해 적절한 투자 의
사결정을 할 수 있습니다. 하루하루 가격의 변화보다는 시가총액의 변화를
확인하면서 투자하는 습관을 꼭 기르시기 바랍니다.

 엄블리의 꿀팁

주가는 거래되는 가격일 뿐입니다. 기업의 크기는 시가총액으로 확인할 수 있습
니다. 시가총액은 주가에 그 기업이 발행한 총 주식수를 곱하면 계산됩니다. 시가
총액을 확인하면 그 기업이 경쟁사에 비해 저평가인지, 고평가인지 확인할 수 있
습니다.

IPO(기업공개)는
어떤 의미인가요?

비상장기업

코스피, 코스닥 시장에 등록되
지 않은 주식회사

비상장기업*이 증권시장(코스피, 코스닥)에
서 공식적으로 거래되기 위해서는 기업공개
라는 과정을 거쳐야만 합니다. 이 기업공개를
IPO(Initial Public Offering)라고 합니다.

기업공개란 외부 투자자가 공개적으로 주식을 살 수 있도록 기업이 자
사의 주식과 경영내역을 시장에 공개하는 것인데요, 신입사원이 직장에 들
어가기 위해 이력서도 내고 면접도 보고 합격 후에는 연봉계약도 하고 입사
날짜를 받아 정식으로 입사를 하는 것과 비슷합니다. 한마디로 코스피 시장
혹은 코스닥 시장에 들어가기 위해 신고하는 과정이라고 볼 수 있습니다.

IPO를 하는 이유는 명확합니다. 대부분의 기업들은 성장을 하기 위해

끊임없이 투자를 해야 합니다. 투자금을 확보하기 위해 은행에서 돈을 빌리기도 하고, 채권을 발행하기도 합니다. 주식시장에 상장된 기업들은 유상증자* 등을 통해 시장에서 자금을 직접 조달하기도 합니다. 비상장기업들도 당연히 자

금이 많이 필요합니다. 자금조달 측면에서 기업에게 가장 유리한 것은 시장에서 직접 조달하는 것입니다. 부채가 아니기 때문에 기업 입장에서는 비용 부담이 없죠.

IPO를 하게 되면 대규모 자금을 손쉽게 조달할 수 있고, 이 자금조달을 통해 빌린 돈을 갚을 수도 있고, 새로운 공장을 건설할 수도 있고, 신사업에 투자할 수도 있습니다. 물론 기업의 모든 정보가 공개되므로 기업에 대한 신뢰도가 높아지고, 홍보효과도 부수적으로 얻을 수 있습니다.

투자자들에게도 좋습니다. SK바이오팜, 카카오게임즈, 빅히트, 카카오뱅크, 마켓컬리처럼 고성장하는 기업들에 대한 정식 투자가 가능해지기 때문입니다. 물론 장외시장에서 이들 기업을 매수할 수 있지만(2020년 기준으로 SK바이오팜, 카카오게임즈, 빅히트는 주식시장에 상장이 되어 있음) 세금도 비싸고 거래 상대방을 찾기도 쉽지 않고, 무엇보다 장외시장에서는 인기기업들이 부르는 게 값일 정도로 높은 가격에 거래되고 있기 때문에 리스크가 매우 커질 수밖에 없습니다.

IPO 과정은 다소 복잡할 수 있지만 순서만 잘 이해하면 그리 어렵지 않습니다. IPO를 하기 위해 비상장기업은 먼저 증권선물거래소에 상장신청을 해야 합니다. 증권선물거래소는 상장신청을 한 기업들을 대상으로 심사를 하게 됩니다. 심사기준을 충족하게 되면 승인을 내주고, 기업은 IPO를 위한

본격적인 실무작업에 들어가게 됩니다.

그리고 주관사(IPO를 도와주는 증권사)와 함께 증권신고서를 작성합니다. 증권신고서는 매우 중요한데요, 여기에는 공모방법, 공모가 결정방법, IPO를 하는 목적, 기업의 재무제표, 주주현황, 기업의 사업현황 등 중요한 정보들이 담겨 있습니다. 신규상장 기업에 투자하는 투자자라면 반드시 읽어봐야 하는 자료입니다. 전자공시(dart.fss.or.kr) 사이트에서 증권신고서는 언제든 검색해 찾아볼 수 있습니다.

증권신고서 제출 후에는 기관투자자들을 대상으로 수요예측을 하게 됩니다. 경매라고 생각하면 됩니다. 공모가 밴드(해당기업과 주관 증권사가 희망하는 공모가격 밴드를 설정)를 참고해 기관투자자들이 원하는 수량과 가격을 제출합니다. 공모가 밴드가 10만~11만 원이라고 가정해보겠습니다. 기관투자자들이 대부분 11만 원에 주식을 받겠다고 신청을 하면, 공모가는 대부분 11만 원에 결정되는 형식입니다.

인기기업은 수요예측에서도 경쟁이 매우 치열해서 카카오게임즈는 경쟁률이 무려 1,478.53:1을 기록했습니다. 반대로 기관투자자들의 반응이 냉랭한 기업은 공모가도 낮게 결정됩니다. 애슬레저 브랜드로 유명한 엑스코퍼레이션은 공모가 밴드가 12,400원~15,300원이었는데 공모가는 13,000원에 결정되었습니다. 수요예측 경쟁률이 47.06:1에 불과했고, 기관투자자 상당수가 13,000원 이하에서 주식을 받겠다고 신청을 했습니다. 수요예측이 흥행에 실패하자 일반투자자를 대상으로 한 청약에서도 경쟁률이 겨우 8.54:1에 그치며 IPO 흥행에 실패했습니다. 수요예측은 기업의 IPO 흥행 성공여부를 알 수 있는 예고편 같은 것입니다.

수요예측이 끝나고 나면 공모가를 결정하게 됩니다. 보통 경쟁기업들과 비교분석을 해서 기업의 적정가치를 결정하게 되는데요, 그 가격에서 보통 20~30% 정도 할인을 해서 공모가 밴드를 결정하고 기관들의 수요예측을 통해 적정 공모가를 결정하게 됩니다.

공모가가 결정되면 기업의 시가총액이 결정되고, 공모주 청약이 시작됩니다. 공모주 청약은 이틀간 진행되며, 주관 증권사의 계좌가 반드시 있어야 합니다.

카카오게임즈의 주관사는 한국투자증권, 삼성증권, KB증권인데 이 3곳의 증권사 중 원하는 증권사 계좌를 트고 청약을 해야 합니다. 인기기업은 워낙 경쟁이 치열해서 청약을 해도 원하는 수량을 받는 것은 불가능합니다. 카카오게임즈는 공모가가 24,000원인데 청약 경쟁률이 무려 1,524:1을

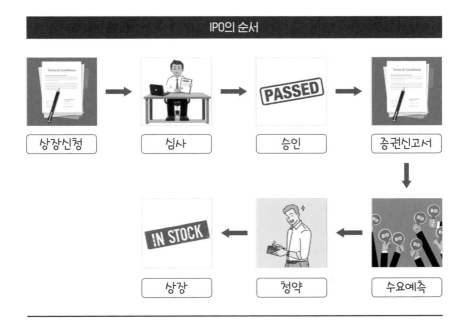

IPO의 순서

상장신청 → 심사 → 승인 → 증권신고서 → 수요예측 → 청약 → 상장

기록했습니다. 1억 원을 청약한 투자자는 겨우 5주만 받을 수 있었을 정도로 경쟁이 치열했습니다. 금액으로는 12만 원에 불과했습니다. 1억 원을 청약증거금으로 냈고 5주를 받은 투자자가 상장 첫 날 주가가 62,400원까지 상승했을 때 매도를 했다면 공모가 대비 수익률은 160%이지만 수익금은 19만 원에 불과합니다. 증거금 1억 원을 내고 얻은 수익은 0.2%밖에 되지 않는 것입니다. 흥행기업일수록 상장 이후의 주가 흐름은 좋지만 실제 투자자 손에 쥐어지는 것은 많지 않습니다.

이렇게 청약까지 끝나고 나면 일정시간 후에 정식으로 주식시장(코스피 혹은 코스닥)에 상장을 하게 됩니다. 이제 투자자들은 본인이 원할 때 이 기업을 언제든 투자할 수 있게 되는 것입니다. 물론 상장 후 그 기업의 미래가치가 여전히 좋고 주가도 싸다면 주가는 지속적으로 상승하겠지만, 상장할 때의 기업가치가 가장 높다면 상장 이후에 주가는 계속 내리막길을 걸을 수도 있습니다. 따라서 신규상장을 한 기업일수록 더 철저한 기업분석이 요구됩니다.

 염블리의 꿀팁

IPO는 기업에 있어서는 자금조달, 기업홍보 등의 효과를 낼 수 있는 중요한 이벤트입니다. 투자자들에게는 매력적인 기업에 정식으로 투자할 수 있는 좋은 기회가 될 수 있습니다. IPO 투자도 막연한 기대보다는 제대로 알고 투자하면 성공확률을 높일 수 있습니다.

질문
TOP
03

주도주에 올라타야
돈을 번다는데 정말인가요?

2008년 미국에서 금융위기가 발생하자 세계각국은 위기를 타개하기 위해 대규모로 돈을 풀고 부양책을 썼습니다. 금리가 낮아지고 돈이 풀리자 자산시장이 들썩이게 되고, 주식시장도 매우 강한 상승세를 보였습니다.

2009~2011년 상반기 강세장에서 시장을 가장 강하게 이끌었던 업종은 '차화정'이라고 불리는 자동차, 화학, 정유 업종이었습니다. '차화정' 장세라고 불리우는 시기가 바로 이때였습니다. 연비 좋은 소형차에 강점이 있던 현대차그룹은 '고유가, 신흥국 경제 성장'에 따라 소형차 판매가 급증하면서 큰 이익을 냈고, 실적과 주가가 동반상승하는 대세상승을 2년 이상 지속했습니다. 현대차는 2009년 5만 원에서 2011년 25만 원까지 5배 상승했고, 기아차는 8,000원에서 8만 원까지 10배 상승하는 급등세를 보였습니

다. 현대차와 기아차는 코스피 지수가 1,000포인트에서 2,200포인트까지 2배 상승하는 강세장에서 시장보다 월등히 높은 수익률을 보여주었습니다.

출처: 이베스트투자증권 HTS

정유, 석유화학 기업들도 실적과 주가가 동반상승하는 대세상승을 2년간 이어가게 됩니다. 중국의 대규모 경기부양에 따라 원유와 석유화학 제품수요가 급증했고 석유화학 증설도 제한적이어서 한국의 대표 화학 기업들은 막대한 이익을 기록하게 됩니다. 정유사들은 유가가 110달러까지 급등하면서 재고평가이익*이 크게 증가했습니다. 2011년 동

재고평가이익

정유사들은 원유를 수입하고 원유탱크에 저장을 하는데, 유가가 상승하게 되면 보유한 원유가치가 상승해서 재고평가이익이 발생함

일본 대지진이 발생했고 일본 정유공장들이 큰 타격을 받게 되자 반사이익으로 주가는 끝없이 상승하게 됩니다. SK이노베이션의 주가는 7만 원에서 25만 원까지 상승했고, 석유화학 대표기업인 롯데케미칼의 주가는 6만 원에서 47만 원까지 상승했습니다.

물론 2009~2011년 상승장에서 차화정 외에도 많은 업종, 기업들이 강세를 보였지만 주도주는 그 시대를 대표하는 산업에 속해 있는 기업을 의미합니다. 당시 기업은행은 주가가 5,000원에서 2만 원까지 4배 가까운 상승세를 보였지만 주도주라고 부르지는 않습니다. 자동차, 정유, 화학처럼 그 시대를 대표하는 산업은 아니었기 때문입니다.

시가총액도 커야 하고, 그 시대를 대표해야 하며, 매출과 이익도 당연히 증가해야 하고, 주가도 지속적으로 상승하는 기업들을 우리는 주도주라고 부릅니다. 단순히 주가만 급등했다고 해서 주도주라고 하지는 않습니다.

2020년 코로나19 전염병이 전 세계를 강타하면서 주가가 폭락하고 가계와 기업이 큰 타격을 받았습니다. 외부 경제활동이 막히면서 백화점, 면세점, 항공, 여행 같은 대면산업과 건설, 철강, 조선, 화학 같은 경기민감형 기업들이 큰 충격을 받았습니다. 하지만 비대면(언택트) 산업은 엄청난 성장을 하게 됩니다. 온라인으로 물건을 주문하고, 모바일 게임을 하며, 드라마를 시청하고, 음식을 주문하는 수요가 폭발적으로 늘어났습니다. 그 전에도 온라인 산업은 커지고 있었지만 코로나19를 계기로 5년 후의 잠재수요가 바로 실현된 것입니다.

코로나19를 퇴치하기 위해 제약사들은 치료제 개발에 집중했고, 그 기대감에 의해 주가도 급등세를 보였습니다. 이와 동시에 각국정부는 경기부양을 위해 재정을 친환경산업에 집중하는 그린 뉴딜 정책을 발표했습니다.

KRX BBIG K-뉴딜지수

2020년 9월 7일 한국거래소에서 발표한 지수로, 미래 성장주도 산업으로 주목받는 'BBIG(배터리·바이오·인터넷·게임)' 등의 4개 산업, 12개 종목으로 구성되어 있음

특히 유럽에서 적극적인 친환경 정책들이 발표되자 전기차 판매가 급증하게 되었고, 세계 1위 전기차 배터리 회사인 LG화학을 중심으로 배터리 기업들의 주가는 급등세를 보였습니다.

BBIG는 '배터리, 바이오, 인터넷, 게임'의 약자를 따서 만든 용어입니다. 정부에서는 이 산업에 속해 있는 대표 12개 기업을 선별해서 KRX BBIG K-뉴딜지수*를 발표했습니다. 정부에서 정식으로 BBIG를 주도주라고 인정한 것이죠. BBIG는 코로나19로 인해 변해버린 시장환경에서 시장을 이끄는 대표산업이 되었고, 실적과 주가 역시 크게 상승하면서 주도주로서 자리매김을 하게 된 것입니다.

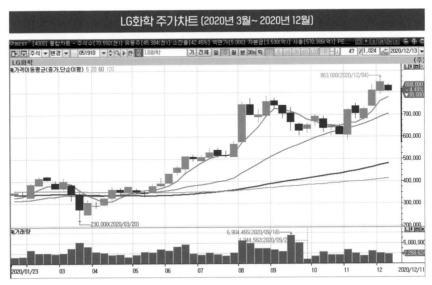

출처: 이베스트투자증권 HTS

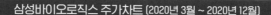

출처: 이베스트투자증권 HTS

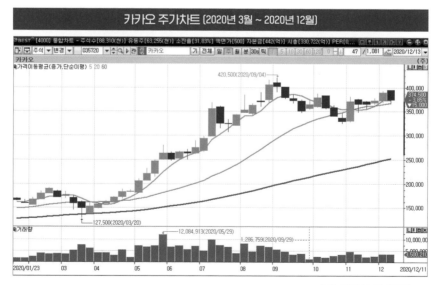

출처: 이베스트투자증권 HTS

1장 | 주린이가 가장 궁금해하는 주식용어 9가지　37

미국시장도 크게 상승했습니다. 애플, 아마존, 마이크로소프트, 알파벳(구글), 페이스북, 넷플릭스, 테슬라는 특히 한국 투자자들에게 강한 러브콜을 받았는데 이들 기업을 한국에서는 '칠공주'라고 불렀습니다. 칠공주 중에서도 가장 인기가 높았던 테슬라는 2020년 3월 저점 70달러에서 600달러까지 상승하면서 칠공주 중에서 가장 높은 주가상승을 보여주었습니다.

이외에도 2013~2015년 건자재 랠리를 이끌었던 한샘, 2014~2016년 중국소비주 랠리를 이끌었던 아모레퍼시픽, 2018~2019년 5G 통신장비 랠리를 이끌었던 케이엠더블유도 주도주라고 부를 수 있습니다. 특히 이 기업들은 약세장 국면에서도 주가가 최대 10배 이상 상승하면서 '주도주는 강세장에서만 탄생한다'는 논리를 뒤집었습니다. 성장하는 산업에 속해 있고, 매출과 이익이 시장평균을 크게 뛰어넘는다면 약세장에서도 주도주가 탄생할 수 있다는 것을 보여준 것입니다.

 염블리의 꿀팁

주도주는 그 시대를 대표하는 산업에 속해 있으면서 매출, 이익 및 주가상승률이 시장평균을 크게 뛰어넘는 기업을 의미합니다. 주도주는 시장보다 월등히 강하고, 시장이 하락해도 급락하지 않습니다.

질문
TOP
04

우선주와 보통주는
어떻게 다른 것인가요?

주식은 종류에 따라 보통주와 우선주로 나눌 수 있습니다. 보통주(본주)란 주주총회*에 참석해 기업의 주요 경영사항에 대해 의결권을 행사하고 배당도 받는 등 주주로서의 권리를 행사할 수 있는 주식을 의미합니다. 여러분이 매수하는 대부분의 주식, 시장에서 거래되는 대부분의 주식이 보통주라고 생각해도 무방합니다.

주주총회

주주들이 모여 상법에 정해놓은 회사의 중요한 사안을 결정하는 최고 의사결정회의. 매년 3월 정기 주주총회가 열리며 분할, 합병 등 중요한 이슈가 생겼을 경우에는 임시주총을 비정기적으로 개최함

반면에 우선주는 특수한 주식입니다. 기업경영에 참여할 수 없는 주식이죠. 즉 권리가 제한된 주식입니다. 주주인데도 주주총회에 참석해서 의결권을 행사할 수 없다니 뭔가 이상하죠? 그렇기에 다른 특별한 권리를 부여

합니다. 그것은 바로 배당입니다.

우선주는 일반적으로 보통주보다 이익, 배당, 잔여재산 분배 등에 있어서 우선적 지위가 인정되는 주식입니다. 주주로서의 권리 행사가 불가능하지만 배당은 보통주보다 더 많이 받을 수 있습니다. 기업경영에는 관심이 없고 배당 위주의 투자를 하는 투자자들에게는 오히려 유리할 수 있는 주식이 우선주입니다.

그렇다면 기업은 왜 우선주를 발행할까요? 기업이 자금을 조달하는 방법에는 여러 가지가 있습니다. 은행에서 차입을 할 수도 있고, 주식을 발행해서 조달할 수도 있고, 채권을 발행해서 조달할 수도 있습니다. 기업 입장에서는 주식을 발행하는 것이 가장 유리합니다. 이자를 내지 않아도 되고, 부채가 늘지 않아서 안정적인 재무구조를 유지할 수 있기 때문입니다. 다만 주식발행을 하게 되면 주식수가 늘어나고 대주주 지분율이 낮아져서 경영권을 위협받을 수도 있습니다. 기업 입장에서 보통주 증자*보다 우선주를 발행하게 되면 경영권 위협 없이 자금을 조달할 수 있습니다.

증자

주식을 발행해 회사의 자본금을 증가시키는 것

우선주도 종류가 다양합니다. 구형 우선주와 신형 우선주가 대표적인데, 구형 우선주는 상법개정 전인 1996년 이전에 발행된 우선주를 의미합니다. 신형 우선주는 상법개정 이후에 발행된 우선주로, 보통 종목명 뒤에 우B가 붙습니다(예: 현대차2우B, 한화3우B / 1우B는 첫 번째 발행한 우선주, 2우B는 두 번째 발행한 우선주를 의미).

구형 우선주는 보통주보다 높은 배당을 보장해주는 반면, 신형 우선주는 배당 자체를 보장해주는 채권의 성격이 들어가 있습니다. 그래서 종목명 뒤에 채권을 의미하는 Bond의 B가 붙는 것입니다. 매년 배당을 주는 기업이 적자가 나면 배당을 못 주는 경우도 발생하는데, B가 들어간 신형 우선주는 투자자들에게 배당을 보장해줘야 하며, 그해 배당을 못 주면 그 다음해에 지급하지 못한 배당금을 합산해서 줘야 합니다.

전환우선주도 있습니다. 종목명 뒤에 '전환'이라는 글자가 붙은 우선주를 전환우선주라고 합니다. CJ4우(전환)이라는 우선주는 일정기간 이후에 CJ 보통주로 전환될 권리가 부여된 주식입니다. 보통 우선주가 보통주보다 할인되어 거래되기 때문에 보통주 전환 시에 기대 이상의 수익을 거둘 수도 있습니다.

우선주는 일반적으로 보통주보다 주가가 싸게 거래됩니다. 발행가의

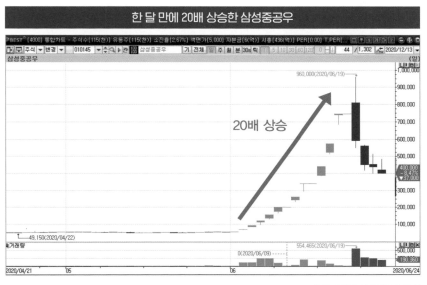

출처: 이베스트투자증권 HTS

경우 보통주보다 15% 정도 할인되고, 주가도 보통주보다 30% 정도 낮은 게 일반적입니다. 2020년에는 비이성적인 우선주 주가급등 현상이 발생하기도 했습니다. 삼성중공업의 우선주인 삼성중공우는 2020년 6월 1일 54,500원이던 주가가 2020년 6월 19일 96만 원까지 거의 20배 가까운 상승세를 보이기도 했습니다. 같은 기간 보통주인 삼성중공업 주가가 30% 오른 것에 비해 과도한 주가상승이 나온 것입니다. 그로 인해 당시 우선주 투자열풍이 불기도 했습니다.

우선주는 경영권 행사가 제한적인 주식입니다. 배당매력은 있지만 주주권을 행사할 수 없다는 치명적인 단점이 있는 주식입니다. 삼성중공우처럼 일확천금을 노리고 우선주에 투자하려는 주린이분들이 있다면 그 환상을 버리기를 당부드립니다.

우선주 투자는 시세차익이 아닌 배당을 중시하는 투자자에게 어울리는 옷입니다. 우선주에 투자하더라도 보통주의 주가상승이 지속될 수 있을지, 배당을 앞으로 늘릴 여력이 있을지를 먼저 파악하고 난 후 투자에 임하시기 바랍니다.

 염블리의 꿀팁

> 우선주는 주주권 행사(경영권 참여)가 어려운 주식입니다. 보통주보다 30% 정도 할인되어 거래되는 것이 일반적입니다. 보통주보다 많은 배당을 주고, 1996년 이후 발행된 신형 우선주는 배당 자체를 보장해주기도 합니다. 우선주들이 폭등하기도 하지만 장기적으로는 보통주 주가와 동행합니다.

ETF란 무엇이고
어떤 장점이 있나요?

ETF는 Exchange Traded Fund의 약자로 상장지수펀드라고 불리는 상품입니다. ETF는 펀드를 마치 주식처럼 시장에서 자유롭게 사고팔 수 있는 상품입니다. 투자자들이 언제든 시장에서 원하는 가격에 매매를 할 수 있고, 개별주식을 고르는 수고를 하지 않아도 되기 때문에 장점이 매우 많은 상품입니다. 개인투자자가 100종목을 분산해서 투자하기는 어렵지만 ETF는 간접적인 분산투자를 가능하게 합니다.

펀드는 운용대가로 지급하는 운용보수가 1%가 넘고, 중도에 환매를 하면 수수료도 부과되고, 환매 후에도 현금확보까지 1주일 정도의 시간이 필요합니다. 까다로운데 비싼 상품인 것이죠. 반면에 ETF는 운용보수가 0.2% 수준으로 싸고, 주식과 마찬가지로 매도 후 이틀 후에 현금확보가 가능합니다. 거기다 매우 큰 장점이 하나 더 있습니다. 현재 국내주식 매도 시에는 0.25%의 거래세가 부과되는데, EIF는 거래세가 부과되지 않습니다.

ETF 투자 시 발생하는 세금과 관련해 주의사항이 있습니다. ETF는 거래세를 내지 않지만 매매차익과 관련해서는 ETF 종류에 따라서 배당소득세를 내야 합니다. 국내 주식형 ETF는 매매차익 발생 시 비과세로 세금을 내지 않습니다. 그외 ETF(채권ETF, 해외지수ETF, 파생형ETF 등)는 매매차익이 배당소득세(15.4% 원천징수)로 과세되어 세금을 내게 됩니다. 따라서 국내 주식형 ETF가 아닌 기타 ETF(채권ETF, 해외지수ETF, 파생형ETF 등)는 매매차익 발생 시 다른 금융 수익과 합산하여 2,000만 원이 넘게되면 다음년도 금융소득종합과세*에 포함되니 주의가 필요합니다.

ETF는 주식처럼 종류가 다양합니다. 지수형, 업종형, 해외지수형, 채권형 등 다양한 상품으로 구성되어 있습니다. 글로벌 시장에서 거래되는 거의 모든 상품들을 간접적으로 투자할 수 있다는 것이 ETF만의 큰 매력입니다. 투자자가 코스피 지수를 추종하는 상품에 투자하고 싶다면 코스피 200*을 추종하는 지수형 ETF를 매수하면 되고, 미국의 지수를 추종하는 상품에 투자하고 싶다면 해외지수형 ETF를 매수하면 됩니다.

ETF를 검색하면 KODEX 200, KODEX 레버리지, TIGER 200, TIGER 레버리지 같은 종목명을 많이 봤을 것입니다. ETF는 증권사가 아니라 자산운용사가 만든 상품입니다. KODEX는 삼성자산운용이 만든 ETF이고, TIGER는 미

ETF의 종류와 내용

ETF 종류	내용
지수형	코스피 200, 코스닥 150 등 국내 대표지수 추종
업종/섹터지수형	반도체, 자동차, 2차전지 등 업종 추종
테마지수형	삼성그룹주, 고배당주, 한류주 등 테마 추종
해외지수형	미국, 중국, 일본 등 주요국 대표지수 추종
채권형	국채, 회사채, 미국 국채 등 추종
통화형	원화, 달러화 등 주요국 통화 추종
상품형	원유, 금, 은, 구리 등 상품자산 추종

래에셋자산운용이 만든 ETF입니다. 맨 앞에 붙는 단어는 운용사를 의미하는 것이고, 뒤에 있는 200은 코스피 200을 의미하고, 레버리지는 2배를 의미합니다.

KODEX 200은 삼성자산운용이 만든 코스피 200 지수를 그대로 추종하는 ETF이고, TIGER 레버리지는 미래에셋자산운용이 만든 코스피 200 지수를 2배 추종하는 ETF입니다. 즉 코스피 200 지수가 1% 상승하면 레버리지 ETF는 2% 상승하게 되고, 코스피 200 지수가 1% 하락하면 레버리지 ETF는 2% 하락하게 됩니다. 레버리지 ETF는 개인투자자들이 가장 많이 거래하는 ETF로 인기가 많습니다.

레버리지와 더불어 거래가 많이 되는 ETF 중의 하나가 인버스입니다. KODEX 인버스는 코스피 200 지수를 역방향으로 추종하는 상품입니다. 즉 코스피 200 지수가 1% 상승하면 인버스 ETF는 1% 하락하고, 코스피 200 지수가 1% 하락하면 인버스 ETF는 1% 상승합니다. 주식비중이 높은 상황

지수형 ETF의 종류

종목명	현재가	대비		등락률	거래량	NAV	NAV전일비
KODEX 200선물인버스2X	2,850	▼	45	1.55	206,857,851	2,843.62	65.00
KODEX 레버리지	20,940	▲	345	1.68	67,535,083	21,104.50	400.61
KODEX 코스닥150선물인버스	4,610	▼	45	0.97	42,231,213	4,608.97	50.65
KODEX 인버스	4,530	▼	45	0.98	39,451,431	4,528.37	51.14
KODEX 코스닥150 레버리지	15,560	▲	265	1.73	25,677,343	15,720.47	258.18
KODEX 200TR	11,955	▲	125	1.06	15,223,567	11,968.98	92.38
KODEX 200	37,225	▲	320	0.87	10,436,927	37,272.30	286.60
KODEX 코스닥 150	14,680	▲	60	0.41	9,462,430	14,829.80	98.79
KODEX MSCI Korea TR	12,050	▲	100	0.84	9,459,519	12,051.66	94.35
TIGER MSCI Korea TR	15,130	▲	150	1.00	7,213,412	15,132.80	118.69
TIGER 200선물레버리지	15,730	▲	275	1.78	4,319,230	15,792.41	340.93
TIGER 200선물인버스2X	2,945	▼	55	1.83	3,809,755	2,941.14	66.60
TIGER 200	37,210	▲	345	0.94	2,949,683	37,243.11	287.66
KODEX 2차전지산업	14,695	▲	30	0.20	2,067,638	14,727.51	73.83
TIGER 레버리지	19,775	▲	310	1.59	1,392,193	19,817.62	377.37
KOSEF 단기자금	101,895	▼	5		1,337,780	101,897.56	8.79
TIGER 코스닥150	14,790	▲	115	0.78	1,140,719	14,909.03	98.28
TIGER 2차전지테마	13,580	▲	85	0.63	1,126,539	13,569.35	64.27

출처: 이베스트투자증권 HTS

에서 지수가 하락할 가능성이 높다고 생각한다면 주식비중을 줄이는 것도 괜찮지만, 주식비중을 유지한 채 인버스 ETF를 매수해 하락을 방어하는 전략(헤지*)으로도 활용할 수 있습니다.

향후 코스피 지수가 장기적으로 꾸준히 상승한다고 생각하는 투자자라면 종목에 투자하는 것보다 코스피 200을 추종하는 ETF에 투자하는 것이 더 유리할 수 있습니다. 지수가 아무리 상승해도 기업가치가 하락하는 기업은 주가가 상승하지 못합니다. 지수 상승을 염두에 두고 기업을 매수했어도 수익이

헤지

투자자가 보유하고 있거나 앞으로 보유하려는 자산의 가격이 변함에 따라 발생하는 위험을 없애려는 시도

아닌 손실이 날 수도 있는 것입니다.

코스피 200 추종 ETF는 코스피 지수와 동행하는 상품입니다. 대한민국 시장의 상승을 확신한다면 월급날마다 꼬박꼬박 일정 부분의 현금을 KODEX 200 혹은 TIGER 200에 적립식으로 장기투자하는 것도 좋은 방법이 될 것입니다.

 엽블리의 꿀팁

ETF는 비용, 매매 등에 있어서 펀드보다 매우 유리한 상품입니다. 주식처럼 자유롭게 사고팔 수 있고, 펀드처럼 다양한 상품에 분산투자할 수 있어 장점이 매우 많습니다. 코스피 지수의 장기상승을 확신한다면 코스피 200을 추종하는 ETF에 적립식으로 장기투자하는 것도 좋은 재테크가 될 것입니다.

OEM은 무엇이고
ODM은 어떤 것인가요?

주식시장에는 다양한 종류의 기업과 업종이 있습니다. 소비자를 대상으로 물건을 판매하는 기업, 그 물건을 만들기 위한 원재료를 공급하는 기업, 게임이나 웹툰 같은 콘텐츠를 제작하는 기업, 대기업이 설계한 제품을 대신 만들어주는 기업 등 다양한 기업들이 존재합니다. 그 다양한 기업들 중에 특정기업으로부터 주문을 받아 대신 제품을 만들어주는 기업을 우리는 OEM, ODM 기업이라고 부릅니다.

국내증시에는 OEM, ODM 기업들이 많이 있습니다. 사실 헬스케어 업종에도 이런 류의 기업들이 많이 있습니다. CMO라고 불리는 기업들인데, 신약 개발업체들이 자체적으로 약을 생산하지 않고 CMO(의약품 위탁생산업체)에 생산을 맡기는 경우가 많습니다.

먼저 OEM부터 들여다보겠습니다. OEM은 Original Equipment Manufacturing의 약자로 '주문자상표부착생산'이라고 부릅니다. 생산을 주문한 업체(주로 글로벌 브랜드를 보유한 대기업)에서 OEM 업체에 어떤 제품을 만들어달라고 요구하면, OEM 업체는 고객사가 요구한 대로 똑같이 만들어 주고 제품을 납품하게 됩니다. 이렇게 만들어진 제품은 생산을 주문한 업체의 브랜드로 판매됩니다.

예를 들어 아디다스가 새로운 디자인, 새로운 소재가 들어간 운동화를 만들기로 하고 화승엔터프라이즈(아디다스의 주요 신발 OEM 업체)에 주문을 하면, 화승엔터프라이즈는 아디다스가 요구한 대로 운동화를 만들어서 납품하게 됩니다. 그 후의 유통, 판매 등은 아디다스가 맡아서 하게 됩니다. 즉 OEM은 생산만 대신해주는 업체입니다.

세계적으로 가장 유명한 OEM업체는 대만의 폭스콘입니다. 애플이 아

화승엔터프라이즈에서 생산하는 아디다스 운동화

출처: 아디다스 코리아

이폰을 설계하고 생산을 위탁하면, 폭스콘이 아이폰을 만들어주고 애플에 다시 납품을 합니다.

ODM은 Original Development Manufacturing의 약자로 '제조자개발생산'이라고 부릅니다. OEM과 비슷하면서도 다릅니다. OEM은 주문자가 요구한 대로 똑같이 만들어주기만 하면 되는 단순 하청업체입니다. 반면 ODM은 주문자의 요구에 따라 ODM 업체가 주도적으로 제품을 생산하는 방식입니다. 설계도대로 만들어서 납품만 하는 OEM과 달리 ODM은 제조사가 자체적으로 기술을 개발하기 때문에 이익률이 비교적 높고, 해외브랜드로 판매가 될 경우 판매에 따른 일정한 보너스를 받는 경우도 많습니다.

즉 ODM은 OEM보다 높은 수준의 위탁생산입니다. 대표적인 기업으로 코스맥스가 있습니다. 국내 및 글로벌 대표 화장품 ODM 업체로 로레알, 랑콤, 입생로랑, LG생활건강, 아모레퍼시픽 등이 주요 고객사입니다. 이름만

화장품 ODM업체인 코스맥스 생산시설

출처: 코스맥스

들어도 알 수 있는 세계적인 화장품 회사들이 코스맥스에 제품의 개발 및 생산을 맡기면 디자인과 성능이 우수한 화장품을 만들어줍니다. 최근에는 중국 화장품 회사들의 주문이 증가하면서 중국시장에서도 코스맥스의 매출이 크게 증가하고 있다고 합니다.

2020년 국내에서 가장 뜨거웠던 기업 중의 하나는 삼성바이오로직스입니다. 삼성바이오로직스는 제약업종의 OEM입니다. 세계적으로 유명한 빅파마(대형 제약사)들은 많은 신약을 개발하는데, 신약의 생산은 직접하지 않고 외부에 위탁하는 경우가 많습니다. 약을 대신 생산해주는 업체를 CMO(Contract Manufacturing Organization)라고 하는데, 삼성바이오로직스는 공장증설을 통해 세계 1위 기업인 론자를 제치고 생산량 기준으로 세계

1위가 되었습니다.

CMO는 약을 제조하기 때문에 일반적인 제조업체와 달리 고객사가 요구하는 조건이 매우 까다롭습니다. 대량의 의약품을 생산할 수 있는 대규모 공장은 기본이고, 품질도 우수해야 합니다. 즉 아무나 할 수 없는 비즈니스입니다. 세계적으로 검증된 몇 개의 회사만이 이를 수행할 수 있는데 삼성바이오로직스 외에 셀트리온, 에스티팜, 바이넥스 등이 CMO 사업을 하고 있습니다(셀트리온은 바이오시밀러 기업이지만 일부 CMO 사업도 병행하고 있음). 코로나19로 인해 백신과 치료제 개발이 급증하면서 CMO 업체들의 위상은 더욱 커지고 있습니다.

한국은 제조업 강국입니다. 삼성전자는 글로벌 1위 제조업체이고, 그 밑에 경쟁력 있는 다양한 제조업체들이 포진해 있습니다. 수십 년간의 경험이 축적된 제조업 노하우는 한국이 OEM, ODM, CMO 등의 위탁생산 사업에서도 글로벌 1위가 될 수 있었던 이유입니다. 중국의 추격이 거세지만 경쟁력을 갖춘 위탁생산 업체들의 성장을 계속 기대해보겠습니다.

 염불리의 꿀팁

OEM은 주문자가 요구한 그대로 생산해주는 방식이고, ODM은 주문자가 위탁하면 제품의 개발부터 생산까지 전 과정을 맡아서 해주는 부가가치가 더 높은 위탁생산 방식입니다. CMO는 신약개발업체로부터 위탁받아 약을 대신 생산해주는 기업을 의미합니다.

질문
TOP
07

밸류체인(가치사슬)은
무엇을 의미하나요?

2020년 전 세계에서 가장 핫한 제품 중의 하나는 테슬라의 전기차입니다. 멋진 디자인, 가벼운 차체, 고성능 배터리, 오토파일럿 프로그램을 통한 부분적인 자율주행 등 테슬라의 전기차를 사고 싶게 만드는 요소들이 가득 담겨있습니다.

이런 멋진 자동차는 아무렇게나 만들어지는 것이 아닙니다. 전기차에 맞는 설계, 가벼운 차체를 위한 복합소재, 안전하면서도 짧은 충전시간을 가능하게 만드는 배터리 기술, 수많은 데이터를 통해 학습한 인공지능 소프트웨어 등 다양한 요소들이 결합해 만들어지는 것입니다. 전기차 외에 스마트폰, 컴퓨터, TV, 선박건조, 반도체 등 많은 제품들이 이러한 다양한 원재료, 부품, 소프트웨어 등이 결합해 탄생하게 됩니다.

반도체 제조공정 밸류체인

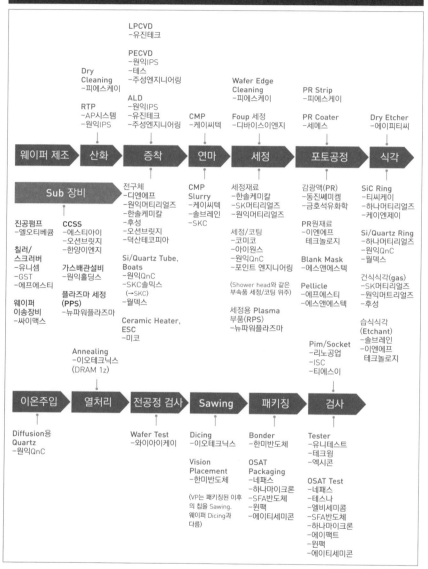

LPCVD
-유진테크

PECVD
-원익IPS
-테스
-주성엔지니어링

Dry Cleaning
-피에스케이

ALD
-원익IPS
-유진테크
-주성엔지니어링

RTP
-AP시스템
-원익IPS

CMP
-케이씨텍

Wafer Edge Cleaning
-피에스케이

Foup 세정
-디바이스이엔지

PR Strip
-피에스케이

PR Coater
-세메스

Dry Etcher
-에이피티씨

웨이퍼 제조 → 산화 → 증착 → 연마 → 세정 → 포토공정 → 식각

Sub 장비

진공펌프
-엘오티베큠

칠러/스크러버
-유니셈
-GST
-에프에스티

웨이퍼 이송장비
-싸이맥스

CCSS
-에스티아이
-오션브릿지
-한양이엔지

가스배관설비
-원익홀딩스

플라즈마 세정(PPS)
-뉴파워플라즈마

전구체
-디엔에프
-원익머티리얼즈
-한솔케미칼
-후성
-오션브릿지
-덕산테코피아

Si/Quartz Tube, Boats
-원익QnC
-SKC솔믹스
(→SKC)
-월덱스

Ceramic Heater, ESC
-미코

Annealing
-이오테크닉스
(DRAM 1z)

CMP Slurry
-케이씨텍
-솔브레인
-SKC

세정재료
-한솔케미칼
-SK머티리얼즈
-원익머티리얼즈

세정/코팅
-코미코
-아이원스
-원익QnC
-포인트 엔지니어링

(Shower head와 같은 부속품 세정/코팅 위주)

세정용 Plasma 부품(RPS)
-뉴파워플라즈마

감광액(PR)
-동진쎄미켐
-금호석유화학

PR원재료
-이엔에프 테크놀로지

Blank Mask
-에스앤에스텍

Pellicle
-에프에스티
-에스앤에스텍

Pim/Socket
-리노공업
-ISC
-티에스이

SiC Ring
-티씨케이
-하나머티리얼즈
-케이엔제이

Si/Quartz Ring
-하나머티리얼즈
-원익QnC
-월덱스

건식식각(gas)
-SK머티리얼즈
-원익머트리얼즈
-후성

습식식각(Etchant)
-솔브레인
-이엔에프 테크놀로지

이온주입 → 열처리 → 전공정 검사 → Sawing → 패키징 → 검사

Diffusion용 Quartz
-원익QnC

Wafer Test
-와이아이케이

Dicing
-이오테크닉스

Vision Placement
-한미반도체

(VP는 패키징된 이후의 칩을 Sawing. 웨이퍼 Dicing과 다름)

Bonder
-한미반도체

OSAT Packaging
-네패스
-하나마이크론
-SFA반도체
-원팩
-에이티세미콘

Tester
-유니테스트
-테크윙
-엑시콘

OSAT Test
-네패스
-테스나
-엘비세미콘
-SFA반도체
-하나마이크론
-에이팩트
-원팩
-에이티세미콘

출처: 이베스트투자증권

54

밸류체인(value chain)이란 '가치사슬'이라는 의미로, 제품생산을 위해 제조공정을 세분화해 체인(사슬)처럼 엮어서 밸류(가치)를 창출한다는 것을 의미합니다. 어떤 제품의 밸류체인을 알고 있으면 제품 제조공정의 순서, 중요도, 필요한 소재, 부품과 장비, 관련된 기업들의 정보를 한눈에 파악할 수 있습니다.

왼쪽의 자료는 이베스트투자증권에서 발간한 반도체 보고서(2020년 9월 14일 발간)에 나온 '반도체 밸류체인'입니다. 복잡해 보이지만 이 밸류체인을 통해 반도체가 어떤 순서로 만들어지고, 어떤 기업들이 관여하고 있는지를 한눈에 파악할 수 있습니다.

반도체 제조공정에서 최근 가장 화제가 되고 있는 공정이 바로 포토공정입니다. 웨이퍼 위에 회로를 미세하게 잘 그려야 고품질이면서 제조비용이 적게 드는 반도체를 생산할 수 있는데, 포토공정이 그 역할을 맡고 있습니다.

특히 EUV(극자외선)*를 활용한 공정이 도입되면서 포토공정에 쓰이는 소재와 장비의 역할이 더욱 중요해지고 있습니다. 포토공정이 이토록 중요하다면 반도체 밸류체인을 통해 어떤 기업이 중요한 역할을 하고 있는지를 알 수 있습니다.

> **EUV(극자외선)**
> 124nm에서 10nm까지 이르는 파장 범위의 전자기 스펙트럼의 일부에 속하는 전자기파. EUV는 코로나에 의해 자연적으로 발생되기도 하고 인공적인 방법으로 생성되기도 함

반도체와 더불어 가장 중요한 위치를 차지하고 있는 2차전지를 예로 들어보겠습니다. 테슬라는 전기차를 제조하는 기업입니다. 전기차에는 다양한 부품들이 들어갑니다. 그중에서도 가장 중요하고 가치 있는 부품은 바로 배터리입니다. 당연히 자동차 제조사는 고품질의 배터리를 공급받길 원

양극재

배터리 제조원가의 40%를 차지하는 핵심소재로, 배터리의 용량과 출력 등을 결정하는 소재

음극재

2차전지 충전 때 양극에서 나오는 리튬이온을 음극에서 받아들이는 소재

분리막

2차전지에서 양극과 음극을 분리해주는 막으로, 전극 간의 전기접촉을 막아주는 핵심소재

전해액

리튬이온의 이동을 원활하게 해주는 액체소재

할 것입니다. 테슬라에게는 배터리가 새로운 가치가 되는 것이죠. 이 가치를 만들어내기 위해 배터리의 원재료 구매단계로부터 제조까지의 단계를 순서대로 연결한 것이 바로 밸류체인입니다.

2차전지는 양극재*, 음극재*, 분리막*, 전해액*으로 구성되어 있습니다. 리튬이온이 양극에서 음극으로 이동하면서 충전이 되고, 음극에서 양극으로 이동하면서 방전이 됩니다. 양극을 구성하는 재료를 양극재라고 하고, 음극을 구성하는 재료를 음극재라고 합니다. 양극재는 주로 니켈(N), 코발트(C), 망간(M)을 원재료로 구성되고, 음극재는 주로 흑연으로 구성됩니다. 분리막은 양극과 음극을 분리해주는 막입니다. 양극과 음극은 서로 만나면 폭발하기 때문에 분리막이 반드시 필요합니다. 전해액은 리튬이온을 양극에서 음극으로, 음극에서 양극으로 이동하기 쉽게 해주는 액체입니다.

양극, 음극, 분리막, 전해액으로 구성된 2차전지 1개를 배터리 셀이라고 부릅니다. 전기차 배터리는 이러한 배터리 셀이 굉장히 많이 들어갑니다. 여러 개의 배터리 셀을 함께 모아서 조립한 것을 배터리 모듈이라고 합니다. 배터리 모듈에 냉각시스템, 제어시스템 등을 장착해서 전기차에 들어갈 수 있게 만든 최종 완성품이 바로 배터리 팩입니다. 배터리 셀, 배터리 모듈, 배

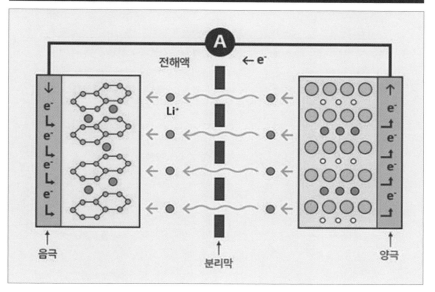

출처: LG화학

터리 팩까지 완성되어야 전기차 제조사에서 필요로 하는 배터리가 완성되는 것입니다.

　이처럼 전기차 배터리를 만드는 과정은 매우 복잡하고 다양한 부품, 소재, 장비를 필요로 합니다. 양극재를 만드는 기업, 분리막을 만드는 기업, 배터리 모듈을 만드는 기업 등 수 많은 기업들이 배터리 제조사의 요구에 맞춰서 필요한 생산품을 제조합니다. 2차전지 밸류체인을 알게 되면 어느 기업이 어떤 부품이나 소재를 만들어서 납품하는지를 알 수 있고, 제조공정에 따라 어느 기업이 더 중요한 위치를 차지하고 있는지를 알 수 있습니다.

　한국은 제조업이 기반인 국가입니다. 반도체, 2차전지, 디스플레이, 스

자동차용 2차전지 밸류체인 (2020년 11월 기준)

분류	기업명	시가총액	특징
배터리	LG화학	59조 원	전기차 배터리 세계 1위
	삼성SDI	37조 원	ESS 배터리의 높은 경쟁력 및 전고체 배터리 기대
	SK이노베이션	16조 원	LG화학 소송 리스크, 하이니켈 배터리 개발
양극재	에코프로비엠	3.1조 원	글로벌 2위 양극재 제조사
	엘앤에프	1.5조 원	양극재 제조
	코스모신소재	0.5조 원	양극재 + MLCC
	포스코케미칼	6조 원	LG화학 비중 높은 양극재
음극재	포스코케미칼	6조 원	인조 흑연 음극재
	대주전자재료	0.7조 원	실리콘 음극재
전해액	동화기업	0.9조 원	동화일렉트로라이트 인수, 2차전지 전해액 시장진출
바인더	한솔케미칼	1.8조 원	음극바인더(동박에 활물질, 도전재를 붙여주는 역할)
동박	일진머티리얼즈	2.2조 원	대만 장춘 12.9% 1위, 동사 9.7% 2위
	두산솔루스	1.5조 원	유럽 공장증설(동박기업 중 유일하게 유럽진출)
	SKC	3.2조 원	자회사 KCFT 7.4% 세계 3위
	고려아연	7.5조 원	자회사 케이잼 설립, 2022년 13,000톤 생산예정
도전재	나노신소재	0.4조 원	세계 유일 전기차용 도전재 상용화(전도성 높임)
	동진쎄미켐	1.6조 원	스웨덴 노스볼트사와 도전재 공급계약 체결
전해질	천보	1.7조 원	세계 최초 전기차용 2차전지 전해질 상용화
	후성	0.9조 원	전해질 중국 증설진행
부품	아모그린텍	0.2조 원	전기차 열관리 부품 테슬라 납품
	상신이디피	0.2조 원	배터리 CAN 생산
	신흥에스이씨	0.3조 원	캡 어셈블리(전해액 누수방지 모듈) 생산
	나라엠앤디	0.2조 원	배터리팩 LG화학 납품
장비	피엔티	0.5조 원	롤투롤 장비 생산(얇은 동박생산에 필수장비)
	씨아이에스	0.4조 원	압연기, 절단기 등 생산(노스볼트 수주 급증)
	피앤이솔루션	0.3조 원	2차전지 활성화 장비
	필옵틱스	0.3조 원	레이저 노칭(필요 없는 부분 절단)장비 상용화

마트폰, 자동차, 5G 통신장비 등 주요제품들의 경쟁력은 글로벌 넘버원 수준을 유지하고 있습니다. 또한 이런 제품들은 매년 대규모 설비투자가 필요한 산업입니다.

　　이런 산업에 속해 있는 국내 대표 제조업체와 장비·소재·부품을 납품하는 기업들은 기술경쟁력과 설비투자 규모에 따라 굉장한 주가상승세를 보여주기도 합니다. 그러므로 한국증시에서 높은 수익률을 올리기 위해서는 반드시 밸류체인을 이해하고 있어야 합니다.

 염블리의 꿀팁

밸류체인은 가치사슬입니다. 제조공정을 세분화해 사슬처럼 엮어서 가치 있는 제품을 생산한다는 의미입니다. 한국은 제조업이 기반인 국가입니다. 사슬처럼 엮여 있는 각 산업의 밸류체인을 이해하면 주식시장에서 높은 수익을 올릴 수 있습니다. 한국증시에서 밸류체인을 모르고 투자하는 것은 고수익을 낼 수 있는 기회를 버리는 것과 마찬가지입니다.

시크리컬(경기민감주)이
무슨 뜻인가요?

한국은 대외 의존도가 매우 높은 국가입니다. 대외 의존도란 GDP 대비 수출과 수입이 차지하는 비중을 의미하는데, 대외 의존도가 높다는 것은 경제에서 무역이 차지하는 비중이 높다는 뜻입니다. 독일 96%, 한국 80%, 중국 35%, 일본 35%, 미국 32%의 대외 의존도를 보이고 있는데요(2020년 7월 OECD 경기선행지수 자료 참고), 대외 의존도가 높다는 것은 내수보다는 미국, 중국, 일본, EU 등 글로벌 경제에서 큰 비중을 차지하는 국가들의 영향을 많이 받는다는 의미입니다. "미국이 재채기를 하면 한국은 감기에 걸린다"는 말이 있는 것처럼 한국은 글로벌 경기에 매우 민감한 경제구조를 가지고 있습니다.

경기에 민감한 경제구조를 갖고 있다 보니 한국증시 역시 글로벌 경제와 글로벌 증시의 변동성에 매우 민감하게 반응합니다. 때문에 한국의 주식투자자들은 한국의 경제지표보다 미국의 경제지표, 중국의 경제지표를 더 중요하게 생각하고 확인해야 합니다.

글로벌 경기는 사이클을 가지고 있는데 계속 좋을 수도 없고, 계속 나쁠 수도 없습니다. 일정한 주기를 가지고 호황과 불황을 반복하는데 이를 경기 사이클이라고 합니다. 이러한 경기 사이클에 민감하게 반응하는 업종을 주식시장에서는 시크리컬(경기민감주)이라고 부릅니다.

시크리컬(Cyclical)은 사이클을 타는 업종이라는 의미입니다. 경제상황에 따라서 실적이 상승하기도 하고 하락하기도 합니다. 경기가 좋아지면 매출이 증가하고 이익도 증가하면서 주가도 상승하고, 경기가 나빠지면 매출이 감소하고 이익도 감소하면서 주가도 하락합니다. 경기 사이클에 따라 기업의 실적과 주가가 연동되는 구조를 가지고 있습니다.

대표적인 시크리컬에는 해운사와 조선사가 있습니다. 글로벌 경기가 위축되면 무역이 위축되고, 교역량도 줄어들게 됩니다. 선박을 통한 운송으로 이익을 내는 해운사들은 수요부진으로 운임이 하락하면 이익이 줄어들게 되고, 이에 해운사들이 선박발주를 줄이기 때문에 배를 건조하는 조선사들도 수주를 못해 실적이 하락하게 됩니다. 반대로 경기가 살아나고 교역량이 증가하면 해운운임도 상승하고 선박발주도 늘어나면서 해운업과 조선업은 호황을 보이게 됩니다.

철강, 화학, 정유, 금융, 건설, 기계, 자동차, 반도체 등도 대표적인 시크리컬 업종입니다. 경기가 좋아지면 매출도 증가하고 이익도 증가하는 구조를 가지고 있습니다. 한국증시는 시크리컬 비중이 매우 높습니다. IT가 30% 정도의 비중을 차지하고 있고 자동차, 철강, 조선 등 다른 시크리컬이 40%

정도의 비중을 차지하고 있습니다. 시크리컬이 차지하는 비중이 무려 70%에 달하기 때문에 경기 사이클이 주식시장에 매우 큰 영향을 끼칩니다.

하지만 한국증시도 체질이 조금씩 바뀌고 있습니다. 2020년 코로나19로 인해 언택트(비대면) 관련 기업들과 친환경 관련 기업들의 주가가 급등하면서 시크리컬 비중이 축소되고, 경기에 민감하지 않은 서비스 업종의 비중이 많이 상승했습니다. 코스피 시가총액 10위 안에 있는 기업 중에서 네이버, 카카오, 엔씨소프트, 삼성바이오로직스, LG화학, 셀트리온, 삼성SDI는 현재 글로벌 경기와 무관하게 성장하고 있는 산업에 속해 있는 기업들입니다.

경제상황과 무관하게 사람들은 카카오톡을 사용하고, 리니지 게임을 즐기며, 약을 먹고, 전기차를 구매합니다. 경기영향을 덜 받는 기업들의 주가가 상승하고 증시에서 차지하는 비중이 높아질수록 증시 변동성은 줄어들게 됩니다. 또한 장기투자에도 유리한 환경이 조성될 수 있습니다. 이런 기업들은 시장 지배력을 높이면서 동시에 경기와 무관하게 성장을 지속하기 때문에 합리적인 예측이 가능합니다. 장기투자를 할 수 있는 것이죠.

반면에 시크리컬은 매수시점과 매도시점이 정해진 업종입니다. 즉 한계가 명확한 산업입니다. 사이클이 반복되기 때문에 무작정 장기투자를 하면 큰 손실을 볼 수 있습니다. 2010년 10만 원이던 현대미포조선 주가는 현재(2020년 12월) 48,000원에 불과합니다. 물론 과거와 달라진 시크리컬도 있습니다. 반도체는 삼성전자, SK하이닉스, 마이크론이 D램시장을 과점하면서 과거와 달리 사이클의 진폭이 낮아졌습니다. 흑자, 적자를 반복하던 D램 산업은 이제 불황이 와도 적자를 내지 않는 산업이 되었고, 호황기에는 영업이익률이 무려 50%를 넘는 안정적인 산업으로 변모했습니다. 하지만 철

현대미포조선 주가차트 (2010 ~ 2020년)

10년간 주가하락

출처: 이베스트투자증권 HTS

강, 화학, 조선, 건설, 금융 등 대부분의 시크리컬은 여전히 사이클이 반복되고 있습니다.

　시크리컬 업종에 투자를 할 때는 다음의 2가지는 꼭 확인하고 투자하시기 바랍니다.

　첫째, 원달러환율이 하락하는 추세에 있을 때 시크리컬에 투자해야 합니다. 환율이 하락한다는 것은 원화가 강세라는 것이고, 달러가 약세라는 의미입니다. 달러가 약세일 때 글로벌 경기는 대부분 좋았습니다. 글로벌 경기가 좋아야 시크리컬의 이익도 개선되기 때문입니다.

　둘째, EU의 경기가 회복될 때 시크리컬에 투자해야 합니다. 글로벌 교역량의 대부분은 EU가 차지하고 있습니다. 특히 EU는 중국과의 교역량이 상당하기 때문에 EU의 경기가 살아난다는 것은 중국의 경기가 좋다는 의미로도 해석할 수 있습니다. EU의 경기회복은 글로벌 경기회복의 바로미터입니다. 한국의 시크리컬 업종이 2018년부터 부진한 이유 중의 하나는 바로 EU의 경기부진 때문입니다. EU의 경기가 회복되고 있다는 언론보도나 증권사 리포트가 발간되면 이때가 시크리컬 투자를 고려해야 하는 때입니다.

 엄블리의 꿀팁

시크리컬은 사이클을 타는 업종입니다. 경기상황에 따라 상승과 하락이 명확한 업종입니다. 철강, 조선, 화학, 건설, 자동차, 금융 등의 업종을 시크리컬이라고 부릅니다. 경기에 따라 실적, 주가가 연동되기 때문에 장기투자보다는 타이밍을 맞춰서 투자해야 합니다. 원달러환율, EU의 경제상황을 꼭 확인하고 시크리컬에 투자하기 바랍니다.

워런 버핏이 극찬했다는
버핏지수란 뭔가요?

많은 투자자분들이 이런 생각을 한 번쯤은 해봤을 것입니다. '지금 지수가
저평가인가?' '지금은 주가가 비싼 걸까?' '지금 지수는 적당한 지수인가?'
이런 고민들은 필자도 매일 하는 고민입니다.

　사실 그 누구도 지금의 주가가 고점인지 저점인지 알 수는 없습니다. 주
식투자에 있어서는 1+1=2가 아닙니다. 정해진 공식도 없고, 공식이 있다고
해도 변수가 워낙 많기 때문에 수학문제의 답과 같은 정답은 주식시장엔 없
습니다.

　그런데 주식시장에 적용할 수 있는 공식이 하나 있습니다. 그것은 바로
버핏지수입니다. 이름에서 알 수 있듯이 투자의 대가인 워런 버핏이 극찬한
공식입니다.

국내총생산(GDP)

외국인, 내국인 관계없이 자국 내에서 이루어진 모든 생산활동을 수치화한 것

버핏지수란 국내총생산(GDP)* 대비 시가총액 비율을 뜻합니다. 워런 버핏이 2001년 미국 경제전문지 〈포천〉과의 인터뷰에서 적정한 주가수준을 측정할 수 있는 최고의 단일척도라고 그 가치를 높게 평가하면서 버핏지수라고 불리게 되었습니다.

버핏지수가 100%라면 GDP와 시가총액이 같다는 의미입니다. 즉 한 나라의 경제와 주식시장의 크기가 같다는 의미입니다. 버핏지수가 70%라면 GDP 대비 시가총액이 70% 수준이라는 것으로, 주식시장이 그 나라의 경제에 비해 30% 이상 저평가되어 있다는 의미입니다. 버핏지수가 120%라면 GDP 대비 시가총액이 120% 수준이라는 것으로, 그 나라의 경제에 비해 20% 이상 고평가되어 있다는 의미입니다.

주식시장은 그 나라의 경제와 함께가는 것이 일반적입니다. 경제가 성장하면 기업들의 실적도 좋아지고, 주가도 상승하게 됩니다. 주가가 상승하면 당연히 시가총액도 커지게 됩니다. 경제가 불황에 빠지고 역성장을 하면 기업들의 실적이 하락하고, 이에 주가도 하락하게 됩니다. 시가총액도 당연히 감소하게 됩니다.

경제와 주가는 일반적으로 동행하지만 어떤 원인들로 인해서 주가는 더 크게 하락하기도 하고, 더 크게 상승하기도 합니다. 주가가 경제와 동행한다는 방향성은 대부분 일치하지만 속도는 다르기 때문입니다. 마치 산책을 나온 주인(경제)과 개(주가)의 관계처럼 주인은 일정한 속도로 산책을 하지만 개는 여기저기 왔다갔다 하면서 이동 중에 큰 변동을 보입니다. 하지만 결국 산책하는 주인과 개가 가는 방향은 같습니다. 속도의 차이만 있

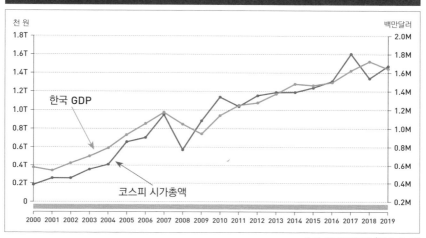

연간 한국 GDP와 코스피 시가총액 추이 (2000~2019년)

한국 GDP

코스피 시가총액

출처: 한국은행 경제통계시스템

을 뿐입니다. 버핏지수가 93~114% 수준이면 시장은 적정한 수준에 있다고 평가할 수 있습니다. 73~93%이면 저평가, 73% 이하이면 현저한 저평가 상태로 볼 수 있습니다. 114~135%이면 고평가, 135% 이상이면 상당한 고평가로 볼 수 있습니다.

미국증시는 현재 버핏지수가 181%(2020년 12월 11일 기준)로 상당한 고평가 상태입니다. 버핏지수로만 보면 너무 비싸다고 볼 수 있습니다. 물론 이렇게 비싸진 이유를 반드시 이해해야 합니다. 코로나19로 미국의 GDP는 감소했지만 미국 연준의 무제한 돈풀기로 증시에 엄청난 유동성이 공급되면서 지수가 상승했기 때문입니다. 또한 GDP에 큰 영향을 미치는 제조업보다는 영향을 덜주는 서비스업 기반의 플랫폼 회사들의 시가총액이 커졌기 때문입니다.

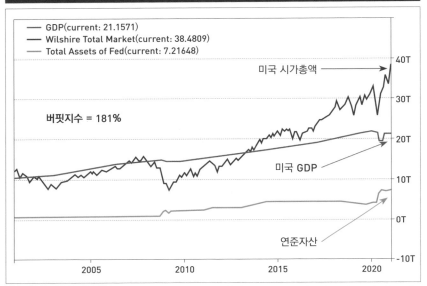

미국의 증시 시가총액, GDP, 연준자산 추이 (2020년 12월 11일 기준)

- GDP(current: 21.1571)
- Wilshire Total Market(current: 38.4809)
- Total Assets of Fed(current: 7.21648)

미국 시가총액

40T

버핏지수 = 181%

30T

20T

미국 GDP

10T

0T

연준자산

-10T

2005   2010   2015   2020

출처: gurufocus.com/stock-market-valuations.php

한국증시의 현재 버핏지수는 115%(2020년 12월 11일 기준)입니다. 2020년 2분기 기준 GDP는 1,914조 원이고 코스피, 코스닥 합산 시가총액 역시 2,200조 원으로 주식시장이 경제규모보다 조금 큰 상황입니다. 버핏지수로 보면 한국증시는 약간 고평가 상태입니다. 코로나19 위기가 정점에 달했던 시점인 2020년 3월 19일 기준 한국의 버핏지수는 60%였습니다. 코로나19에 대한 엄청난 두려움으로 적정가치 대비 무려 40%나 싸게 거래가 되었던 것입니다.

미국과 달리 한국은 제조업 기반의 국가입니다. 제조업은 GDP에 큰 영향을 끼칩니다. 무형자산을 기반으로 하는 플랫폼 기업이 큰 비중을 차지하는 미국증시는 GDP와의 연관성이 점차 줄어들고 있습니다. 한국증시에 버 핏지수가 더 잘 맞는 이유이기도 합니다. 한국증시에 투자하는 투자자라면 버핏지수의 흐름을 계속 관찰할 필요가 있습니다.

 엄블리의 꿀팁

버핏지수는 GDP와 시장의 시가총액을 비교한 지표입니다. 버핏지수가 100이면 한 나라의 GDP와 그 나라의 시가총액이 같다는 의미입니다. 110이면 시가총액이 GDP보다 10% 크다는 것이고, 90이면 시가총액이 GDP보다 10% 작다는 의미입 니다. 버핏지수가 낮을수록 저평가입니다.

2장

주식시장은 다양성이 존재하는 시장이어서 기업이 속한 업종과 영위하는 사업에 따라 분류도 달라지고, 평가도 달라지곤 합니다. 경기를 타지 않는 통신주를 우리는 경기방어주라고 부르지만, 통신사가 5G기지국 투자를 하게 되면 통신장비 제조사들은 고성장을 할 수 있기 때문에 성장주라고 부를 수 있습니다. 즉 같은 업종에 속하지만 영위하는 사업에 따라 완전히 다른 가치를 부여받게 됩니다. 이번 2장에서는 주린이가 알아야 할 주식시장의 다양한 개념에 대해 설명을 해놓았습니다. 경기방어주, 성장주, 가치주, 시장의 성격, 기저효과등 주식개념을 정리해놓았고, 가장 어려울 수 있지만 시장을 이해하는 데 꼭 필요한 선물과 옵션에 대해서도 설명해놓았습니다. 2장을 통해 주식에 대한 전반적인 이해도를 높이시길 바랍니다.

주린이가 가장 많이 물어보는 주식개념 9가지

질문
TOP
10

경기방어주는
어떤 뜻인가요?

앞에서 시크리컬(경기민감주)은 경제상황에 따라 사이클을 타는 산업이라고 말씀드렸습니다. 경기가 좋아지면 업종의 실적도 좋아지고, 경기가 나빠지면 실적도 나빠지는, 즉 경기에 민감한 업종을 경기민감주라고 합니다. 이와 반대로 경기와는 상관없이 꾸준한 실적을 내는 업종을 경기방어주라고 합니다. 즉 경제상황에 상관없이 일정한 실적을 유지하는 기업들이 속해 있는 산업입니다.

경기방어주로 불리는 가장 대표적인 산업이 통신산업입니다. 통신회사는 휴대폰을 사용하는 소비자들이 매달 지불하는 통신요금으로 이익을 내는 기업입니다. 경기가 좋지 않다고 해서 휴대폰을 사용하지 않고 휴대폰 요금을 지불하지 않는 사람은 거의 없을 것입니다. 반대로 경기가 호황이라고 해서 더 많은 휴대폰 요금을 지불하지는 않습니다. 휴대폰 요금은 매월 거의 일정하게 지출됩니다. 따라서 통신회사들은 경기와 상관없이 일정한 실적을 유지할 수 있습니다.

　　음식료 업종도 대표적인 경기방어주입니다. 사람은 먹지 않고서는 살 수가 없습니다. 경기가 아무리 안 좋아도 먹는 것을 줄일 수는 없습니다. 물론 비싼 음식이나 외식 등은 줄일 수 있지만 기본적인 음식소비는 줄일 수 없습니다. 음료수, 담배, 라면, 과자 등 음식료는 경기와 상관없이 소비가 일정하게 유지되는 산업입니다. 게임주도 경기방어주입니다. 게임을 하는 게임유저들이 경기가 좋다고 게임을 더하고 경기가 나쁘다고 게임을 덜하지는 않기 때문입니다. 경기와 무관하게 유저들은 게임을 즐깁니다.

출처: 쿠팡

제약 업종도 경기방어주입니다. 사람은 아프면 진료를 받고, 약을 먹어야 합니다. 암에 걸린 사람들은 항암치료를 받아야 하고, 만성질환인 당뇨를 앓고 있는 사람들은 혈당체크를 계속하면서 혈당조절을 해야 합니다. 경기가 좋건 나쁘건 아무 상관이 없습니다. 사람의 수명이 늘어나면서 고령인구가 급속히 늘고 있는데요, 고령인구가 늘어난다는 것은 건강산업에 대한 수요가 늘어난다는 것을 의미합니다. 제약 업종은 경기와 무관한 경기방어주이면서 장기성장이 담보된 성장산업의 2가지 매력을 다 보유한 업종이라고 볼 수 있습니다.

　　경기방어주는 얼핏 들으면 매우 매력적인 투자처라고 생각할 수도 있습니다. 경기와 상관없이 꾸준히 돈을 버는 안정적인 기업들이 많기 때문입니다. 하지만 주식시장에서 경기방어주는 제 가치를 인정받지 못하는 경우가 많습니다. 안정적이지만 성장성이 떨어지기 때문입니다. 예를 들어 통신사들은 매년 꾸준한 돈을 벌지만 성장은 정체되어 있습니다.

　　1,000억을 벌던 기업이 1,200억, 2,000억, 3,000억, 이런 식으로 이익을 매년 증가시키면 주가도 엄청난 상승을 합니다. 하지만 매년 5,000억 원의 이익을 유지하기만 하면 주가는 오르지 못하고 그 수준을 유지하게 됩니다. 돈을 잘 벌기 때문에 주주들에게 배당을 안정적으로 해주는 장점은 있지만, 주가상승이라는 열매를 따는 것은 어려워질 수도 있습니다.

　　주식시장은 기본적으로 성장매력에 더 높은 점수를 주는 시장입니다. 위험자산인 주식은 성장을 더 선호합니다. 따라서 주식투자는 경기방어주보다는 성장매력이 있는 산업에 투자하는 것이 유리합니다.

　　국내 음식료 업종은 실적은 안정적이지만 성장성을 인정받지 못해 지난 몇 년간 주가가 부진했던 대표적인 산업입니다. 하지만 2020년 3월 코

HMR(가정간편식)

간편하게 조리해서 먹을 수 있는 가정간편식. Home Meal Replacement의 머리글자로 즉석식품의 일종. 짧은 시간 안에 조리가 가능해서 1인가구가 늘어나고 있는 한국시장에서 고성장세를 보이고 있음

로나19가 전 세계를 강타하면서 성장주로 변신에 성공했습니다. 외식을 하지 못하고 집에서 음식을 자주 조리해 먹게 되면서 가공식품, HMR(가정간편식)* 수요가 급증했고, 해외에 한국의 가공식품 수출이 급증하면서 성장산업으로 변신에 성공하게 된 것입니다. 주가 역시 오랜 기간의 부진을 떨치고 크게 상승했습니다.

영원한 것은 없습니다. 경기방어주도 성장주가 되면 주식시장에서 인정을 받게 됩니다.

염불리의 꿀팁

경기방어주는 경기의 상승이나 하락과 상관없이 일정한 이익을 유지하는 기업을 의미합니다. 대표적인 산업에는 통신, 음식료, 유틸리티(전기/가스), 게임, 제약산업 등이 있습니다. 경기방어주라도 성장할 수 있는 요인이 발생하면 성장주가 될 수 있습니다.

성장주에 투자하라는데
어떤 주식인가요?

성장주에 대한 이해를 돕기 위해 흥미로운 비유를 하나 들어보겠습니다. 요즘 K-POP은 한국시장을 넘어 글로벌 대세입니다. BTS가 미국 빌보드 싱글차트에서 1위를 차지했고, 일본과 동남아 등에서 한국의 아이돌들은 엄청난 인기를 누리고 있습니다.

　그런데 인기 있는 아이돌이 하루아침에 되는 것은 아닙니다. 이들은 혹독한 연습생 기간을 거치고, 데뷔해서도 치열한 경쟁을 거칩니다. 여러 해 동안 능력을 검증받은 후에 데뷔를 하고 마침내 글로벌 아이돌로 인정을 받게 되는 것입니다.

　연습생과 데뷔한 지 얼마되지 않은 아이돌은 미래를 예측하기는 쉽지 않지만 성장 가능성만큼은 무궁무진하다고 볼 수 있습니다. 반면 동방신기,

소녀시대, 트와이스 같은 유명 아이돌들은 이미 성장을 했습니다. 돈도 많이 벌었고, 인기도 여전합니다. 하지만 전성기는 지나갔습니다. 해가 지날수록 인기는 떨어질 가능성이 높습니다.

성장주와 가치주는 이 예에서처럼 '미래를 보느냐, 현재를 보느냐'에 따라 결정됩니다. 지금은 불확실해도 미래가 기대되면 성장주이고, 앞은 모르겠지만 현재까지 경영도 잘했고 돈도 잘 벌었고 주가도 싸다면 가치주라고 볼 수 있습니다.

연습생 시절부터 성공 가능성이 높아 보이는 아이돌이 있다면 누구나 관심을 갖게 되고, 기업이라면 미리 투자를 하고 싶을 것입니다. JYP Ent.의 아이돌 그룹 'IZTY'의 류진이라는 멤버가 그렇습니다. 데뷔 전부터 한 방송사의 오디션 프로그램에 참여해 그 실력을 전국적으로 인정받았고, JYP Ent.의 혹독한 연습생 훈련을 받으며 걸그룹 멤버로 데뷔해서 기대했던 대로 성공했습니다. 만약 류진이 기업이었다면 엄청난 성장주가 되었을 것이고, 주가도 크게 상승했을 것입니다.

물론 반대의 경우도 생각해야 합니다. 연습생 시절 주목받았고 데뷔도 잘했지만 어떤 불미스러운 스캔들에 휘말려 연예계를 떠나게 되었다면 이건 분명히 실패한 것입니다. 이처럼 성장주로 기대를 하고 미래에 베팅해 투자를 했지만 기대했던 것과 반대의 상황이 나올 수도 있습니다. 이런 기업에 투자한 투자자들은 막대한 손실을 볼 수밖에 없겠죠.

성장주는 현재가 아닌 미래를 보고 투자하는 것입니다. 신약개발 업체가 신약개발에 성공할지, 아니면 실패할지 누구도 알 수 없습니다. SK바이오팜처럼 신약개발에 성공한 기업도 있지만 신라젠처럼 실패해 주식시장에서 퇴출될 위기에 놓인 기업들도 있습니다. 전기차, 수소차, 인공지능 반도

미래를 대표하는 4차 산업혁명 관련 기업은 대표적인 성장주

4.0 INDUSTRY HYPERCONNECTIVITY

체, 자율주행차, 우주항공 등 미래가 기대되는 산업들이 많이 있습니다. 이들은 당장 돈을 버는 산업은 아닙니다. 하지만 미래에는 큰돈을 벌 것이라는 기대감이 매우 높은 산업입니다.

주식시장은 현재보다는 미래를 좋아합니다. 지금 실적이 좋아도 미래가 불투명하면 주가는 하락하는 경우가 많습니다. 반대로 지금 적자가 나고 상황이 안 좋아도 미래가 비전이 있고 확실해 보이면 주가는 상승하는 경우가 많습니다.

미국의 아마존, 테슬라가 대표적인 사례입니다. 막대한 적자를 냈던 기업들이지만 온라인 쇼핑과 전기차 시장에서 1등 사업자가 되면서 주가도 크게 상승했습니다.

한국시장에서도 성장주들은 좋은 성과를 냈습니다. 네이버, 카카오, LG화학, 삼성SDI, 삼성바이오로직스 등 대표 성장기업들은 그 성장가치를 인정받아 큰 폭의 주가상승을 기록했습니다.

특히 성장주들은 저금리와 경기불황에서 좋은 성과를 냅니다. 금리가 낮고 경기가 좋지 않으면 성장이 희소해집니다. 경제 상황이 좋지 않은데도 성장을 보여주는 기업들에 투자자들은 환호하게 되고, 비싼 가격을 지불해서라도 주식을 매수하게 됩니다. 루이뷔통, 구찌 같은 명품이 인정받는 건 희소하기 때문인 것처럼 경기불황기에 성장주는 더 높은 가치를 부여받게 됩니다.

물론 성장주도 단점이 있습니다. 일단 주가가 비쌉니다. 기업이 버는 이익에 비해 시가총액(PER*)이 매우 높습니다. 가치주가 기업의 이익 대비 시가총액이 10배라면 성장주는 30배, 40배 이상에서 거래되는 경우가 많습니다. BTS의 소속사인 빅히트는 100배 이상에서 거래되기도 했습니다. 싸게

> **PER(주가수익비율)**
>
> PER은 특정 주식의 주당시가를 주당이익으로 나눈 수치. 주가가 1주당 수익의 몇 배가 되는가를 나타냄. 원금 회수기간이라고도 하며 PER 10배는 원금 회수기간이 10년이라는 의미

사서 비싸게 팔아야 수익을 내는 게 주식투자인데, 성장주는 그렇게 할 수가 없습니다.

성장주는 미래예측에 실패했을 때 투자손실이 매우 클 수 있습니다. 시장이 기대한 것처럼 성장을 하지 못하면 주가는 상상을 초월할 정도로 급락하기도 합니다.

2010년 태양광 산업의 선두주자였던 OCI(당시에 동양제철화학)가 중국

경쟁사들의 추격과 태양광 산업규제 등으로 인해 주가가 60만 원에서 6만 원까지 하락한 것처럼 성장주 투자는 예측을 잘 못하면 막대한 손실을 볼 수도 있습니다. 이 점을 꼭 유념하시기 바랍니다.

 염불리의 꿀팁

성장주는 미래를 더 중요시하고, 가치주는 현재를 더 중요시합니다. 성장주는 불황기에 더 돋보입니다. 불황기에 성장하는 기업들은 매우 제한적이기 때문에 희소성을 인정받습니다. 주식시장은 현재보다 미래를 더 좋아합니다. 한국시장에서도 성공한 성장주들은 큰 폭의 주가상승을 기록했습니다.

성장주 vs. 가치주, 어떻게 다른 건가요?

성장주는 미래가 중요하지만 가치주는 현재가 더 중요합니다. 여러분의 가족 중에 학생이 있는데 공부를 잘 한다면 그 학생은 성장주가 될 가능성이 매우 높습니다. 반대로 가족 중에 재산이 많은 할아버지, 할머니가 있다면 그분들은 가치주일 가능성이 매우 높습니다.

학생이 더 좋은 학교에 가고 좋은 직장에 취업하기 위해서는 더 많은 공부를 해야만 하고, 부모님은 열심히 뒷바라지를 해야 합니다. 투자를 계속 해야만 하는 것이죠. 마찬가지로 성장주는 돈이 많이 필요합니다. 투자를 하지 않으면 도태되고 성장을 할 수 없습니다. 돈을 벌지 못해도 투자를 계속 해야 하기 때문에 현재의 실적이 좋기를 기대하기는 어렵습니다.

가치주는 불확실한 미래가 아니라 확실한 현재에 무게를 둡니다. 미래

성장 가능성은 낮지만 벌어서 쌓아놓은 이익이 많기 때문에 안전합니다. 대표적인 기업이 매일유업입니다.

매일유업은 우유, 분유 등의 유제품과 컵커피, 단백질 음료 등 다양한 음료제품을 만드는 국내 대표 음식료 업체입니다. 상장기업 경쟁사인 남양유업의 갑질사건으로 인해 매일유업은 경쟁사를 제치고 이제 유제품 분야에서도 선두업체가 되었습니다. 매년 이익도 꾸준히 증가하고 있고, 막대한 투자를 할 필요도 없어 설비투자도 제한적이고, 현금도 많이 보유하고 있습니다. 망할 일은 없는 기업이죠.

그런데 매일유업의 주가는 상승하지 못하고 있습니다. 2017년의 주가와 2020년의 주가가 비슷한 상황입니다. 영업이익은 2017년 512억 원에서 2020년 상반기 기준으로 780억 수준까지 늘어났지만 시장에서는 매일유업을 외면하고 있습니다. 이익 대비 시가총액은 7배 수준으로 상당한 저평가 상태입니다. 2020년 코로나19로 인한 불황이 지속되고 저금리 기조가 이어지면서 매일유업 같은 가치주는 주식시장에서 인정을 받지 못하고 있습니다.

가치주는 경기호황기*에 유리합니다. 그런데 2020년은 불황의 시기였습니다. 돈을 잘 버는 안정적인 기업, 저평가된 기업보다는 성장매력이 있는 기업들에게 환호하는 시장이었습니다. 저금리로 성장주에 관심이 많이 쏠리면서 가치주에게는 불리한 여건이 지속되었습니다. 가치주는 성장주와 달리 금리가 상승해야 유리합니다. 금리가 상승한다는 것은 경기가 좋아진다는 신호이며, 경기가 좋아지면 기업들의 실적이 좋아지면

경기 호황기

투자와 소비뿐 아니라 고용과 소득이 상승하는 시기. 대출이 증가하고, 주식시장도 상승하고, 설비투자도 늘어나고, 실업률은 낮아지는 경향이 있음

서 성장의 희소성이 사라지게 됩니다. 좋아지는 기업이 많아지기 때문에 시장은 성장보다는 가격매력에 주목하게 됩니다.

코로나19가 종식되고 경기가 회복된다면 성장주에 쏠렸던 투자자들의 시선이 가치주, 그중에서도 가치 대비 가격이 싼 기업들에게 쏠릴 가능성이 높습니다. 시장에서 대표적인 가치주로 인식되고 있는 업종은 은행, 보험, 석유화학, 철강, 제지, 건설, 조선, 유통, 자동차 등이 있습니다.

성장주와 가치주의 매력을 동시에 겸비한 기업들도 있습니다. 현대차가 대표적인데, 제네시스 신차 효과로 2020년 코로나19 사태에도 다른 경쟁사들과 비교가 안 될 정도로 상당한 이익을 내고 있습니다. 몇 년간 꾸준히 이익을 냈고, 지금도 이익을 내고 있는 기업입니다. 그리고 앞으로의 성장도 기대가 됩니다. 전기차, 수소차 등 친환경차에서도 경쟁력을 인정받고 있기 때문입니다.

출처: 현대차 Ceo Investor Day, 2020년 12월 10일

현대차는 그간 벌어놓은 이익을 바탕으로 친환경차에 상당한 투자를 하고 있는데 자율주행차, 무인비행기 등의 사업에도 투자를 시작하고 있습니다. 가치주로서 그동안 돈을 잘 벌어놓았기 때문에 성장주가 되기 위한 재원도 충분히 확보한 것입니다. 현대차 같은 경우는 흔치 않지만 가치주에서 성장주로 시장의 인식이 바뀌면 주가는 급등하게 됩니다.

성장주는 매력적입니다. 주식시장은 성장주를 좋아합니다. 주식투자자는 성장매력이 있는 기업에 투자하는 것이 유리합니다. 하지만 성장주는 불안하기도 합니다. 주가도 비싸고, 미래를 담보할 수 없고, 벌어놓은 이익이 적기 때문입니다.

가치주는 안전합니다. 벌어놓은 돈도 많고, 이익도 꾸준히 내고 있고, 주가도 쌉니다. 하지만 주식시장에서는 인정을 받지 못해 주가는 부진한 경우가 많습니다.

기업은 늘 변화합니다. 성장주에서 가치주가 되기도 하고, 가치주에서 성장주로 변신하기도 합니다. 시장은 성장을 좋아합니다. 선택은 여러분의 몫이지만 가치주에서 성장주로 변신하는 기업이 정답 아닐까요?

 염블리의 꿀팁

가치주는 현재에 무게를 둡니다. 앞으로의 성장보다는 현재의 이익이 더 중요합니다. 주가도 상대적으로 싸고 안전합니다. 하지만 가치주는 성장주에 비해 인정을 못 받습니다. 시장은 성장하는 기업을 좋아하기 때문입니다.

유동성장세 vs. 실적장세,
차이점이 뭔가요?

주식시장이 상승하는 원인은 매우 다양합니다. 주식시장으로 돈이 많이 유입되어 상승하기도 하고, 기업들의 실적이 좋아져서 상승하기도 합니다. 다른 국가에 비해 상대적으로 주가가 싸서 오르기도 하고, 증시를 부양하려는 정부정책에 대한 기대감에 의해 오르기도 합니다.

이처럼 다양한 이유들로 인해 시장은 상승도 하고 하락도 합니다. 그중에서 '유동성장세'란 돈의 힘이 가장 큰 영향을 주는 장세를 의미합니다. 기업실적도 물론 중요하지만 실적이 좋지 않고 경제상황이 좋지 않아도 주식을 매수하려는 수요가 많다면 시장은 오히려 강한 상승세를 보이는 경우가 많습니다.

유동성장세는 돈의 힘으로 주가를 올리는 장세이기 때문에 많은 업종

과 기업들이 고르게 상승합니다. 주식시장으로
유입되는 유동성*의 속도가 급격히 증가하면
주가상승 속도도 매우 빨라지기 때문에 거품이
발생하는 경우도 있게 됩니다.

유동성

자산을 현금으로 빠르게 전환
할 수 있는 정도

　대표적인 유동성장세는 2020년 코로나19
팬데믹 장세입니다. 2020년 3월 코로나19 팬
데믹으로 인해 코스피 지수가 2,000포인트에
서 1,400포인트까지 급락하자 많은 개인투자

고객예탁금

투자자들이 주식을 사기 위해
증권회사에 일시적으로 맡겨
놓은 예수금

자들이 시장에 참여하기 시작했고, 개인투자자들의 매수대기 자금이라고
불리우는 고객예탁금*은 20조 원대에서 60조 원까지 급증하게 됩니다. 개
인투자자들의 유동성과 주식매수에 의해 코스피는 3월 저점 1,439포인트
에서 12월 2,700포인트까지 8개월 만에 87%나 상승하는 강세장을 연출하

출처: 이베스트투자증권 HTS

게 됩니다. 인터넷, 게임, 2차전지, 바이오 같은 성장주뿐만 아니라 자동차, 반도체, 신재생에너지, 음식료 등 다양한 업종들의 주가가 고르게 상승세를 보였습니다.

코로나19 팬데믹으로 기업들의 이익도 좋지 않았고, 경기는 최악의 상황을 기록했지만 주식시장은 달랐습니다. 저금리와 글로벌 각국의 돈풀기로 인해 시중에 자금은 넘쳐났고, 이 돈들은 위험자산인 주식시장으로 유입되어 강력한 상승장이 펼쳐지게 된 것입니다.

2008년 금융위기 이후 2009년도부터 시작된 강세장도 유동성장세로 볼 수 있습니다. 미국의 연준은 금융위기 이후 막대한 돈을 풀기 시작했고, 이 돈들은 부동산시장과 주식시장으로 유입되면서 글로벌 증시는 2009년 강한 상승세를 보였습니다. 금융위기로 많은 기업들의 현금흐름이 악화되었고 이익도 크게 줄었지만 주식시장은 돈의 힘에 의해 강한 상승세를 보인 것입니다.

돈의 힘에 의한 유동성장세는 영원히 지속될 수 없습니다. 시장에 유입되는 자금도 어느 시점에서는 줄어들게 됩니다. 주가가 비싸졌기 때문이기도 하고, 더 매력적인 자산이 생겨서 자금이 빠져나가기도 합니다.

유동성장세 이후 시장이 상승을 이어가기 위해서는 기업들의 실적이 개선되는 흐름이 나와야 합니다. 즉 경기회복이 나타나야 합니다. 유동성장세 이후 실적의 힘으로 상승하는 장을 실적장세라고 합니다. 2009년 유동성장세 이후 '차화정 장세'라고 불리운 상승장이 대표적인 실적장세입니다.

당시에 유동성의 힘으로 금융시장이 회복되자 주식투자와 부동산투자 등으로 인한 투자소득이 증가하면서 사람들의 소비가 늘어나기 시작했고, 이는 기업들의 실적에도 긍정적인 영향을 주었습니다. 자동차, 가전제품, 의

류 등 경기에 민감한 제품에 대한 소비가 증가했고, 이 제품들을 만드는 데 필요한 중간재인 화학제품 수요도 증가하면서 관련 기업들의 실적이 급증하기 시작했습니다.

위기로 인해 많은 기업들이 파산하고 구조조정이 되면서 살아남은 기업들은 과거보다 더욱 높은 시장점유율을 기반으로 막대한 이익을 내기 시작했습니다. 자동차, 화학, 정유 등으로 대표되는 실적주들은 이익과 주가가 동반해서 상승하는 흐름을 보여주었습니다. 기업의 이익이 증가하고 실적 호전주들을 중심으로 주가가 상승하면서 주식시장 역시 큰 상승세를 기록했습니다.

실적장세는 유동성장세와 달리 돈의 힘보다는 기업들의 실적을 기반으로 상승하는 장세이기 때문에 시장이 아무리 좋더라도 상승하는 기업은 소수입니다. 소수의 주도주들만 주가가 상승하고 시가총액이 증가하면서 이들의 주가 움직임에 따라 시장이 움직이게 됩니다. 실적장세가 시작되면 투자자들은 반드시 앞으로 실적이 증가할 것으로 예상되는 기업에만 투자해야 합니다. 기업의 실적만이 주가상승을 담보해주기 때문입니다. 유동성장세처럼 많은 기업들이 고르게 상승하는 자비심이 실적장세엔 없습니다.

 염블리의 꿀팁

유동성장세는 돈의 힘으로 올라가는 상승장입니다. 많은 기업들이 고르게 올라가는 특징이 있습니다. 유동성장세가 종료되면 실적장세가 시작되는데, 실적이 좋아지고 높은 시장점유율을 보유한 기업들의 승자독식이 시작되는 장세입니다.

베어마켓 vs. 불마켓,
어떻게 구분할 수 있나요?

주식시장에서 황소는 상승을 의미합니다. 불마켓(Bull Market)이란 장기간에 걸친 상승장이라는 의미입니다.

반대로 곰은 하락을 의미합니다. 베어마켓(Bear Market)이란 장기간에 걸친 약세장을 의미합니다.

왜 황소와 곰을 상승과 하락의 의미로 사용하게 되었는지는 의견이 분분합니다. 가장 유력한 것은 황소와 곰의 공격하는 모습에서 유래했다는 설입니다. 황소는 뿔을 밑에서 위로 올리며 공격해서 상대를 제압하기 때문에 주가가 상승하는 모습을 연상시키고, 반대로 곰은 자신의 앞발을 위에서 아래로 내리쳐서 공격하기 때문에 주가가 하락하는 모습을 연상시킨다고 합니다.

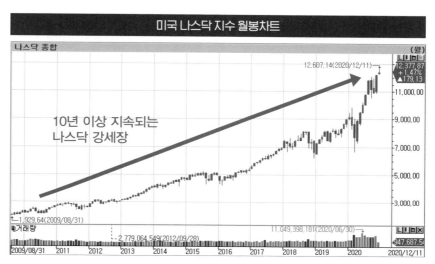

출처: 이베스트투자증권 HTS

주식시장은 대체로 강세장이 많습니다. 주가는 대체로 경기*에 연동됩니다. 경기는 장기간 꾸준히 우상향하는 경향이 있습니다. 때문에 주가 역시 경기를 따라서 상승하는 경우가 많습니다.

미국 증시는 2008년 금융위기 이후 2009년부터 2020년까지 한두 번의 위기를 제외하고는 강세장이 지속되고 있습니다. 강세장은 속도가 완만하고 기간이 길다는 특징이 있습니다.

반면 황소가 이끄는 강세장에서도 중간중간 곰이 출현해서 황소를 공격하는 약세장이 나타납니다. 2011년이 대표적인데요, 금융위기 이후 강세흐름을 이어가던 글로벌 증시는 2011년

> **경기**
>
> 매매나 거래에 나타나는 호황·불황 등 한 국가의 총체적인 경제활동 상태를 말함. 경기는 멎어있지 않고 끊임없이 움직이는데 총체적 경제활동이 활발하게 이루어지는 국면을 확장국면이라 하고, 위축되는 국면을 수축국면이라고 함

출처: 이베스트투자증권 HTS

8월 미국의 신용등급 강등*으로 발작을 하게 됩니다. 나스닥 지수는 단기간에 20% 가까운 급락세를 보이면서 약 5개월간 약세장이 이어졌습니다.

2020년 2월 말에는 코로나19 팬데믹이 발생하면서 나스닥 지수가 고점인 9,838포인트에서 6,631포인트까지 무려 32%나 폭락하게 됩니다. 32% 하락하는 데 걸린 기간은 고작 한 달이었습니다. 30%가 넘게 상승하려면 최소 5개월 이상 걸리지만 약세장은 그렇지 않습니다. 기간도 짧고 하락폭도 매우 가파른 것이 베어마켓의 특징입니다.

강세장 속에서 중간중간 발생하는 이러한

미국의 신용등급 강등

2011년 8월 5일, 미국의 신용평가기관 S&P가 미국이 발행하는 국채의 신용등급을 AAA에서 AA+로 한 등급 내린 사건. 미국의 달러패권에 금이 가는 상징적 사건으로, 당시 글로벌 증시는 일제히 큰 폭의 하락세를 기록했음

약세장은 많은 투자자들에게 큰 고통을 안겨줍니다. 갑작스런 약세장은 언제든 발생할 수 있는 만큼 여러분도 시장을 면밀히 관찰해서 불마켓과 베어마켓을 확인하고 투자하시기 바랍니다.

월스트리트의 상징, 황소

 엄블리의 꿀팁

황소는 상승을, 곰은 하락을 의미합니다. 불마켓(강세장)은 완만하지만 장기간 지속되는 경향이 있습니다. 베어마켓(약세장)은 속도도 빠르고 가파르게 하락하는 특징이 있습니다. 현재의 시장이 불마켓인지 베어마켓인지 확인하는 것은 투자자라면 반드시 필요한 습관입니다.

스몰캡(중소형주)은
위험한 주식인 건가요?

주식시장에는 다양한 기업들이 존재합니다. 삼성전자, 네이버처럼 시가총액이 매우 큰 대형주도 있고 토니모리, 모나리자처럼 시가총액이 작은 기업도 있습니다.

　주식시장에서는 시가총액 크기별로 대형주, 중형주, 소형주를 분류하는데 시가총액 상위 1위부터 100위까지를 대형주라고 합니다. 대형주는 Large Capital이라고 부르며, 줄여서 라지캡이라고 합니다. 시가총액 101위부터 300위까지는 중형주, Mid Capital이라고 부릅니다. 시가총액 301위부터는 소형주, Small Capital이라고 부릅니다. 통상 중형주와 소형주를 합쳐서 중소형주라고 부릅니다.

코스닥 시가총액 300위 이하 기업

	코스피	코스닥

N	종목명	현재가	전일비		등락률	액면가	시가총액	상장주식수	외국인비율	거래량
301	아이씨디	15,950		0	0.00%	500	2,863	17,948	4.78	274,509
302	제우스	27,300	▲	700	+2.63%	500	2,835	10,384	7.51	169,637
303	마크로젠	26,650	▲	350	+1.33%	500	2,833	10,632	0.74	54,017
304	나스미디어	32,350	▲	2,100	+6.94%	500	2,832	8,755	11.77	286,427
305	피씨엘	28,000	▲	1,400	+5.26%	500	2,817	10,060	0.34	322,592
306	인텔리안테크	37,150		0	0.00%	500	2,809	7,561	2.27	153,608
307	한양이엔지	15,550	▲	300	+1.97%	500	2,799	18,000	7.19	429,603
308	파멥신	19,600	▲	750	+3.98%	500	2,790	14,235	4.69	323,027
309	아이디스	26,000	▲	450	+1.76%	500	2,786	10,716	1.03	49,702
310	대정화금	38,500	▼	850	-2.16%	500	2,747	7,135	0.57	245,185
311	나이스정보통신	27,450	▲	150	+0.55%	500	2,745	10,000	23.38	46,148
312	풍국주정	21,750	▼	150	-0.68%	500	2,740	12,600	0.88	194,149
313	멕아이씨에스	39,100	▲	50	+0.13%	500	2,733	6,989	2.73	134,860
314	에스와이	6,180	▲	300	+5.10%	500	2,714	43,918	0.85	18,768,681
315	필옵틱스	13,550	▲	400	+3.04%	500	2,708	19,987	0.12	333,561
316	대화제약	14,550		0	0.00%	500	2,702	18,569	3.72	124,426
317	크리스에프앤씨	23,050	▲	300	+1.32%	1,000	2,700	11,715	0.41	8,257
318	유티아이	16,650	▲	200	+1.22%	500	2,698	16,207	6.62	265,875
319	한국정보인증	8,550	▼	190	-2.17%	500	2,665	31,165	1.21	1,915,436
320	윌덱스	16,050	▲	350	+2.23%	500	2,650	16,511	5.01	628,124
321	모트렉스	6,790	▲	130	+1.95%	100	2,648	39,001	0.11	6,258,185
322	초록뱀	2,090	▲	20	+0.97%	500	2,645	126,571	3.02	4,433,485
323	아미노로직스	3,010	▲	65	+2.21%	100	2,644	87,827	1.18	25,898,437
324	하나마이크론	8,610	▲	370	+4.49%	500	2,639	30,646	3.65	2,680,240
325	어보브반도체	15,000	▼	300	-1.96%	500	2,619	17,460	13.20	484,659

출처: 네이버

대형주는 덩치가 크기 때문에 안정적이지만 주가 움직임이 무거운 편입니다. 개인투자자들보다는 외국인, 기관투자자들의 매매비중이 높은 편입니다. 시장을 대표하는 기업들이 많기 때문에 대형주의 주가등락은 지수에 영향을 많이 줍니다.

삼성전자는 2020년 11월 시가총액이 420조 원(우선주 포함) 정도 됩니다. 코스피와 코스닥을 합한 전체 시가총액이 1,750조 원 정도 되는데, 삼성전자 한 종목이 차지하는 비중이 무려 24%나 됩니다. 삼성전자가 하루에 4% 상승했을 때, 코스피 지수는 다른 기업들의 변동이 없다고 가정하더라도 1%나 상승할 수 있습니다. 이처럼 삼성전자는 대형주도 아니고 초대형주라고 불려도 될 정도의 크기를 가진 기업입니다.

스몰캡(중소형주)은 덩치가 작기 때문에 주가 움직임이 탄력적이고 가볍습니다. 하지만 변동성이 크기 때문에 호재와 악재에 매우 민감하게 반응합니다. 어떤 재료가 발생했을 때 대형주는 2~5%의 변동성을 보이는 경우가 많지만 스몰캡은 5~10%, 많게는 10% 이상의 변동성을 보이는 경우도 많습니다. 탄력적이지만 불안정한 점이 스몰캡만의 특징입니다.

스몰캡은 외국인, 기관투자자보다는 개인투자자들의 매매비중이 높습니다. 스몰캡 종목들이 많은 코스닥 시장이 코스피에 비해 변동성이 크고, 개인투자자의 비중이 높은 점도 바로 그런 이유 때문입니다.

2020년 10월 12일 정부는 인공지능 반도체 강국 실현*을 위한 청사진을 발표했는데요, 이 정책에 사실 가장 큰 영향을 받는 기업은 삼성전자인데 주가는 다음날 +0.8% 상승세를 보이는 데 그칩니다. 반면 스몰캡에서 수혜주 중 하나인 '알에프세미'라는 기업은 다음날 +30% 오르면서 상한가를 기록하게 됩니다. 대형주는 뉴스에 상대적으로 둔감하지만 스몰캡은 매우 민감하게 반응하는 것을

인공지능 반도체 강국 실현

2030년까지 글로벌 시장점유율 20%, 혁신기업 20개 양성, 고급인재 3천 명을 양성하기로 하고 이를 위해 2대 전략과 6대 실행과제를 마련한 정부의 반도체 육성정책

알 수 있습니다.

　대형주와 스몰캡 모두 장단점이 있습니다. 어느 것이 더 좋다고 말할 수는 없습니다. 선택은 여러분의 몫입니다. 반도체가 좋아보여서 삼성전자를 매수할 수도 있지만 삼성전자에 장비와 소재를 납품하는 스몰캡인 케이씨텍과 원익머트리얼즈를 매수할 수도 있습니다. 본인의 투자스타일에 맞는 종목 선택이 더 중요할 것입니다.

 엽볼리의 꿀팁

대형주와 중소형주(스몰캡)는 시가총액을 기준으로 나눌 수 있습니다. 대형주는 크기가 커서 안정적이지만 탄력적인 주가상승을 기대하기 어렵습니다. 스몰캡은 크기가 작아 변동성이 크지만 호재가 발생했을 경우 탄력적인 주가상승을 기대할 수 있습니다.

기저효과 vs. 역기저효과,
어떤 차이가 있나요?

고등학생 시절 항상 시험에 대한 스트레스가 심했는데요, 핵심 3과목(국어, 영어, 수학) 시험의 비중이 컸기 때문에 이 과목들을 더 열심히 했던 기억이 납니다. 중간고사에서 국어, 영어, 수학을 각각 40점, 70점, 90점 맞았고 기말고사에서 각각 80점, 80점, 80점을 맞았다면 주변 사람들은 어떤 평가를 내리게 될까요?

사실 점수는 3과목 모두 다 똑같지만 그 전의 시험결과와 비교해보면 다르게 평가를 할 수밖에는 없을 것입니다. 국어는 무려 40점이나 점수가 올랐고, 수학은 10점이 감소했습니다. 국어는 정말 잘했고, 수학공부는 게을리했다고 생각할 수 있습니다. 80점이라는 똑같은 점수를 기록했는데도 말이죠.

분기당 영업이익 추이

기저효과

| 50억
(1분기) | → | 50억
(2분기) | → | 50억
(3분기) | → | 20억
(4분기) | → | 50억
(1분기) |

주식시장에서도 이러한 현상이 똑같이 작용하는데요, 이를 기저효과 혹은 역기저효과라고 합니다. 기저효과는 작년 혹은 전분기 실적이 워낙 안 좋아서 올해 혹은 이번 분기 실적이 조금만 개선되어도 성장하는 것처럼 느껴지는 효과를 의미합니다. 예를 들어 지난해 한국의 경제성장률이 -1% 역성장을 기록했는데 올해 0% 성장을 기록했다면, 사실 성장을 한 것이 아니지만 성장을 했다고 생각하게 됩니다.

어떤 기업이 매 분기 50억의 이익을 내다가 전분기에 20억에 불과한 이익을 냈다고 가정을 해보겠습니다. 이번 분기에 다시 50억의 이익을 냈다면 시장은 이 기업에 주목을 하게 됩니다. 과거와 같은 수준의 이익이지만 지난 분기 대비해서 2배 이상의 성장을 했기 때문에 실적 개선주로 시장의 주목을 받을 수 있습니다. 이를 기저효과에 의한 실적 성장이라고 합니다.

역기저효과는 반대로 직전에 너무 좋은 실적을 내서 상대적으로 이번에 좋은 실적을 냈음에도 성장을 못했다고 평가절하는 현상을 의미합니다. 수학점수 80점도 정말 잘 받은 점수이지만 직전의 시험에서 90점을 맞았기 때문에 수학시험에서는 높은 평가를 받을 수 없게 됩니다. 매 분기 50억

분기당 영업이익 추이

역기저효과

50억
(1분기) → 50억
(2분기) → 50억
(3분기) ↗ 100억
(4분기) ↘ 50억
(1분기)

원의 이익을 내던 기업이 직전 분기에 100억 원을 기록했다가 이번 분기에 다시 50억 원의 이익을 기록했다면 어떤 평가가 내려질까요? 과거와 비슷한 이익을 냈지만 투자자들은 실망할 가능성이 높습니다. 직전 분기보다 이익이 절반 수준에 불과하다고 생각하기 때문입니다.

2020년에 코로나19로 가장 실적이 좋았던 업종 중의 하나가 음식료 업종입니다. 가정간편식(HMR) 대표 기업인 CJ제일제당은 과거에 분기당 많게는 2,700억 원 정도의 이익을 기록했지만 코로나19가 확산된 2020년 2분기와 3분기 영업이익이 각각 3,850억 원, 4,020억 원을 기록하며 큰 폭의 이익 성장을 보여주었습니다. 그런데 2020년 상반기 강한 상승세를 보였던 CJ제일제당 주가는 하반기 들어서는 부진한 흐름을 보였는데요, 2020년 실적이 너무 좋아서 상대적으로 2021년 실적은 그에 못 미칠 것이라는 전망 때문이었습니다. 2021년 실적도 과거 평균보다는 좋을 것으로 예상했지만 2020년의 성과가 너무 좋았기 때문에 상대적으로 부진해 보이는 역기저효과가 주가에 부정적으로 작용한 것입니다.

기업의 이익은 꾸준히 증가하는 게 좋습니다. 갑작스러운 악재로 이익이 급감했다가 다시 정상화되는 기저효과, 갑작스러운 성장으로 이익이 급증했다가 다시 정상화되는 역기저효과는 일시적인 경우가 많습니다. 그 기업만의 고유한 경쟁력을 바탕으로 꾸준히 성장하는 기업에 주목하시기 바랍니다. 기저효과, 역기저효과는 어쩌면 숫자놀음일 수 있으니까요.

 염불리의 꿀팁

기저효과는 작년 혹은 직전 분기 실적이 좋지 않아서 이번 분기의 조그마한 실적 호전에도 상대적으로 실적이 좋아 보이는 효과를 의미합니다. 역기저효과는 작년 혹은 직전 분기 실적이 너무 좋아서 이번 분기 실적이 조금만 감소해도 실적이 나빠 보이는 효과를 의미합니다.

선물(Futures)이 너무 어렵던데 어떤 거래인가요?

저자 직강 동영상 강의로 이해 쏙쏙!
QR코드를 스캔하셔서 동영상 강의를 보시고
이 칼럼을 읽으시면 훨씬 이해가 잘 됩니다!

주식은 기업의 지분을 사는 것입니다. 보유기간에 제한도 없고, 언제든 사고 팔 수 있습니다. 주식을 매수하는 사람은 매도하는 사람에게 현재 거래되는 가격에 매수하려는 수량을 곱해서 그만큼의 금액을 지불하고 지분을 인수 하면 됩니다.

반면에 선물(Futures)거래는 조금 다릅니다. 선물은 어떤 상품이나 금융 자산을 미리 결정된 가격으로 미래의 어느 시점에 매수, 매도할 것을 약속 하는 거래를 의미합니다.

이해를 돕기 위해 배추를 재배하는 농부가 있다고 가정을 해보겠습니 다. 배추는 그해의 날씨 상황에 따라 풍작이 될 수도 있고, 흉작이 될 수도 있는 상품입니다. 배추를 재배해서 안정적인 수입을 원하는 농부 입장에서는 배추가격이 배추를 수확하는 시점에서 어떻게 변할지 알 수가 없기 때문에 일정한 가격에 판매하길 원할 것입니다.

현재 배추의 한 포기당 가격이 3,000원이라고 가정을 해보겠습니다. 지금으로부터 3개월 후에 배추재배가 끝나고 수확을 해서 판매를 한다면 과연 3개월 후의 배추가격은 어떻게 될까요?

누구도 3개월 후의 배추가격을 알 수는 없습니다. 여기서 선물거래가 발생하게 됩니다.

현재 배추 한 포기당 3,000원
3개월 후 배추재배 완료

A와 B 중에서 3개월 후에 이익을 보는 사람은 누구?
가격을 예측해서 거래가 이루어짐
선물거래는 미래가격 예측이 어려운 상품에 많이 활용됨

기초자산*은 배추인데요, 이 기초자산을 기준으로 3개월, 6개월, 9개월 후의 가격을 예측해서 거래가 이루어지는 것을 선물거래라고 합니다.

A라는 농산물 구매자가 나타납니다. 농부와 접촉을 해서 3개월 후에 배추를 5,000원에 구매하겠다고 제안을 합니다. 농부는 현재 가격이 3,000원인데 3개월 후에 수확을 했을 때 5,000원에 판매가 가능하다면 나쁘게 없겠죠. 그 제안에 흔쾌히 응합니다. 서로 계약은 체결되었고 3개월 후에 배추의 시중가격이 얼마가 되었든 두 사람은 5,000원에 거래를 해야 합니다. 이것이 바로 선물거래입니다. 현재의 기초자산(배추)을 가지고 일정시점 후에 약속한 가격에 매수, 매도를 하겠다는 약속입니다. 여기서 A라는 농산물 구매자는 선물을 매수하는 매수자가 되고, 농부는 선물을 매도하는 매도자가 됩니다.

시간이 흘러 3개월이 지나갔습니다. 배추의 시중가격이 7,000원이 되었다면 누가 이익일까요? 당연히 A라는 구매자가 이익입니다. 7,000원에 거래되는 배추를 5,000원에 구매할 수 있으니까요. 반대로 농부는 2,000원을 더 받고 팔 수 있는데 미리 선물매도를 했기 때문에 5,000원에 판매를 해야 합니다.

반대로 배추가격이 3,000원 그대로라면 누가 이익일까요? 농부가 이익입니다. 농부는 3,000원에 거래되는 배추를 5,000원에 팔 수 있기 때문입니다. A는 3,000원짜리 배추를 5,000원에 사야 하기 때문에 손해를 보게 됩니다.

선물거래는 보통 이렇게 미래가격 예측이 어려운 상품에서 많이 활용됩니다. 주식시장에서도 선물거래가 가능한데요, 기초자산은 코스피 200(코스피 대표 200종목을 활용해 만든 지수)입니다. 코스피 200 지수가 앞으로 상승할 것으로 생각하면 코스피 200 선물지수를 매수하면 되고, 하락할 것으로 예상하면 코스피 200 선물지수를 매도하면 됩니다.

　그리고 선물은 영원히 보유할 수 없습니다. 주식과 달리 선물은 보유기간이 정해져 있는 시한부 상품이기 때문입니다. 코스피 200 선물은 3개월에 한 번씩 만기가 돌아옵니다.

 염불리의 꿀팁

선물은 어떤 상품이나 금융자산을 미리 결정된 가격으로 미래의 어느 시점에 매수 혹은 매도할 것을 약속하는 거래를 의미합니다. 코스피 200 지수가 앞으로 상승할 것으로 생각하면 코스피 200 선물지수를 매수하고, 하락할 것으로 예상하면 코스피 200 선물지수를 매도하면 됩니다. 예상이 틀렸을 경우에는 큰 손실을 볼 수도 있으니 투자 시 각별한 주의가 필요합니다.

옵션(Options)이 너무 어렵던데 무슨 뜻인가요?

저자 직강 동영상 강의로 이해 쏙쏙!
QR코드를 스캔하셔서 동영상 강의를 보시고
이 칼럼을 읽으시면 훨씬 이해가 잘 됩니다!

앞에서 선물거래에 대해 설명을 해드렸는데요, 이번엔 옵션(Options)에 대해 설명해드리겠습니다. 선물이나 옵션은 미래에 어떤 자산이나 상품을 사고 판다는 구조에서는 비슷하지만 다른 점이 있습니다. 선물은 미래의 특정 시점과 특정 가격에 매수 혹은 매도를 하기로 한 약속입니다.

약속은 반드시 지켜야 합니다. 옵션은 권리입니다. 옵션은 어떤 상품이나 금융자산을 미리 정해진 조건에 따라 매수, 매도할 수 있는 권리를 의미합니다. 이러한 권리는 살 수도 있고, 팔 수도 있습니다. 권리를 행사하기 싫으면 권리를 포기해도 상관없습니다. 물론 포기에 따른 손실은 감수해야 하지만요.

옵션에는 콜옵션*과 풋옵션*이 있습니다. 콜옵션은 어떤 자산이 미래 어느 시점에 가격이 상승하더라도 약정한 가격에 살 수 있는 권리를 의미합니다.

A라는 사람이 노트북을 판매하는 B라는 사람에게 노트북을 사기로 했다고 가정을 해보겠습니다. A는 노트북 가격이 현재 45만 원인데 한 달 후에 60만 원까지는 오를 것 같다고 생각을 했습니다. 그래서 B에게 노트북을 한 달 후에 50만 원에 사겠다고 말하고 50만 원에 살 수 있는 권리를 달라며 요구를 합니다. B는 고심 끝에 그렇게 하겠다고 약속을 합니다. 대신

B는 한 달 후에 50만 원에 판매하겠다는 조건으로 3만 원의 권리금을 A에게 요구했습니다. A는 3만 원을 내고 그 권리를 획득했습니다. A가 매수한 그 권리를 콜옵션 매수라고 합니다. B가 매도한 그 권리를 콜옵션 매도라고 합니다.

A 입장에서는 3만 원을 미리 지불했지만 노트북 가격이 향후 60만 원이든 70만 원이든 상승해도 아무 상관이 없습니다. 50만 원에 살 수 있는 권리가 있기 때문입니다. 한 달 후 50만 원에 노트북을 사서 시중에 70만 원에 팔면 막대한 이익을 낼 수도 있기 때문입니다. 하지만 B는 짜증이 날 수 있겠죠. 60만 원, 70만 원에 팔 수 있는 노트북을 50만 원에 팔아야 하기 때문입니다.

풋옵션은 어떤 자산이 미래 어느 시점에 가격이 하락하더라도 그 자산을 약정한 가격에 팔 수 있는 권리를 의미합니다. 콜옵션은 어떤 자산을 약정가격에 살 수 있는 권리이고, 풋옵션은 팔 수 있는 권리입니다.

선물은 미래의 특정시점과 가격에 매수, 매도를 하겠다는 약속
옵션은 미래의 특정시점과 가격에 매수(콜옵션), 매도(풋옵션)를 할 수 있는 권리
콜옵션 매수: 가격상승에 베팅, 콜옵션 매도: 저항
풋옵션 매수: 가격하락에 베팅, 풋옵션 매도: 지지

앞에서 예를 든 A와 B를 다시 등장시켜보겠습니다. B는 향후 노트북 가격이 떨어질 것이라고 생각을 합니다. 현재 55만 원인 노트북이 한 달 후에는 40만 원까지 떨어질 것이라고 예측을 한 것이죠. 그래서 A에게 "한 달 후에 노트북을 50만 원에 판매하겠지만 대신 그 권리금으로 5만 원을 주겠다"고 제안을 했습니다. A는 고민 끝에 5만 원을 받고 그 권리를 B에게 넘겨주게 됩니다.

한 달 후에 노트북 가격이 B의 예상보다 더 떨어져 35만 원까지 급락을 했습니다. B는 5만 원을 주고 50만 원에 팔 수 있는 권리(풋옵션 매수)를 얻었기 때문에 50만 원에 판매를 하면 됩니다. 그러면 A는 울상이겠죠. 35만 원에 거래되는 노트북을 어쩔 수 없이 50만 원에 매수해야 하기 때문입니다.

향후 어떤 자산의 가격이 상승할 것으로 예측될 때는 콜옵션을 매수하면 되고, 어떤 자산의 가격이 하락할 것으로 예측될 때는 풋옵션을 매수하면 됩니다. 옵션은 선물과 달리 권리이기 때문에 콜옵션, 풋옵션 매수자는 그 권리를 행사하지 않고 포기해도 됩니다.

즉 A가 노트북을 50만 원에 사기로 약정을 하고 5만 원을 지급하고 그 권리를 얻었는데, 노트북을 사기로 약정한 날짜에 시중에 거래되는 노트북 가격이 40만 원이라면 5만 원을 포기하고 노트북을 사지 않아도 됩니다. 물론 그 권리를 얻기 위해 지불한 5만 원은 돌려받을 수 없습니다.

옵션도 선물처럼 보유기간에 제한이 있습니다. 코스피 200을 추종하는 콜옵션, 풋옵션은 만기가 한 달입니다. 정해진 만기일까지는 권리를 행사하거나 포기하거나 결정해야 합니다. 옵션은 권리금을 주고 권리를 얻은 것이기 때문에 권리를 포기하면 권리금에 투자한 돈을 모두 잃을 수도 있습니다.

 염블리의 꿀팁

> 옵션은 권리입니다. 어떤 상품이나 금융자산을 미리 정해진 조건에 따라 매수, 매도할 수 있는 권리를 의미합니다. 콜옵션은 어떤 자산이 미래 어느 시점에 가격이 상승하더라도 약정한 가격에 살 수 있는 권리를 의미합니다. 풋옵션은 어떤 자산이 미래 어느 시점에 가격이 하락하더라도 그 자산을 약정한 가격에 팔 수 있는 권리를 의미합니다.

3장

지금까지 기본적인 용어에 대해서 알아보았는데요, 3장에서는 주식투자자들이 가장 많이 궁금해하는 주식투자 기본지식을 선정해보았습니다. 전자공시는 어떻게 보고, 기업은 어떻게 자금을 조달하고, 기업의 시설투자는 왜 중요한 것인지 등 주식투자자라면 반드시 알고 있어야 할 기본적인 내용을 담아보았습니다. 3장을 잘 공부하신다면 주린이에서 실력 있는 주식투자자로 거듭날 수 있을 것입니다. 일부 내용들은 특별히 동영상 강의도 만들어 QR코드로 안내해놓았으니 영상과 함께 공부하시면 이해하기 더욱 수월할 것입니다.

주린이가
가장 알고 싶어하는
투자지식 10가지

질문
TOP
19

전자공시는
꼭 봐야 하나요?

저자 직강 동영상 강의로 이해 쑥쑥!
QR코드를 스캔하셔서 동영상 강의를 보시고
이 칼럼을 읽으시면 훨씬 이해가 잘 됩니다!

당연하죠! 전자공시*와 친구가 되어야 합니다.
전자공시는 보물창고 같은 곳이에요. 주식시장
에 상장한 기업들이 중요한 정보를 공개하는
곳입니다. 전자공시는 기업의 성적표인 분기/
반기사업보고서, 재무제표를 기준에 맞게 잘 작
성했는지를 알려주는 감사보고서, 주주총회 소
집일, 실적발표 및 M&A 등 중요한 경영사항

전자공시

투자자의 투자 판단을 돕기 위
해 기업에 대한 정보를 투자자
에게 공개하는 시스템. 모든 기
업공시 서류를 금융감독원이
등록해 투자자들이 자유롭게
열람할 수 있음

을 대외적으로 알리는 창구역할을 하는 곳이기 때문입니다. 투자자들은 기
업들이 발표하는 공시를 통해 적절한 투자 의사결정을 할 수가 있기 때문에
주식투자를 하는 분들이라면 무조건 봐야 하는 필수 사이트입니다.

전자공시가 워낙 중요하기 때문에 전자공시에 대해서 집중적으로 다룬 책들도 있습니다. 전자공시에 대해 자세하게 설명한 책들을 꼭 읽어보시기 바랍니다. 여기서는 간략하게만 다루도록 하겠습니다.

우선 전자공시 홈페이지(dart.fss.or.kr)에 어떻게 접속하고 어떤 것들을 확인할 수 있는지 알아보도록 하겠습니다. 주요 포털 검색창에 '전자공시'를 치고 검색하면 전자공시 사이트에 접속할 수 있습니다.

회사명에 원하는 기업명을 적고 검색버튼을 클릭하면 해당 기업의 다양한 공시정보가 나오게 됩니다. 원하는 공시를 클릭하면 상세한 내용을 확인할 수 있습니다.

가장 중요한 공시 중의 하나인 사업보고서를 클릭하면 기업의 역사, 현황, 주주구성, 주식수, 재무제표, 주요 사업, 자회사 등 수많은 정보를 다 확인할 수 있습니다. 기업설명회* 개최라는 항목을 클릭하면 기업이 언제 기업설명회를 하는지 일정을 알 수 있습니다. 회사합병결정 항목을 클릭하면 합병에 관한 모든 사항을 자세히 알 수 있습니다.

기업설명회

기업의 경영성과, 경영현황, 미래 경영방침 등에 대한 정보를 투자자들에게 제공해서 기업의 자금조달을 원활하게 하는 활동(IR)

카카오 전자공시

조회건수 [15 ▾]   접수일자 ▾   회사명 ▾   보고서명 ▾

번호	공시대상회사	보고서명	제출인	접수일자	비고
1	유 카카오	대규모기업집단현황공시[분기별공시(대표회사용)]	카카오	2020.11.26	공
2	유 카카오	기업설명회(IR)개최(안내공시)	카카오	2020.11.25	유
3	유 카카오	타법인주식및출자증권취득결정	카카오	2020.11.19	유
4	유 카카오	분기보고서 (2020.09)	카카오	2020.11.16	
5	유 카카오	최대주주등소유주식변동신고서	카카오	2020.11.10	
6	유 카카오	주식등의대량보유상황보고서(일반)	김범수	2020.11.10	
7	유 카카오	임원·주요주주특정증권등소유상황보고서	여민수	2020.11.10	
8	유 카카오	기업설명회(IR)개최(안내공시)	카카오	2020.11.10	
9	유 카카오	연결재무제표기준영업(잠정)실적(공정공시)	카카오	2020.11.05	유
10	유 카카오	영업(잠정)실적(공정공시)	카카오	2020.11.05	유
11	유 카카오	[기재정정]주식매수선택권부여에관한신고	카카오	2020.11.02	
12	유 카카오	[기재정정]주식매수선택권부여에관한신고	카카오	2020.11.02	
13	유 카카오	합병등종료보고서 (합병)	카카오	2020.11.02	
14	유 카카오	특수관계인과의내부거래	카카오	2020.11.02	공
15	유 카카오	최대주주등소유주식변동신고서	카카오	2020.10.26	유

출처: 전자공시

3장 l 주린이가 가장 알고 싶어하는 투자지식 10가지   115

비상장 기업과 달리 상장 기업은 주식시장에 공개된 기업이기 때문에 거기에 맞는 책임과 의무가 부여됩니다. 공시는 상장기업의 가장 중요한 의무입니다. 기업의 주가에 큰 영향을 줄 수 있는 사항들은 반드시 공시를 해야 하며, 투자자들은 공시를 통해 중요한 정보를 얻게 되어 적절한 의사결정을 할 수 있게 됩니다.

투자를 하고 있는 기업들이 어떤 공시를 했는지 항상 확인하시기 바랍니다. 주식투자의 첫걸음은 전자공시와 친해지는 것입니다.

 염볼리의 꿀팁

전자공시는 기업이 투자자들에게 알려야 하는 중요한 내용들을 보고하는 곳입니다. 전자공시를 통해서 투자하고 있는 기업들의 다양한 정보를 알 수 있습니다. 전자공시는 투자의 첫 걸음입니다.

사업보고서는 언제 제출하고
무슨 내용을 담고 있나요?

상장 기업들은 분기, 반기, 연간 단위로 보고서를 작성해야 합니다. 이것은 상장 기업들의 의무사항입니다.

1년에 네 번의 보고서를 반드시 제출해야 합니다. 1분기는 3월 31일, 2분기는 6월 30일, 3분기는 9월 30일, 4분기는 12월 31일이 기준입니다. 1분기 보고서는 3월 31일부터 45일 이내인 5월 15일 전까지 제출해야 합니다. 2분기 보고서는 1분기와 2분기를 합쳐서 반기 보고서로 제출하게 됩니다. 반기 보고서는 8월 15일까지 제출해야 합니다. 3분기는 11월 15일까지 분기 보고서를 제출해야 하고, 4분기는 1, 2, 3, 4분기를 모두 합쳐서 연간 보고서인 사업보고서를 제출해야 합니다.

사업보고서 제출기한은 다음해 3월 31일입니다(제출 마감일이 휴일인 경우에는 마감일이 변경되는 경우가 있으니 전자공시 홈페이지의 정기보고서 제출 기한을 참고해주세요).

분기, 반기 사업보고서(이하 정기 보고서)는 각각 3개월, 6개월, 1년이라는 시간 동안 발생한 기업의 사업상황, 재무상황 및 경영실적 등의 내용을 투자자들에게 정기적으로 공개하는 보고서입니다. 이러한 보고서를 작성해서 반드시 공시하는 이유는 증권시장에서 공정한 가격이 형성되도록 하고, 투자자들에게 합리적인 투자판단 자료를 제공해 투자자들을 보호하기 위해서입니다.

정기 보고서에는 다양한 내용들이 있습니다. 가장 먼저 나오는 항목은 회사의 개요입니다. 회사의 연혁, 주식수의 변화, 증자현황, 배당 등에 대한 내용을 확인할 수 있습니다.

두 번째 항목은 사업의 내용입니다. 정기 보고서에서 가장 중요한 내용을 담고 있습니다. 우리가 어떤 기업에 투자할 때는 그 기업이 무엇을 생산하고, 무엇을 제공하고, 어떤 비전을 가지고 있고, 어떤 위험이 있는지를 알아야 하는데, 사업의 내용에는 그러한 것들이 잘 담겨져 있습니다.

예를 들어 SK텔레콤이 국내 1위 통신 사업자라는 것은 대부분의 사람들이 알고 있지만 사업보고서를 통해 시장점유율은 얼마나 되며, 어떤 성장계획을 갖고 있고, 중요한 자회사가 무엇이고, 현재 통신업황은 어떤 상황인지를 정확하게 확인할 수 있습니다.

백 마디 말보다 한 번 보는 것이 더 나은 것처럼 투자하는 기업이 있다면 지금 바로 사업의 내용을 확인해보세요. 내가 투자를 제대로 하고 있는 것인지 확인할 수 있을 것입니다.

사업의 내용, 네이버 2020년 3분기 분기보고서

II. 사업의 내용

1. 사업의 개요

네이버는 혁신적인 최고의 서비스를 끊임없이 선보이는 '글로벌 도전의 집합체(A set of global challenges)'입니다. 첨단의 기술을 일상의 서비스에 담아 사용자에게 새로운 연결의 경험을 선보이는 도전을 멈추지 않음으로써, 다양한 기회와 가능성을 열어 나가고 네이버를 둘러싼 모든 이해관계자들에게 차별화된 가치를 제공하고 있습니다.

네이버를 둘러싼 환경은 빠르게 변화 중이며, 이러한 변화를 새로운 도약의 기회로 삼아, 그 동안 회사의 성장을 견인해 왔던 혁신을 바탕으로 글로벌 시장과 신규사업에 대한 도전을 이어가고 있습니다. 또한, 네이버는 지속적인 성장을 목표로 기술, 서비스 등에 대한 선제적 투자를 진행하며, 핵심 사업의 경쟁력을 끊임없이 강화해 나가고 있습니다.

네이버는 국내 1위 인터넷 검색 포털 '네이버(NAVER)'를 기반으로 광고, 커머스 사업을 통해 매출을 창출하고 있습니다. 아울러 웹툰, Zepeto, V LIVE 등의 콘텐츠서비스, 금융 씬파일러들을 위한 핀테크, 기업용 솔루션을 제공하는 클라우드 등 다각화된 사업 포트폴리오를 기반으로 안정적인 성장을 이어가고 있습니다. 네이버는 기존 사업에서 탄탄한 성장세를 유지하는 한편, 신성장동력인 커머스, 핀테크, 콘텐츠, 클라우드 사업 모두에서 고르고 가파른 성장을 이어가고 있습니다.

각 사업부문별 매출현황은 II. 사업의 내용 - 4. 매출 및 수주상황을 참고해 주시기 바랍니다.

2. 주요 제품 및 서비스

출처: 전자공시

세 번째 항목은 재무에 관한 사항입니다. 기업의 성적표를 확인할 수 있는 항목입니다. 재무제표에서 기업의 재무상태, 실적, 현금흐름 등을 확인할 수 있고, 주석에서 재무제표에 대한 다양한 내용들을 확인할 수 있습니다.

네 번째는 이사의 경영진단, 다섯 번째는 감사인의 감사의견 등을 확인할 수 있습니다. 여섯 번째는 이사회에 대해 알 수 있고, 일곱 번째는 주주에 대해 알 수 있습니다. 최대주주가 누구인지, 5% 이상의 대주주는 누구인지,

소액주주는 몇 %나 되는지를 알 수 있습니다.

　여덟 번째는 임직원과 직원들의 임금에 대해 알 수 있습니다. 아홉 번째 항목에서는 계열회사와 회사가 지분을 보유한 자회사들의 현황을 파악할 수 있습니다. 중요한 자회사는 기업의 실적과 주가에 큰 영향을 끼칠 수 있기 때문에 반드시 확인을 해야 합니다. 예를 들어 카카오는 카카오페이지, 카카오뱅크, 카카오모빌리티 등 핵심 자회사들의 지분율과 이익 등을 확인할 수 있습니다.

　주식투자에서 가장 주의해야 할 것이 '~카더라'입니다. 누가 그러더라, 무슨 소문이 들리더라 등 정확하지 않은 정보를 가지고 투자하는 것은 손실로 가는 지름길입니다. 정기 보고서 확인을 통해 기업의 현황을 파악하고 투자 의사결정을 하시기 바랍니다. 정기 보고서는 주린이 여러분의 든든한 지원군이 되어줄 것입니다.

 염블리의 꿀팁

> 상장 기업들은 분기, 반기, 연간 단위의 기업 현황을 담은 보고서를 공시해야 합니다. 이러한 정기 보고서에는 사업의 내용, 자회사 현황, 재무제표 등 주식투자에 필요한 중요한 내용들이 담겨 있습니다. 정기 보고서는 주식투자자라면 반드시 확인해야 하는 자료입니다.

질문
TOP
21

기업이 자금을 조달하는 방법에는 뭐가 있나요?

기업이 주식시장에 상장하는 가장 큰 이유는 무엇보다도 자금을 조달하기 위해서입니다. 자금이 있어야 연구 개발도 하고, 공장도 건설하고, 제품도 생산할 수 있죠. 빚이 너무 많다면 빚을 갚기 위한 용도로 자금을 조달하기도 합니다.

이미 시장에 상장한 기업들은 다양한 방식으로 자금을 조달합니다. 은행에서 돈을 차입하기도 하고, 채권을 발행해서 돈을 조달하기도 합니다. 차입이나 채권발행은 돈을 빌리는 것이라서 부채가 증가하는 단점이 있습니다. 그래서 주식시장 내에서 자금을 조달하기도 하는데 이를 유상증자라고 합니다.

유상증자는 기업이 주식을 추가로 발행하고 발행된 주식을 투자자들에게 돈을 받고 주는 것입니다. 주식수가 늘어나는 단점이 있지만 기업 입장에서는 부채가 아니라 주식수만 증가하기 때문에 재무구조를 개선시킬 수 있어 유리한 점도 있습니다. 물론 주식수가 늘어나기 때문에 주식가치가 하락하는 단점도 있습니다.

이외에 메자닌이라는 방식도 있습니다. 메자닌이라는 용어가 생소하실 텐데요, 메자닌은 이탈리아어로 건물 1층과 2층 사이에 있는 라운지 공간을 의미합니다. 즉 채권과 주식의 중간에 있는 자금조달 수단이라고 생각하시면 됩니다. 채권인데 주식의 성격을 가지고 있는 것이죠.

앞에서 기업의 자금조달 방식 중에 채권발행을 말씀드렸는데요, 보통 채권은 만기까지 일정한 이자를 지급하고 만기에 채권 투자자에게 원금을 돌려주면 되는 매우 간단한 상품입니다. 그런데 메자닌은 채권이지만 상황에 따라 주식으로 전환할 수 있는 상품이라서 간단하지가 않습니다.

메자닌은 일반적인 채권에 비해 금리가 낮지만 주식전환이 가능하다는

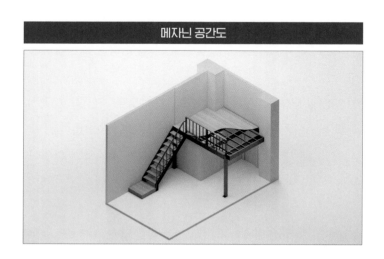

메자닌 공간도

장점이 있습니다. 채권을 보유하면서 일정하게 이자를 받고, 상황에 따라 주식으로 전환해 시세차익도 노릴 수 있는 거죠. 물론 주가에는 부정적입니다. 일정기간 동안은 이자 비용을 내야 하고, 주식으로 전환되는 시점에서는 주식수가 증가해서 아무래도 주가에 부담이 될 수 있기 때문입니다.

사람도 그렇지만 기업도 돈이 많이 필요합니다. 신약개발, 반도체 생산, 전기자동차 개발, 수소차 개발, 영화 제작 등 어느 업종이든 반드시 돈이 필요합니다.

물론 돈을 잘 벌어서 남은 돈으로 신규투자를 하고, 다시 돈을 벌어서 남은 돈으로 신규투자를 하면 걱정이 없겠죠. 하지만 그렇지 못한 기업들도 많이 있습니다. 특히 신사업에 진출하는 기업들은 당장 돈을 벌 수 없는데 투자해야 하는 자금이 많이 들어가기 때문에 적절한 자금조달은 반드시 필요합니다.

신약을 개발하는 회사들은 임상 3상까지 조단위가 넘는 돈이 필요합니다. 그래서 전환사채*도 발행하고, 유상증자도 하고, 금융기관에서 차입도 많이 합니다. 개발이 완료될 때까지 이익을 낼 수 없지만 자금은 많이 필요하기 때문에 어쩔 수 없는 거죠.

> **전환사채**
> 주식으로 전환할 수 있는 권리가 부여된 채권으로, 전환 전에는 사채로서의 확정이자를 받을 수 있고 전환 후에는 주식 시세 차익을 얻을 수 있는 사채

전기차의 심장이라고 할 수 있는 2차전지도 돈이 많이 들어가는 산업입니다. 언젠가는 대중화될 전기차 시장이지만 아직은 시장규모가 작기 때문에(2020년 11월 기준으로 자동차 시장 내 전기차 침투율은 4.5%) 이익을 내기는 어렵습니다. 하지만 시장이 커지는 것은 명확하기 때문에 2차전지 업체들은 치열한 경쟁에서 1위 업체가 되기 위해 기술개발도 해야 하고, 대량생

기업의 자금조달 방식

자금조달 방식	장점	단점	주가 영향
금융기관 차입	빠른 자금조달	이자 및 단기 상환 부담	일부 악영향
채권발행	장기자금으로 단기부채 상환 부담 제한	이자 부담	제한
유상증자	부채증가 없이 단기자금 조달가능	주식수 증가	단기 악영향

산을 할 수 있는 공장도 건설해야 합니다. 자금조달 능력이 경쟁력이라고 볼 수 있는 이유입니다.

금융기관 차입, 채권발행, 유상증자, 메자닌, 기업공개(IPO) 등 기업의 자금조달 방법은 매우 다양합니다. 어느 방식이 정답이라고 확신할 수는 없습니다. 하지만 주식투자자는 어떤 방식이 주가에 유리하고 불리한지 알 수 있어야 합니다. 주가에 영향을 줄 수 있는 유상증자, 메자닌에 대해서는 뒤에서 좀 더 자세히 다뤄보도록 하겠습니다.

 엄블리의 꿀팁

기업이 성장하기 위해서는 투자를 해야 합니다. 투자를 위해서는 자금이 필요합니다. 금융기관 차입, 채권발행을 통한 자금조달은 주가에 큰 영향을 주지 않습니다. 유상증자, 메자닌은 주식수가 증가하기 때문에 주가에 큰 영향을 끼칩니다. 유상증자, 메자닌에 대해서는 공부를 꼭 해두시기 바랍니다.

유상증자는
주가에 어떤 영향을 주나요?

저자 직강 동영상 강의로 이해 쑥쑥!
QR코드를 스캔하셔서 동영상 강의를 보시고
이 칼럼을 읽으시면 훨씬 이해가 잘 됩니다!

앞에서 기업이 자금을 조달하는 다양한 방식에 대해 알려드렸는데요, 그중 주가에 가장 큰 영향을 끼치는 유상증자에 대해 알아보도록 하겠습니다. 증자는 2가지 방식이 있습니다. 하나는 돈을 받고 주식을 주는 유상증자이고, 다른 하나는 돈을 받지 않고 무상으로 주식을 나눠주는 무상증자입니다.

유상증자는 주식시장에서 바로 자금을 조달하는 방식이기 때문에 부채가 증가하지 않고 자본만 증가하게 됩니다. 대출은 이자를 내야 하기 때문에 비용 부담이 있지만 유상증자는 그런 부담이 없어서 기업들이 대규모 자금을 조달할 때 많이 활용합니다. 특히 시장이 활황일 때는 주가도 많이 상승해 있고, 주식투자자들의 투자심리도 좋아서 유상증자가 흥행하는 경우가 많습니다.

어떤 기업이 유상증자 공시를 냈을 때 투자자들이 확인해야 하는 부분을 알려드리겠습니다. 첫째, 유상증자로 증가하는 주식수를 먼저 확인해야 합니다. 전체 주식수 대비 몇 %가 발행되는지 확인하시기 바랍니다. 보통 유상증자는 발행 주식수의 30% 이상인 경우가 많습니다. 30%의 주식이 추가로 발행되기 때문에 주당가치는 당연히 30% 하락하게 됩니다.

둘째, 자금조달의 목적을 확인하시기 바랍니다. 왜 유상증자를 하는지 이유를 알아야 합니다. 시설자금은 설비투자를 위한 자금입니다. 기업이 공장을 증설할 때 막대한 자금이 필요한데, 이러한 용도의 자금을 시설자금이라고 합니다. 영업양수 자금은 M&A를 위한 자금입니다. 운영자금은 기업이 사업을 운용하는 데 들어가는 필요한 자금을 의미하고, 채무상환자금은 빚을 갚는 데 필요한 자금입니다.

시설자금은 설비투자를 위해 필요한 자금이고 성장을 위한 목적이기 때문에 주식시장에서는 중장기적으로는 호재로 인식됩니다. 물론 단기적으로는 주식수 증가로 주가에 부정적이지만 성장을 위한 것이기 때문에 주가는 단기하락 후 빠르게 복원되기도 합니다.

실제 엘앤에프는 2차전지 양극재 증설을 위한 설비투자 자금 명목으로 대규모 유상증자를 했는데, 증자 후 주가는 2만 원에서 48,000원까지 급등하기도 했습니다. 운영자금이나 채무상환자금은 당장 현금이 없어서 유상증자를 하는 것이기 때문에 단기와 중기 모두 주가에 악재로 작용합니다. 대출을 갚지 못하거나 거래처에 지급해야 할 대금을 결제하지 못해서 유상증자를 하는 것이기 때문에 이렇게 조달한 자금은 금세 사라지게 됩니다. 투자를 해서 돈을 벌고 주주들에게 그 몫을 돌려줘야 하는데 그럴 수 없다는 것을 고백한 거나 마찬가지입니다.

유상증자 결정

1. 신주의 종류와 수	보통주식 (주)		3,300,000
	기타주식 (주)		–
2. 1주당 액면가액 (원)			500
3. 증자전 발행주식총수 (주)	보통주식 (주)		24,758,729
	기타주식 (주)		–
4. 자금조달의 목적	시설자금 (원)		69,000,000,000
	영업양수자금 (원)		–
	운영자금 (원)		13,665,000,000
	채무상환자금 (원)		–
	타법인 증권 취득자금 (원)		–
	기타자금 (원)		–
5. 증자방식			주주배정후 실권주 일반공모

6. 신주 발행가액	확정발행가	보통주식 (원)		25,050	
		기타주식 (원)			
	예정발행가	보통주식 (원)	–	확정예정일	2020년 08월 03일
		기타주식 (원)	–	확정예정일	–

7. 발행가 산정방법		23. 기타 투자판단에 참고할 사항
8. 신주배정기준일		2020년 07월 07일
9. 1주당 신주배정주식수 (주)		0.14129384
10. 우리사주조합원 우선배정비율 (%)		10

11. 청약예정일	우리 사주조합	시작일	2020년 08월 06일
		종료일	2020년 08월 06일
	구주주	시작일	2020년 08월 06일
		종료일	2020년 08월 07일

12. 납입일	2020년 08월 14일
13. 실권주 처리계획	23. 기타 투자판단에 참고할 사항
14. 신주의 배당기산일	2020년 01월 01일
15. 신주권교부예정일	–
16. 신주의 상장예정일	2020년 08월 31일
17. 대표주관회사(직접공모가 아닌 경우)	케이비증권(주)

출처: 전자공시

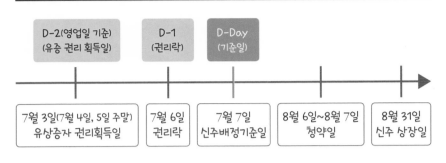

엘앤에프 유상증자 일정

| D-2(영업일 기준) (유충 권리 획득일) | D-1 (권리락) | D-Day (기준일) | | |

| 7월 3일(7월 4일, 5일 주말) 유상증자 권리획득일 | 7월 6일 권리락 | 7월 7일 신주배정기준일 | 8월 6일~8월 7일 청약일 | 8월 31일 신주 상장일 |

　　주주배정, 3자배정, 일반공모의 3가지 증자방식이 있습니다. 주주배정은 기존의 주주들만을 대상으로 해서 증자를 하는 경우입니다. 주주들만 돈을 지급하고 증자에 참여할 수 있습니다. 3자배정은 주주가 아닌 특수관계인이나 다른 투자자를 대상으로 하는 방식입니다. 일반공모는 특별한 제한 없이 모든 투자자들을 대상으로 하는 방식으로, 누구나 참여할 수 있습니다. 주주배정 방식은 주가가 급락을 해도 주주들은 더 낮은 가격에 신주를 받을 수 있어 손실을 일부 만회할 수 있지만 일반공모방식은 기존주주에게 부여되는 혜택이 없어 주가에 큰 악재로 작용하는 경우가 많습니다.

　　신주 발행가액도 꼭 확인해야 합니다. 유상증자에 참여하는 투자자들이 받게 되는 주식의 가격으로 현재 주가보다 보통 30% 이상 할인됩니다. 발행가액이 낮아야 증자에 참여하는 투자자들이 나중에 신주를 받았을 때 수익을 낼 수 있고, 그래야 투자자들이 유상증자에 참여할 수 있기 때문입니다.

　　신주배정 기준일도 꼭 확인하시기 바랍니다. 기준일은 신주를 배정받을 수 있는 기준이 되는 날짜로, 주식을 매도하면 이틀 후에 결제되기 때문에 기준일 이틀 전이 실제 주식을 배정받을 수 있는 날짜가 됩니다.

예를 들어 10월 16일이 기준일이면 이틀 전인 10월 14일까지(영업일 기준) 주식을 보유해야 유상증자에 참여할 수 있는 권리를 획득하게 됩니다. 10월 15일 이후에는 주식을 보유하건 안 하건 유상증자와는 무관하게 됩니다. 10월 16일 기준일 하루 전인 10월 15일을 권리락이라고 부르는데, 권리가 소멸되는 날이면서 늘어나는 주식수만큼 주가가 조정을 받는 날입니다. 현재주가가 1만 원인데 유상증자로 주식수가 30% 정도 증가하면, 권리락이 발생하는 날에는 주가가 30% 급락한 7,000원으로 조정됩니다.

청약 예정일은 유상증자에 참여하는 투자자들이 청약신청을 하는 날입니다. 납입일은 청약신청 후에 돈을 입금해야 하는 날입니다. 신주상장예정일은 이러한 유상증자 절차가 마감되고 유상증자 투자자들에게 신주가 지급되는 날입니다. 이때부터 유상증자 참가자들은 지급받은 신주를 매도할 수 있습니다.

유상증자는 주가에 큰 영향을 주는 이벤트입니다. 유상증자를 하는 이유, 가격, 대상 등에 따라 주가에 악재로 작용하기도 하고, 어떤 경우에는 오히려 호재로 작용하기 때문에 반드시 공시내용을 확인하시기 바랍니다.

 염불리의 꿀팁

유상증자는 기업이 시장에서 직접 자금을 조달하는 대표적인 방식입니다. 주식수가 늘어나기도 하지만 이자부담이 없어 재무구조가 개선되는 효과도 있습니다. 발행되는 주식의 수, 자금조달의 목적, 증자방식, 발행가액, 기준일, 권리락, 청약일, 납입일, 신주상장예정일은 꼭 확인해야 합니다.

3자배정 유상증자는
특별한가요?

앞에서 유상증자의 3가지 방식에 대해 간략히 말씀드렸는데요, 주주배정 방식과 일반공모 방식은 대규모 자금조달로 인해 유통주식수가 증가하기 때문에 주가에는 상당히 부정적인데, 3자배정 방식의 유상증자는 반대로 주가에 호재로 작용하는 경우가 많습니다.

3자배정 방식은 말 그대로 주주가 아닌 특수관계인이나 다른 투자자를 대상으로 하는 방식입니다. 3자배정 유상증자는 대기업이 중소기업에 지분 투자를 할 때 많이 활용하는 방식입니다.

CJ ENM이 덱스터라는 영상제작 기술을 보유한 업체의 3자배정 유상증자에 참여해서 지분을 확보한 것이 대표적입니다. CJ ENM은 대표적인 영화, 드라마 제작회사로 우수한 기술력을 보유한 업체의 지분을 일부 보유해 그 기술력을 활용하겠다는 목적에서 3자배정 유증에 참여한 것으로 추측됩니다. 덱스터는 영화에서 사용되는 특수효과 기술을 보유한 업체로 CJ ENM

CJ ENM 대상의 덱스터 제3자배정 유상증자 공시(2020년 2월 11일)

[제3자배정 대상자별 선정경위, 거래내역, 배정내역 등]

제3자 배정 대상자	회사 또는 최대주주와 의 관계	선정경위	증자결정 전후 6월 이내 거래내역 및 계획	배정 주식수 (주)	비고
주식회사 씨제이 이엔엠	해당사항 없음	대상 기업은 컨텐츠 업계 1위 기업으로서 당사 기존 사업의 수주역량 강화 및 영상 컨텐츠 기획, 제작, 투자 등 신규영역 확대를 위한 투자자의 의향, 능력 등을 고려하여 전략적 협업의 파트너로 이사회에서 선정함	2019.08.09~2020.02.10 영화 〈엑시트〉〈기생충〉 〈나쁜 녀석들〉〈백두산〉 관련 DI비용 총 9건 130,000,000원 (VAT 별도)	690,607	1년간 전량 보호예수

출처: 전자공시

삼성전자 대상의 에스앤에스텍 3자배정 유상증자 공시(2020년 7월 31일)

[제3자배정 대상자별 선정경위, 거래내역, 배정내역 등]

제3자 배정 대상자	회사 또는 최대주주와 의 관계	선정경위	증자결정 전후 6월 이내 거래내역 및 계획	배정 주식수 (주)	비고
삼성전자 주식회사	매출 거래처	반도체 노광공정의 핵심소재인 블랭크마스크를 안정적으로 공급할 수 있는 기반을 마련하고 차세대 반도체 기술개발을 통한 미래성장 동력 확보를 위해 이사회에서 선정함	해당 없음	1,716,116	1년간 전량 의무보유

출처: 전자공시

보호예수

인수·합병·유상증자, 신규상장 등 일정 기간 동안 최대주주 등이 주식을 팔지 못하도록 한 제도. 회사정보를 잘 알고 있는 최대주주의 주식 매각으로 인한 주가급락으로부터 소액투자자를 보호

사모펀드

소수의 투자자(기관투자자)로부터 자금을 모아 주식이나 채권 등에 투자해 운용하는 펀드로 49인 이하의 투자자를 모집해서 운영

이 배급한 영화 〈기생충〉, 〈엑시트〉, 〈백두산〉 등의 영화에 특수효과 기술을 제공했습니다.

그리고 3자배정 유상증자는 1년간 보호예수*(3자배정에 참여한 투자자는 1년간 그 주식을 매각할 수 없음)가 되기 때문에 유통주식수가 증가하지 않아 긍정적입니다. 자금조달을 하면서도 유통주식수는 증가하지 않고 대기업의 투자라는 효과까지 얻을 수 있어 주가에 긍정적인 경우가 많습니다.

유상증자 공시가 나왔을 때 주식투자자가 가장 먼저 확인해야 할 것은 바로 증자방식입니다. 3자배정 유상증자로 확인되면 그 다음에는 발행대상이 누구인지를 확인하시기 바랍니다. 사모펀드*인지, 대기업인지, 외국계 기업인지 확인을 하시기 바랍니다. 1년간은 신주가 보호예수로 묶여 있기 때문에 물량부담은 없지만 1년 후에는 발행대상에 따라 시장에 물량이 출회될 수도 있기 때문입니다. 사모펀드나 외국계는 단기투자인 경우가 많습니다. 1년 후 주가가 발행가 이상이면 시장에 매도할 가능성이 높습니다.

대기업은 다릅니다. 3자배정 유상증자에 참여해 지분의 일부를 확보하면서 장기간 안정적인 파트너십을 유지하려는 목적이기 때문에 1년이 지나도 지분을 쉽게 매각하지 않습니다. 대기업의 투자라는 상징성, 자금조달, 유통주식수 증가 제한 등으로 주가에는 긍정적입니다.

주식투자는 단 하나의 정답이 없습니다. 같은 유상증자라도 배정방식에

따라 악재가 되기도 하고, 호재가 되기도 합니다. 유상증자에 대해 지레 겁먹지 마시고 항상 구체적인 내용을 살펴서 투자 의사결정을 내리는 데 참고하시기 바랍니다.

 염블리의 꿀팁

3자배정 유상증자는 말 그대로 제3자인 특수관계인을 대상으로 신주를 발행하는 자금조달 방식입니다. 대주주가 참여하는 경우가 많고, 1년간 신주가 보호예수되어 매각이 제한되기 때문에 유통주식수가 증가하지 않아 주가에 긍정적인 경우가 많습니다.

질문 TOP 24

전환사채, 신주인수권부사채, 교환사채는 어떻게 다른가요?

저자 직강 동영상 강의로 이해 쑥쑥!
QR코드를 스캔하셔서 동영상 강의를 보시고
이 칼럼을 읽으시면 훨씬 이해가 잘 됩니다!

전환사채는 채권인데 주식으로 전환할 수 있는 권리가 부여된 채권입니다. 채권은 만기까지 보유하면 이자도 받고 원금도 돌려받을 수 있는 비교적 안전한 투자자산입니다. 일정한 날짜에 이자를 받고 만기에 원금을 돌려받는 정기예금과 비슷한 상품입니다. 전환사채는 이 채권을 주식으로 바꿀 수 있는 권한이 부여된 상품입니다.

금리가 낮지만 일정기간(발행일로부터 1년 후)이 지난 후에는 주식으로 전환해서 시세차익을 낼 수 있습니다. 주식으로 전환할 수 있다는 점 때문에 대개 전환사채 발행은 주가에 악재로 작용합니다. 전환사채 투자자는 발행일로부터 1년 후에는 채권을 주식으로 전환해서 매도할 수 있습니다. 발행가보다 높다면 큰 수익도 낼 수 있습니다. 주식수가 증가해 주당가치가 하락하기 때문에 주주가치가 훼손될 수 있습니다.

신주인수권부 사채는 전환사채와 비슷하지만 확실한 차이점이 있습니다. 전환사채는 주식으로 전환하면 채권은 소멸됩니다. 주식만 남게 되는 거죠. 이와 달리 신주인수권부 사채는 채권은 그대로 유지되면서 투자자가 원할 경우 약정한 가격에 신주를 매수할 수 있는 권리가 부여된 상품입니다. 채권을 보유하면서 주식까지 받을 수 있는 옵션이 부여되어 있다고 생각하시면 됩니다.

신주인수권부 사채는 분리형과 비분리형이 있습니다. 분리형은 투자자가 신주를 받았을 때 받은 주식을 매각해도 채권은 그대로 남아 있는 형태입니다. 주식과 채권이 완전히 분리된 상품입니다. 비분리형은 신주를 받았을 때 받은 신주를 매각하면 채권도 소멸되는 형태입니다. 주식과 채권을 분리할 수 없습니다. 투자자들은 대부분 분리형을 원하지만 분리형 신주인

전환사채, 신주인수권부사채, 교환사채 비교

	전환사채	신주인수권부사채	교환사채
대상 주식	신주	신주	자사주, 다른 기업 주식
권리	주식전환	신주 매수	주식 교환
채권	소멸	유지(분리형)	소멸
주식수	증가	증가	없음
부채비율	감소	증가	유지
주주가치	훼손	훼손	영향 없음

수권부 사채는 현재 공모형*만 발행이 가능합니다. 특정 대상에게만 발행할 수 있는 사모형은 현재 분리형 신주인수권부 사채 발행이 금지되어 있습니다.

교환사채는 기업이 보유하고 있는 다른 기업의 주식이나 자사주로 교환할 수 있는 권리가 부여된 채권입니다. 전환사채와 신주인수권부 사채는 주식을 새롭게 발행하기 때문에 주식수가 증가하는 단점이 있습니다. 교환사채는 신주를 발행하지 않고 기존에 기업이 가지고 있는 주식을 투자자에게 주기 때문에 주식수가 증가하지 않아 긍정적입니다.

전환사채, 신주인수권부 사채는 낮은 금리로 많은 자금을 유치할 수 있어 기업들이 선호하는 자금조달 방법입니다. 하지만 주식수가 증가하기 때문에 주가에는 대부분 부정적으로 작용합니다. 주주 입장에서 이러한 특수채권의 발행은 주주가치를 크게 훼손합니다. 따라서 전환사채, 신주인수권부사채를 자주 발행하는 기업들은 투자에 유의해야 합니다.

 염불리의 꿀팁

채권이지만 주식이 될 수 있는 권리가 부여된 사채(메자닌)에는 전환사채, 신주인수권부사채, 교환사채가 있습니다. 기업의 자금조달 수단이지만 주식수가 늘어나 주주가치를 훼손할 수 있기 때문에 주가에는 대부분 부담으로 작용합니다.

무상증자는 주가에
왜 호재인가요?

유상증자는 자금이 부족한 기업들이 자금을 조달하기 위해 기존주주, 제3자, 일반 투자자 등을 대상으로 주식을 발행하는 것이라고 앞에서 말씀을 드렸는데요, 현재 거래되고 있는 주가보다 낮은 가격에 주식을 새롭게 발행하기 때문에 주가에 부담으로 작용합니다. 낮은 가격의 주식 공급이 늘어나기 때문에 주주 가치를 훼손하게 됩니다.

무상증자도 주식수가 늘어나는 면에서는 비슷할 수도 있습니다. 하지만 무상증자는 무상으로, 즉 공짜로 주식을 나눠줍니다. 기업들은 100% 무상증자를 많이 하는데요, 100% 무상증자를 하게 되면 보유한 주식수가 2배가 됩니다. 1,000주를 보유하고 있는데 무상증자로 2,000주가 되는 거죠. 물론 공짜로 나눠줍니다.

보유 주식수가 2배가 되기 때문에 기존 주주 입장에서는 너무 좋을 수밖에 없을 텐데요, 주가가 움직이지 않아도 2배의 수익을 낼 수 있기 때문입니다. 그런데 이 세상에 공짜는 없습니다. 주식수가 2배로 늘어나는 대신에 주가는 50%로 할인됩니다.

예를 들어 만일 현재가가 1만 원인 기업이 100% 무상증자를 하게 되면 주가는 5,000원으로 강제조정을 당하게 됩니다. 강제적인 주가조정을 권리락이라고 합니다. 주식수가 2배로 증가하지만 주가는 50% 하락하기 때문에 시가총액(발행주식수×주가)은 변하지 않습니다. 기업가치에는 사실 아무런 영향을 주지 않습니다.

기업가치에는 변화가 없지만 무상증자를 하면 주가가 급등하는 경우가 많습니다. 무상증자를 하는 가장 큰 이유는 거래량을 증가시키기 위해서입니다. 거래량이 부족하면 주식투자자 입장에선 거래에 제약이 생기기 때문에 아무리 좋은 기업이라도 관심을 갖기 어렵습니다. 무상증자를 하면 주식수가 증가하고 주가는 낮아지기 때문에 거래가 활성화되는 이점이 있습니다.

무상증자는 기업이 이익을 내고 남은 잉여금을 재원으로 하기 때문에 재무구조가 좋지 않은 기업들은 하기가 어렵습니다. 무상증자는 재무구조가 좋은 기업임을 간접적으로 나타낸다고 생각하시면 됩니다.

무상증자는 자금유입이 없기 때문에 절차가 매우 간단합니다. 청약도 없고, 신주배정기준일만 잘 체크하면 됩니다. 다음 자료는 이지바이오의 200% 무상증자 공시 내용입니다. 100%가 아닌 200%라서 1주당 2주를 공짜로 받게 됩니다. 1,000주를 가진 주주라면 2,000주를 공짜로 받아서 3,000주가 되는 것입니다.

이지바이오 200% 무상증자 공시 (2020년 10월 27일)

1. 신주의 종류와 수	보통주식 (주)	4,551,616
	기타주식 (주)	–
2. 1주당 액면가액 (원)		500
3. 증자전 발행주식총수	보통주식 (주)	2,286,728
	기타주식 (주)	
4. 신주배정기준일		2020년 11월 12일
5. 1주당 신주배정 주식수	보통주식 (주)	1주당 2주 배정 → 2
	기타주식 (주)	–
6. 신주의 배당기산일		2020년 05월 01일
7. 신주권교부예정일		–
8. 신주의 상장 예정일		2020년 12월 03일
9. 이사회결의일(결정일)		2020년 10월 27일
– 사외이사 참석여부	참석(명)	1
	불참(명)	–
– 감사(감사위원)참석 여부		참석

출처: 전자공시

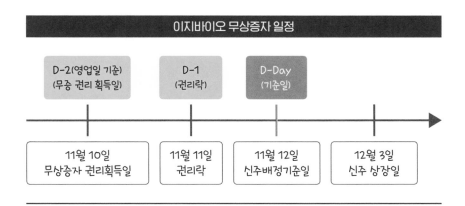

이지바이오 무상증자 일정

D-2(영업일 기준)
(무증 권리 획득일)

D-1
(권리락)

D-Day
(기준일)

11월 10일
무상증자 권리획득일

11월 11일
권리락

11월 12일
신주배정기준일

12월 3일
신주 상장일

신주배정기준일은 11월 12일입니다. 기준일 하루 전인 11월 11일은 권리락입니다. 200% 무상증자이기 때문에 현재가의 33% 수준으로 주가는 하락하게 됩니다. 무상증자를 받기 위해서는 기준일 이틀 전인 11월 10일에 주식을 보유하고 있어야 합니다. 그 전에 보유를 하고 있건, 그 이후에 보유를 하고 있건 상관없습니다. 11월 10일에 갖고 있는 분들만을 대상으로 해서 무상증자를 하게 됩니다. 그리고 신주는 12월 3일에 상장됩니다.

 염블리의 꿀팁

무상증자는 무상으로, 즉 공짜로 주식을 나눠주는 것을 의미합니다. 돈을 내지 않고 기업의 자체적인 현금을 이용해서 주식을 발행하고 나눠주기 때문에 재무구조가 우량한 기업들이 주로 할 수 있습니다. 무상증자를 하면 주식수가 적어서 거래에 제약이 있었던 기업들이 거래량이 증가하면서 시장의 관심을 받을 수 있기 때문에 주가에는 긍정적입니다.

질문
TOP
26

기업의 투자는
왜 주가에 긍정적인가요?

삼성전자, 엔씨소프트, CJ제일제당, KB금융. 이 기업들은 국내증시를 대표하는 업종 대표주들입니다. 삼성전자는 IT, 엔씨소프트는 게임, CJ제일제당은 음식료, KB금융은 금융을 대표하는 기업입니다.

삼성전자는 반도체, 스마트폰 등 제조업 분야에서 세계 최고 수준의 경쟁력을 보유한 기업이고, 엔씨소프트는 리니지라는 게임 IP(지적재산권)을 이용해 연간 8,000억 원에 달하는 이익을 내고 있습니다. CJ제일제당은 가공식품 분야에서는 국내 최강자이고, KB금융은 막대한 자본을 보유한 최대 금융회사입니다.

사람도 그렇지만 기업도 각각 성격이 다릅니다. 엔씨소프트, KB금융은 기존 사업을 기반으로 유지만 잘해도 꾸준히 돈을 벌 수 있는 안정적인 사업구조를 가지고 있습니다. 엔씨소프트 같은 게임회사는 게임을 개발할 때는 투자비용이 많이 들어가지만 일단 게임을 출시하고 난 후엔 관리만 잘하면 됩니다. 이미 출시한 게임을 잘 유지·관리해서 유저들이 계속 게임을 할 수 있게만 해주면 됩니다. 막대한 설비투자를 할 필요가 없는 것이죠. 그래서 이익률이 매우 높은 편입니다.

KB금융 같은 금융사들도 설비투자를 할 필요가 없습니다. 금리가 올라가면 이익이 증가하고 내려가면 이익이 감소하는 구조라서 금리에 민감하지 설비투자와는 무관한 사업구조를 가지고 있습니다.

두 업종은 정말 다른 분야입니다. 하지만 막대한 설비투자가 필요없다는 공통점을 가지고 있습니다.

삼성전자와 CJ제일제당은 엔씨소프트, KB금융과는 다릅니다. 특히 삼성전자는 막대한 설비투자가 필요합니다. 20년 전의 반도체, 10년 전의 반도체, 3개월 전의 반도체와 지금 이 시간의 반도체는 다릅니다. 그래서 삼성전자는 공격적인 설비투자를 통한 기술개발로 저전력, 초소형, 고용량 사이즈의 반도체를 계속 만들어내고 있습니다. 그렇게 하지 않으면 반도체 시장에서 살아남을 수 없기 때문입니다.

CJ제일제당은 삼성전자만큼은 아니지만 다양한 가공식품을 만들어서 시장에 내놓고 있습니다. 1인가구, 코로나19로 인한 외출자제 현상으로 가공식품 수요가 급증하면서 시장이 매우 커지고 있기 때문에 설비투자를 통해 다양한 상품들을 출시하고 있습니다. 경쟁도 정말 치열합니다. 마트에 가면 정말 다양한 회사의 가공식품들이 진열되어 있는 것을 여러분들도 보았을 것입니다. 이런 경쟁환경 때문에 새로운 가공식품 메뉴개발에도 꽤 큰 금액을 투자하고 있습니다.

반도체, 음식료 등 제조업체들에게 설비투자는 선택이 아닌 필수입니다. 그래야 더 성장하고 치열한 경쟁환경에서 살아남을 수 있기 때문입니다.

기업은 중요한 경영사항이 발생하면 공시를 해야 합니다. 시설투자도 마찬가지로 공시를 해야 합니다.

국내 대표 PCB*기업인 대덕전자는 2020년 7월 14일에 신규시설투자를 공시했습니다. 설비투자 내용은 신규 비메모리 반도체 시장 확대 수요에 대응하기 위한 생산설비 신설이었습니다. 투자금액은 900억 원이고, 회사자본 대비 13.83%에 달하는 큰 금액입니다.

> **PCB(인쇄회로기판)**
>
> 전자제품의 부품 간 회로를 연결할 때 전선을 사용하지 않고 보드에 회로를 그려 전기를 통할 수 있게 만든 것

대덕전자는 반도체, 스마트폰, 자동차 등에 사용되는 PCB(인쇄회로기판)를 만드는데, 이번에 투자하는 것은 기판 중에서도 난이도가 높은 FCBGA

대덕전자 시설투자 공시 내용 (2020년 7월 14일)

신 규 시 설 투 자 등

1. 투자구분			신규시설투자
- 투자대상			기계장치, 부대시설 등
2. 투자내역		투자금액(원)	90,000,000,000
		자기자본(원)	650,959,419,316
		자기자본대비(%)	13.83
		대규모법인여부	미해당
3. 투자목적			신규 비메모리 반도체 FCBGA 시장 확대 수요에 대응하기 위한 생산설비 신설
4. 투자기간		시작일	2020-07-14
		종료일	2021-06-30
5. 이사회결의일(결정일)			2020-07-14

출처: 전자공시

입니다. 이 기판은 CPU, TV, 그래픽카드, 5G, 자동차 등에 쓰이는 제품으로 국내에서는 삼성전기만이 유일하게 생산이 가능한 고난이도 제품입니다. 대덕전자는 삼성전기가 장악한 시장에 새롭게 뛰어드는 것입니다. 기존 사업에서도 안정적인 수익을 내고 있지만 시장이 커지고 있는 비메모리 반도체 시장에도 뛰어들어서 성장을 하겠다는 의지의 표현으로 해석할 수 있습니다.

당시 하나금융투자에서 발간된 보고서에서는 새로운 설비투자로 연간 1,600억 원 이상의 매출이 발생할 것으로 예상을 했습니다. 신규 시설투자 발표 이후 주가는 다음날 30% 상승하며 상한가를 기록했습니다. 시장에서도 이 투자를 환영한 것이죠.

제조업체에게 시설투자는 새로운 성장의 시작입니다. 비록 당장의 비용

출처: 이베스트투자증권 HTS

은 늘어나겠지만 투자하지 않는 제조업체에 밝은 미래는 없다고 생각합니다. 새로운 제품을 만들어내야 하고 경쟁이 치열한 제조업 비즈니스를 가지고 있는 기업에 투자하고 있다면 시설투자 공시를 반드시 확인하시기 바랍니다. 시설투자는 기업의 미래만이 아니라 주가도 결정지을 수 있기 때문입니다.

 염블리의 꿀팁

제조업체는 기술개발을 통해 경쟁사들과 차별화된 제품을 내놓아야만 살아남을 수 있는 산업입니다. 투자를 하지 않는 제조업체는 도태될 수밖에 없습니다. 새로운 제품, 새로운 기술, 새로운 시장에 진출하기 위해 신규 시설투자를 공시한 기업에 투자자들은 관심을 가져야 합니다.

매매사실을 꼭 알려야 하는
투자자들이 따로 있나요?

여러분이 카카오의 주주라고 가정을 한번 해보세요. 어떤 분은 카카오 주식을 1주만 보유하고 있을 것이고 어떤 분은 1만 주, 어떤 분은 10만 주를 보유하고 있을 것입니다.

카카오 주식을 사고팔았을 경우 여러분은 그 사실을 알릴 필요는 없습니다. 그냥 여러분 스스로만 알면 되는 거죠.

하지만 어떤 주주들은 이 매매사실을 반드시 공시를 통해 알려야 합니다. 5% 이상 지분을 보유한 주주들은 반드시 그 매매 사실을 알려야 한다는 규정이 있습니다.

다음은 카카오 지분을 5% 이상 보유한 주주내역입니다. 5% 이상 지분을 보유한 주주들은 1% 이상 추가로 지분을 취득하게 될 경우 반드시 공시

를 통해 이 사실을 알려야 합니다. 지분을 취득

했을 때뿐만 아니라 지분을 매각했을 경우에도

매도사실을 반드시 알려야 합니다. 매수, 매도

를 한 날로부터 5영업일* 이내에 반드시 공시

영업일

실제 주식거래가 이루어진 날로, 토·일·공휴일은 제외

를 해야 합니다. 단, 5% 이상 지분을 보유한 국민연금 등 국가기관은 사유
가 발생한 분기의 다음달 10일 안에 공시를 하면 됩니다.

　국민연금은 카카오의 지분을 9.17% 보유하고 있는 주요 주주입니다.
만일 국민연금이 6월 3일에 1% 이상의 지분을 추가로 취득했다면 분기의
다음달인 7월 10까지 공시를 하면 됩니다.

카카오 주요 주주 현황 공시

(기준일 : 2019년 12월 31일)　　　　　　　　　　　　　　　　　　　(단위 : 주)

구분	주주명	소유주식수	지분율	비고
5% 이상 주주	김범수	12,514,461	14.51%	의결권 있는 주식수 대비 지분율: 15.26% (이하 동일)
	㈜케이큐브홀딩스	9,939,467	11.53%	12.12%
	국민연금공단	7,907,180	9.17%	9.64%
	MAXIMO PTE. LTD.	5,599,849	6.49%	6.83%
우리사주조합		–	–	–

주1) 최근 주주명부폐쇄일인 2019년 12월 31일 주주명부 기준으로 작성되었습니다.
주2) 상기 지분율은 발행주식수 대비 지분율이며, 비고의 지분율은 의결권 없는 자기주식수를 제외한 의결권있는 주식수 대비 지분율입니다.

출처: 전자공시

회사의 임원도 매매내역을 알려야 하는 의무가 있습니다. 회사의 임원들은 회사의 주가에 영향을 줄 수 있는 중요한 정보들을 알 가능성이 높기 때문에 회사 주식을 매매했을 경우에는 반드시 그 사실을 알려야 합니다. 단 1주라도 사고팔았을 경우 5영업일 이내에 공시를 해야 합니다. 지분을 10% 이상 보유하고 있거나 경영에 영향을 끼치는 최대주주의 특수관계인

삼성전자 임원의 매매내역 공시

2. 보고자에 관한 사항

보고구분	변동		보고자 구분		개인(국내)	
성명(명칭)	한 글		▨▨	한자(영문)	▨▨▨▨	
	생년월일 또는 사업자등록번호 등				▨▨▨▨	
주소(본점소재지) [읍·면·동까지만 기재]	서울시 성북구 길음동					
발행회사와의 관계	임원(등기여부)	등기임원		직위명	사외이사	
	선임일	2019년 03월 20일		퇴임일	–	
	주요주주			–		
업무상 연락처 및 담당자	소속회사		삼성전자	부 서	인사팀	
	직 위		CL3	전화번호	031-27******	
	성 명		▨▨	팩스번호	031-27******	
	이메일 주소		**********9.hong@samsung.com			

다. 세부변동내역

보고사유	변동일*	특정증권등의 종류	소유 주 식 수 (주)			취득/처분 단가(원)**	비 고
			변동전	증감	변동후		
장내매수 (+)	2020년 12월 04일	보통주	2,500	100	2,600	69,400	–
합 계			2,500	100	2,600	69,400	–

출처: 전자공시

(최대주주의 가족 등)도 주식을 단 1주라도 사고팔았을 경우 5영업일 이내에 공시를 해야 합니다.

지분을 많이 보유하고 있거나 회사의 중요한 사실을 알 수 있는 위치에 있는 사람들에게 이런 의무를 적용하는 것은 공정성을 위해서입니다. 특별한 지위를 이용해 부당이득을 얻을 수도 있기 때문입니다. 소액투자자들은 기업의 정보를 취득하기가 어렵습니다. 정보가 중요한 세상에서 불리할 수밖에 없는거죠. 주식시장의 투명성과 공평성을 위해 꼭 필요한 제도입니다.

염불리의 꿀팁

지분을 처음 5% 이상 보유하게 된 주주는 반드시 5영업일 이내에 그 사실을 알려야 합니다. 5% 이상 지분을 보유한 주주가 1% 이상 지분을 추가 매수하거나 지분을 매각했을 경우에도 5영업일 이내에 그 사실을 알려야 합니다. 주요 주주나 임원들은 단 1주라도 매매를 했을 경우에는 매매내역을 반드시 공시를 통해 공개해야 합니다.

기업이 자기주식을 매수하면
주가에 좋은 건가요?

주식시장에 상장된 기업은 기업이 보유한 현금을 이용해 자기 회사의 주식을 매수할 수 있습니다. 기업의 자기주식을 일명 자사주라고 하는데요, 기업이 발행한 주식을 직접 취득해 보유하고 있는 것을 자사주라고 생각하면 됩니다.

자사주를 취득하는 목적은 다양합니다. 주가를 안정시키고, 주주가치를 제고하기도 하고, 임직원에 대한 성과급을 주식으로 지급하기 위한 목적도 있습니다. 그리고 다른 기업과 합병할 때 합병의 대가로 자사주를 지급하기도 합니다.

이 중 주가안정과 주주가치 제고를 위한 자사주 취득이 가장 많습니다. 실제로 주가가 급락할 경우 자사주 취득은 주가를 안정화시키는 데 큰 역할을 하기도 합니다. 매도보다 매수가 많으면 주가는 당연히 상승하게 됩니다. 자사주 취득은 매수를 증가시키는 요인으로 주가에 긍정적으로 작용하게 됩니다.

자사주 취득에는 2가지 방법이 있습니다. 기업이 직접 주식을 매수하는 자기주식취득과, 특정 증권사와 계약을 맺고 그 증권사가 기업을 대신해서 주식을 매수하는 신탁계약이 있습니다. 자기주식취득은 공시 후 3개월 이내에 반드시 매수를 해야 합니다. 반면 신탁계약은 6개월~1년 내 계약에 따라 증권사가 자유롭게 매수를 하면 됩니다. 자기주식취득과 신탁계약의 차이점은 아래 표를 참고하시기 바랍니다.

자기주식취득 vs. 신탁계약

구분	자기주식취득	신탁계약
방법	기업이 직접 주식을 매수	계약을 맺은 증권사가 기업을 대신해서 주식을 매수
취득 기간	3개월 이내 반드시 매수	6개월~1년 내 계약에 따라 매수
처분 규정	• 취득 후 6개월간 처분 금지 • 처분 후 3개월간 취득 금지	• 취득 후 1개월간 처분 금지 • 처분 후 1개월간 취득 금지
기타	공시한 수량만큼 반드시 취득	계약기간 종료 후 계약 연장 혹은 해지 가능

자기주식취득이 신탁계약에 비해서는 강제성이 매우 높습니다. 3개월 이내에 반드시 매수를 해야 하고, 취득 후 6개월간은 매도가 금지되어 있습니다. 공시한 수량만큼 반드시 다 매수를 해야 합니다. 따라서 주가에는 자기주식취득이 신탁계약보다는 긍정적으로 작용합니다.

다음은 SK가 자기주식취득 결정을 공시한 내용입니다. 5%에 달하는 대규모 자사주 취득 공시를 했는데 공시 당일 주가는 10%나 급등했습니다. 지속적인 하락세를 보이던 SK 주가는 자사주 취득 소식이 계기가 되어 본격적인 상승세를 그리게 됩니다.

SK의 자기주식취득 결정 공시

1. 취득예정주식(주)		보통주식		3,520,000		
		기타주식		–		
2. 취득예정금액(원)		보통주식		718,080,000,000		
		기타주식		–		
3. 취득예상기간		시작일		2019년 10월 02일		
		종료일		2020년 01월 01일		
4. 보유예상기간		시작일		–		
		종료일		–		
5. 취득목적				주가안정을 통한 주주가치 제고		
6. 취득방법				장내 매수		
7. 위탁투자중개업자				SK증권 (SK Securities Co., Ltd.)		
8. 취득 전 자기주식 보유현황	배당가능이익 범위 내 취득(주)	보통주식	3,514,276	비율(%)	5.0	
		기타주식	–	비율(%)	–	
	기타취득(주)	보통주식	11,021,674	비율(%)	15.7	
		기타주식	1,818	비율(%)	0.3	
9. 취득결정일				2019년 10월 01일		
– 사외이사참석여부		참석(명)		4		
		불참(명)		1		
– 감사(사외이사가 아닌 감사위원)참석여부				–		
10. 1일 매수 주문수량 한도		보통주식		352,000		
		기타주식		–		

출처: 전자공시

다음은 동양이엔피의 자기주식취득 신탁계약 체결 공시입니다. 주가안정을 목적으로 6개월간 10억 원 규모의 주식을 삼성증권이 자유롭게 매수한다는 내용입니다. 주가안정을 위한 목적으로 주가에 긍정적이지만 강제성이 약해서 자기주식취득보다는 주가영향이 제한적입니다.

동양이엔피의 자기주식취득 신탁계약 체결 결정 공시					
1. 계약금액(원)					1,000,000,000
2. 계약기간		시작일	2019년 10월 22일		
		종료일	2020년 04월 22일		
3. 계약목적			주가 안정		
4. 계약체결기관			삼성증권(주)		
5. 계약체결 예정일자			2019년 10월 22일		
6. 계약 전 자기주식 보유현황	배당가능범위 내 취득(주)	보통주식	300,056	비율(%)	3.82
		기타주식	–	비율(%)	–
	기타취득(주)	보통주식	–	비율(%)	–
		기타주식	–	비율(%)	–
7. 이사회결의일(결정일)			2019년 10월 22일		
– 사외이사참석여부		참석(명)			2
		불참(명)			–
– 감사(사외이사가 아닌 감사위원)참석여부			참석		
8. 위탁투자중개업자			삼성증권(주) (SAMSUNG SECURITIES CO.,LTD)		

출처: 전자공시

자사주는 장점과 단점이 있습니다. 장점은 유통주식수*에서 제외된다는 점입니다. 기업의 주당 가치를 계산할 때 전체 주식수를 기준으로 계산을 하는데요, 주식수가 많으면 당연히

유통주식수

상장 기업의 총발행 주식 중 최대주주 지분 등을 제외한, 실제 시장에서 유통이 가능한 주식

공급이 많아지기 때문에 주당 가치는 하락합니다. 자사주는 유통 주식수에서 제외됩니다. 유통주식수 기준으로 주당 가치를 계산할 때 자사주가 많은 기업은 주당 가치가 상승하게 되는 효과가 발생합니다.

단점은 의결권으로 인정받지 못한다는 점입니다. 중요한 사항을 결정하는 주주총회에서 자사주는 의결권을 행사할 수 없습니다.

한화솔루션의 자기주식취득 후 소각 결정		
1. 소각할 주식의 종류와 수	보통주식 （주）	1,614,793
	종류주식 （주）	-
2. 발행주식 총수	보통주식 （주）	161,479,290
	종류주식 （주）	1,123,737
3. 1주당 가액（원）		5,000
4. 소각예정금액（원）		30,438,848,050
5. 소각을 위한 자기주식 취득 예정기간	시작일	2020-02-21
	종료일	2020-05-20
6. 소각할 주식의 취득방법		장내매수
7. 소각 예정일		-
8. 자기주식 취득 위탁 투자중개업자		NH투자증권
9. 이사회결의일（결정일）		2020-02-20
- 사외이사 참석여부	참석（명）	5
	불참（명）	0
- 감사（사외이사가 아닌 감사위원） 참석여부		-
10. 공정거래위원회 신고대상 여부		해당
		- 자기주식 소각의 법적 근거 　: 상법 제343조 제1항 단서
		- 배당가능이익 범위 내에서 취득한 자기주식을 이사회 결의에 의하여 소각하는 것으로 주식수만 줄고 자본금의 감소는 없음

출처: 전자공시

자사주를 없애는 방법도 있습니다. 자사주 소각이라고 하는데요, 말 그대로 자사주를 불에 태워서 없애는 것입니다. 실제 불에 태우는 것은 아니고 기업이 가진 현금을 이용해서 자기주식을 없애는 것입

주주환원정책

배당 확대, 자사주 매입 등 주주 가치를 제고할 수 있는 정책을 합쳐 부르는 말

니다. 소각하는 자사주만큼 주식수가 줄어들기 때문에 주당 가치가 증가하고 주주가치가 크게 증가하게 됩니다. 기업이 번 돈을 주주들에게 돌려준다는 의미의 주주환원정책*에서 주가에 가장 긍정적인 영향을 주는 것이 바로 자사주 소각입니다.

 엄블리의 꿀팁

자사주는 회사가 발행한 주식을 직접 매수해 보유하고 있는 것을 의미합니다. 기업이 직접 주식을 취득할 수도 있고, 증권사와 계약을 맺고 그 증권사가 대신 매수를 해주는 경우도 있습니다. 자사주는 기업이 보유한 현금을 이용해 소각할 수도 있습니다. 자사주 소각은 기업의 주식수를 감소시키기 때문에 주가에 긍정적으로 작용합니다.

4장

주식투자자가 가장 많이 질문하는 것이 몇 가지 있는데요, 분할, 배당, 외국인, 기관, 공매도가 그것입니다. 워낙 많이 들어봤기 때문에 대부분의 투자자들은 잘 알고 있다고 생각을 할 텐데요, 정확히 이해하고 있는 투자자는 그리 많지 않습니다. 기업분할에서 인적분할과 물적분할의 차이, 액면분할을 하는 이유, 외국인과 기관의 차이, 공매도는 어떻게 하고 대차거래와는 어떻게 다른지 등을 정확히 이해하는 분은 많지 않습니다. 내용을 이해하면 쉬운데 공부하기 전에는 혼동할 수밖에 없는 개념들이기 때문입니다. 이번 4장에서는 알 듯 하면서도 정확히 이해하지 못했던 주식투자의 정석에 대해 다뤄봤습니다. 이번 4장을 통해 주식투자의 내공을 한 단계 더 업그레이드하시기 바랍니다.

주린이가
가장 많이 질문하는
주식투자의 정석 10가지

질문
TOP
29

액면분할한 기업에
투자해도 괜찮을까요?

2018년 1월 31일 삼성전자가 장중에 8%나 급등세를 보였는데요, 삼성전자가 액면분할을 결정했다는 뉴스 때문입니다. 50대 1 액면분할을 결정했다는 소식에 투자자들은 환호했고, 주가도 강세를 보였습니다. 물론 그 후 주가는 시장약세와 더불어 다시 하락세를 보였지만 액면분할 뉴스는 당시에 호재로 작용했습니다. 왜 그랬을까요?

액면분할은 주식의 액면가*액을 일정한 분할비율로 나눔으로써 주식수를 증가시키는 방법입니다. 액면가는 100원, 500원, 1,000원, 5,000원 등으로 다양한데 이 액면가를 분할비율만큼 낮추는 것을 의미합니다. 즉 액면가

> **액면가**
>
> 주권표면에 적힌 금액. 주식을 처음 발행할 때 정하는 기본 가격. 5,000원이 일반적이긴 하지만 최근 들어 100원, 500원, 1,000원까지 액면가가 분할되는 경우가 많이 있음

5,000원짜리 삼성전자가 50대 1 액면분할을 결정했다면 액면가는 5,000원의 50분의 1인 100원으로 변경됩니다. 액면가가 100원이 되면 액면가가 감소한 만큼 주식수는 증가하게 됩니다. 주식수는 반대로 50배가 늘어나게 됩니다. 한마디로 주가는 50분의 1 수준으로 떨어지지만 주식수는 50배가 늘어나게 됩니다.

기업의 시가총액은 주식수에 주가를 곱한 것인데, 액면분할은 기업의 시가총액에 어떤 영향도 주지 않습니다. 기업의 가치에는 사실 영향이 없는 것이죠. 하지만 착시효과를 주게 됩니다. 1주에 250만 원 하던 삼성전자가 액면분할을 하게 되면 5만 원이 되기 때문에 주가가 매우 싸보이는 효과가 발생합니다.

삼성전자 액면분할 공시

	구분		분할 전	분할 후
1. 주식분할 내용	1주당 가액(원)		5,000	100
	발행주식총수	보통주식(주)	128,386,494	6,419,324,700
		종류주식(주)	18,072,580	903,629,000
2. 주식분할 일정	주주총회예정일		2018-03-23	
	구주권제출기간	시작일	2018-03-26	
		종료일	2018-04-26	
	매매거래정지기간		2018-04-25 ~ 신주변경상장일 전일	
	명의개서정지기간	시작일	2018-04-27	
		종료일	2018-05-14	
	신주권상장예정일		2018-05-16	
3. 주식분할목적			유통주식수 확대	
4. 이사회결의일(결정일)			2018-01-31	
- 사외이사 참석여부	참석(명)		5	
	불참(명)		0	

출처: 전자공시

2018년 5월 4일 액면분할로 인해 삼성전자 주가가 53,000원에 거래되자 "어린이날 선물로 삼성전자 1주를 아이들에게 사주자"라는 얘기가 있었을 정도로 비싸서 접근이 어려웠던 삼성전자를 이제는 쉽게 매매할 수 있게 되었습니다.

액면분할의 효과는 명확합니다. 비싸서 거래가 어려웠던 기업의 가격을 낮춰서 거래를 용이하게 해주고, 거래량이 너무 적어서 매매가 어려웠던 기업은 주식수를 증가시켜 거래를 활성화시켜줍니다. 기업가치 변화는 없지만 주식거래 활성화 측면에서 매우 유용한 방법입니다.

액면병합은 액면분할과 정반대입니다. 액면가를 증가시켜 주식수를 감소시키고, 주가는 비율만큼 상승시키는 방법입니다. 이 역시 기업가치 변화는 전혀 없습니다. 예를 들어 액면가 500원짜리 회사를 액면가 5,000원으로 액면병합시키면 주가는 10배 상승하지만 발행주식수는 10분의 1 수준으로 감소하게 됩니다. 저가주인 경우 액면병합을 하면 고가주가 될 수 있어, 저가주는 부실주라는 인식에서 벗어날 수 있는 효과를 기대할 수 있습니다.

 염블리의 꿀팁

액면분할은 액면가를 떨어뜨리고 주식수를 증가시키는 방법입니다. 거래가 없는 기업은 거래를 증가시키고, 가격이 너무 비싼 기업은 액면주가를 떨어뜨려 거래를 용이하게 해주는 효과가 있습니다. 액면병합은 반대로 액면가를 상승시키고, 주식수를 감소시키는 방법입니다. 두 방법 다 기업가치에는 영향을 주지 않습니다.

질문 TOP 30

기업의 분할이 주가에는
어떤 영향을 주나요?

저자 직강 동영상 강의로 이해 쑥쑥!
QR코드를 스캔하셔서 동영상 강의를 보시고
이 칼럼을 읽으시면 훨씬 이해가 잘 됩니다!

2020년 9월 16일 LG화학이 장중에 물적분할을 한다는 공시를 냈습니다. 이에 주가는 -5% 급락했고, 다음날도 -6% 추가 급락세를 보였습니다. 분할이 무엇이길래 주가가 이렇게 변동을 보였을까요? 분할은 회사 내의 여러 사업부를 떼어내서 새로운 회사로 만드는 것을 의미합니다.

삼성전자를 예로 들어보겠습니다. 삼성전자는 반도체, 스마트폰, 가전, 디스플레이 등 다양한 사업을 하고 있는데요, 만일 반도체만 따로 떼어내 상장을 시킨다고 한다면 어떻게 될까요? 반도체는 따로 떨어져 삼성반도체라는 새로운 이름을 가진 회사가 되겠죠.

즉 삼성전자가 분할을 해서 반도체를 떼어내면 삼성전자는 스마트폰, 가전, 디스플레이 사업만 남게 되고, 반도체는 새로운 회사로 탄생을 할 것입니다. 분할은 기업의 사업을 독립된 회사로 만드는 작업입니다.

분할에는 2가지 방식이 있습니다. 인적분할과 물적분할이 있는데요, 기업들이 주로 사용하는 방식은 인적분할입니다.

인적분할은 주주의 지분이 나눠지는 분할입니다. 분할 후에는 별개의 기업으로 시장에 상장되고 거래가 됩니다. 삼성전자를 삼성전자와 삼성반도체로 인적분할을 한다고 가정을 해보겠습니다. 여러분이 만일 삼성전자 주식을 100주 가지고 있는데 50대 50 인적분할을 한다면 삼성전자 50주, 삼성반도체 50주를 보유하게 될 것입니다. 별개의 기업으로 분리되고 주주들은 그 비율만큼 각각의 기업을 소유하게 됩니다.

인적분할을 하는 이유는 크게 2가지입니다. 첫째, 경영효율화를 위해서입니다. 크게 연관이 없는 2개 이상의 사업부가 한 회사에 있는 것보다는 독립된 기업으로 있는 것이 사업을 하는 데 유리한 경우가 많습니다. 각각의 회사로 나누어서 상장을 하게 되면 기업의 가치를 평가하기도 쉬워지고, 투자자들도 원하는 사업만 선택해서 투자할 수 있습니다. 둘째, 지주사* 전환을 위해서입니다. 인적분할을 통해 지주사를 설립하고 사업회사를 따로 분리하면 복잡한 지분 관계를 해소할 수 있고, 다수의 사업회사를 하나의 지주회사가 지배할 수 있어 효율적입니다. 대주주 입장에서도 지주회사 지분만 안정적으로 확보하면 그룹 전체를 지배할 수 있는 효과가 있습니다.

물적분할은 회사의 재산을 분할하는 것입니다. 삼성전자를 100주 보유하고 있는데, 삼성전자가 삼성반도체를 물적분할하게 되어도 여러분은 삼성전자 100주를 그대로 보유하게 됩니다. 보유한 지분에 어떠한 변화도 생기지

> **지주사**
> 다른 회사(자회사) 주식을 보유하면서 그 회사를 관리 감독하는 회사를 의미

않습니다. 삼성전자가 삼성반도체를 물적분할을 하게 되면 삼성반도체는 새로운 회사로 탄생하지만, 삼성반도체 지분을 다른 사람들이 보유하는 것이 아니라 삼성전자가 100% 보유하는 구조가 됩니다. 따라서 기업가치에는 큰 영향이 없습니다.

LG화학이 2020년에 했던 방식이 바로 이 물적분할입니다. LG화학은 석유화학, 바이오, 2차전지 사업 등을 하고 있는데 핵심은 2차전지입니다. 가장 핵심적인 사업인 2차전지 사업부를 떼어내어 LG에너지솔루션을 설립했고, LG에너지솔루션 지분 100%는 LG화학이 보유하게 되는 구조입니다.

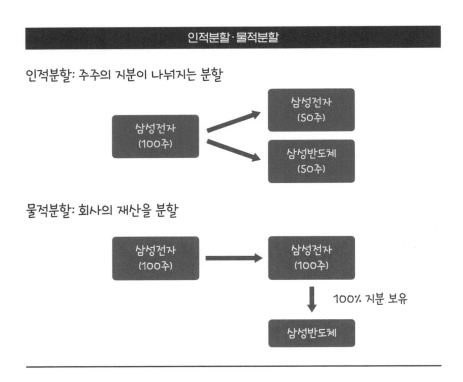

인적분할·물적분할

인적분할: 주주의 지분이 나뉘지는 분할

물적분할: 회사의 재산을 분할

여기서 한 가지 주목할 것이 있습니다. 분할을 통해 투자자들은 기업의 숨겨진 가치를 찾아낼 수 있습니다.

두산이라는 기업은 지주사이지만 다양한 사업을 영위하는 기업이기도 합니다. OLED재료, 전기차용 전지박, 수소연료전지 등 고성장하는 사업부를 다수 보유하고 있었는데, 두산이라는 큰 기업 안에 속해 있다 보니 그 가치를 제대로 인정받지 못하고 있었습니다.

투자자들의 지속적인 요구로 인해 두산은 2019년에 인적분할을 결정하게 됩니다. 두산, 솔루스첨단소재, 두산퓨얼셀, 이렇게 3개의 기업으로 인적분할을 단행했습니다. 3개의 기업이 각각 상장했고, 저평가되어 있었던 솔루스첨단소재와 두산퓨얼셀 주가는 상장 이후 큰 상승세를 보이며 제 가치를 인정받게 되었습니다. 이처럼 기업분할은 잘만 활용되면 기업 가치를 제고하고 시장의 관심을 끌 수 있는 좋은 수단이 될 수 있습니다.

인적분할과 물적분할 중 어느 것이 더 낫다고 판단할 수는 없습니다. 기업의 상황에 맞게 적절한 방법으로 분할을 하는 것이 더 중요합니다. 기업분할을 통해 숨겨진 가치가 드러나고 기업 가치가 재평가되면 주가에도 매우 긍정적일 수 있으니 분할 이벤트가 발생하면 주목하시기 바랍니다.

 염블리의 꿀팁

> 기업분할에는 인적분할과 물적분할이 있습니다. 인적분할은 각각의 기업을 완전히 나누어서 따로 상장하는 것을 의미합니다. 물적분할은 별개의 회사이지만 기존회사가 지분을 100% 보유하는 방식이라서 단기적인 기업가치에는 영향을 주지 않습니다.

배당을 받으려면
어떻게 해야 하나요?

배당이란 주식을 가지고 있는 주주들에게 보유한 지분에 따라서 기업이 벌어들인 돈의 일부를 지급하는 것입니다. 주식회사는 주주가 주인입니다. 주주는 주식투자를 통해 기업에 자금을 대고 기업은 그 자금을 가지고 투자도 하고 영업도 해서 돈을 벌고 벌어들인 돈을 다시 주주들에게 돌려주는 것이 원칙입니다.

예를 들어보겠습니다. 친구가 치킨가게를 하는데 자금이 부족해서 돈을 달라고 한다면 여러분은 어떻게 하실 건가요? 그 돈을 빌려줄 수도 있고, 투자금으로 줄 수도 있겠죠.

돈을 빌려주면 매달 이자를 줄 겁니다. 그리고 만기에 원금을 받으면 되겠죠. 기업으로 바꿔서 생각하면 이 경우는 채권에 해당합니다. 회사의 채권을 사고 매달 이자를 받고 만기에 원금을 받고 채권은 소멸하는 거죠.

하지만 빌려주는 것이 아니라 투자금으로 주는 것이면 매월 이자를 받을 수는 없습니다. 치킨가게를 하는 친구와 운명공동체가 되는 겁니다. 친구가 장사를 잘해서 돈을 많이 벌면 그 이익금을 투자한 비율만큼 계산해서 나눠줄 것입니다. 3억 원의 자금으로 시작을 했는데 1억 원을 투자했다면 이익의 33%를 배당으로 받을 수 있는 거죠. 이런 것이 바로 주식투자입니다. 투자를 하고 그 금액만큼의 지분을 받고 이익이 발생하면 배당도 받는 것이죠.

물론 장사를 잘 못해서 적자가 났다면 배당을 받을 수 없습니다. 적자를 내도 돈을 빌려준 경우(채권)면 이자를 받을 수 있습니다. 이자는 적자, 흑자와 관계없이 무조건 지급해야 하는 비용입니다. 지분투자(주식)를 한 경우라면 배당을 받을 수 없습니다. 배당은 기업이 이익을 내고 남은 돈의 일부를 활용해서 지급하는 것이기 때문에 이익이 나지 않는다면 배당 가능성은 없다고 생각하면 됩니다.

이제 배당에 대해서 이해를 했다면, 실제 기업이 얼마만큼의 배당을 주는 지를 알아야 합니다. 기업마다 1년에 버는 돈도 다르고 배당성향도 다르기 때문에 각 기업마다 일일이 확인을 해야 합니다. 배당금을 계산하기 위해서는 배당성향의 의미부터 알아야 합니다.

배당성향이란 기업의 연간 순이익에서 배당으로 주는 비율을 나타냅니다. 배당성향이 30%이면 100억 원의 이익을 내는 기업이 30억 원을 배당으로 지급하고 있다는 것을 의미합니다. 이 30억 원을 회사가 발행한 주식수로 나누면 주당 배당금이 나옵니다. 주식수가 300만 주이면 주당 1,000원을 배당으로 지급하게 됩니다.

배당수익률이 어떻게 계산되는지도 알아두면 좋습니다. 삼성전자의 주가가 6만 원이고 연간 배당금을 만일 1,500원 준다고 가정을 해보겠습니다. 1,500원을 6만 원으로 나누면 0.025가 나오고 100분율을 하면 2.5%가 계산됩니다. 즉 연간 배당금을 현재주가로 나누면 그 기업의 현재가 기준 배당수익률이 계산됩니다.

만일 삼성전자를 5만 원에 매수해서 보유하고 있다면 배당수익률은 어떻게 될까요? 1,500원을 5만 원으로 나누면 3%가 계산됩니다. 삼성전자를 5만 원에 보유한 투자자는 3%의 배당을 받을 수 있는 거죠.

이베스트투자증권 배당 공시 [2019년도 사업보고서]

구 분		주식의 종류	당기 제21기	전기 제20기	전전기 제19기
주당액면가액(원)			5,000	5,000	5,000
(연결)당기순이익(백만원)			51,536	34,048	–
(별도)당기순이익(백만원)			51,980	34,552	38,844
(연결)주당순이익(원)			1,132	960	1,086
현금배당금총액(백만원)			17,390	17,172	17,255
주식배당금총액(백만원)			–	–	–
(연결)현금배당성향(%)			33,74	50,43	44,42
현금배당수익률(%)		보통주	5,49	5,47	4,49
		우선주	–	–	–
주식배당수익률(%)		보통주	–	–	–
		우선주	–	–	–
주당 현금배당금(원)		보통주	345	485	485
		우선주	–	–	–
주당 주식배당(주)		보통주	–	–	–
		우선주	–	–	–

출처: 전자공시

각 기업의 분기보고서나 사업보고서에 들어가면 배당성향과 주당 배당금, 배당수익률을 확인할 수 있습니다. 왼쪽 표에서 보면 이베스트투자증권의 배당성향은 33.74%입니다. 100억 원의 이익을 내면 33억 원 정도를 배당으로 준다는 의미입니다. 주당 배당금은 345원이고, 배당수익률은 5.49%입니다. 은행 예금에 돈을 넣어도 이자가 1%도 안 되는 상황에서 연간 배당수익률 5.49%는 꽤 매력적일 수 있습니다.

 엄블리의 꿀팁

배당은 주식을 가지고 있는 주주들에게 보유한 지분에 따라서 기업이 벌어들인 돈의 일부를 지급하는 것입니다. 기업들의 분기보고서와 사업보고서에는 배당성향, 주당배당금, 배당수익률 등이 표시되어 있습니다.

선물옵션만기일이 되면
왜 촉각을 곤두세우나요?

선물(Futures)

상품이나 금융자산을 미리 결정된 가격으로 미래 일정 시점에 인도, 인수할 것을 약속하는 거래

옵션(Options)

미리 정해진 조건에 따라 일정한 기간 내에 상품이나 유가증권 등의 특정자산을 사거나 팔 수 있는 권리

주식은 기업의 지분을 사는 것입니다. 기업의 지분을 사서 10년 이상 장기보유를 할 수도 있고, 매수한 당일에 매도해서 지분을 정리할 수도 있습니다. 보유기간에 제한이 없는 것이죠.

반면에 선물*과 옵션*이라는 상품은 보유할 수 있는 최대 기간이 정해져 있습니다. 선물옵션만기일이란 선물과 옵션을 더 이상 보유할 수 없는 만기일을 의미합니다.

한국증시에서 선물은 3개월마다 한 번씩 만기가 돌아옵니다. 옵션은 1개월마다 한 번씩 만기가 돌아옵니다. 선물은 3, 6, 9, 12월물이 있고, 옵션은 1~12월물이 있습니다. 선물 만기일은 3, 6, 9, 12월 두 번째 목요일입니다. 옵션은 매월 두 번째 목요일이 만기일입니다.

선물옵션 동시만기일이란 선물과 옵션이 둘다 동시에 만기를 맞는 3, 6, 9, 12월 두 번째 목요일을 의미합니다. 선물과 옵션이 동시에 만기를 맞기 때문에 주식시장의 변동성이 매우 커질 수밖에 없습니다.

만기일은 선물, 옵션을 매수했던 투자자들이 선물, 옵션을 보유할 수 있는 마지막 거래일입니다. 따라서 포지션을 청산하려는 투자자들과 변동성을 노린 일부 투기적인 투자자들의 거래가 형성되면서 변동성이 매우 크게 나타나는 경우가 많습니다. 한국만 그런 것이 아닙니다. 미국에도 선물옵션 시장이 있기 때문에 미국증시도 만기일이 있는 매월 세 번째 금요일은 변동

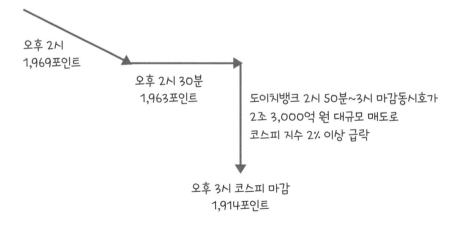

2010년 11월 11일 옵션만기일 도이치증권 대량매도로 인한 코스피 급락 사건

오후 2시
1,969포인트

오후 2시 30분
1,963포인트

도이치뱅크 2시 50분~3시 마감동시호가
2조 3,000억 원 대규모 매도로
코스피 지수 2% 이상 급락

오후 3시 코스피 마감
1,914포인트

성이 커지는 경향이 있습니다.

선물옵션만기일 변동성의 위험성을 알려준 대표적인 사건은 2010년 11월 11일 옵션만기일에 발생한 도이치증권 쇼크입니다. 코스피 대형주를 미리 매수했던 작전세력들이 도이치증권 창구를 이용해 2시 50분~3시 마감동시호가 10분 동안 무려 2.3조 원에 달하는 대규모 매도를 하면서 코스피 지수가 1,960포인트에서 1,914포인트까지 급락했던 사건입니다.

이들은 가격 하락에 베팅하는 풋옵션 매수를 미리했고, 지수를 급락시켜서 400억 원이 넘는 부당이익을 냈습니다. 당시 풋옵션 매도를 했던 국내 한 자산운용사는 900억 원이 넘는 손실로 파산위기에 봉착하기도 했습니다. 이 사건 이후로 금융감독원의 감시가 강화되면서 옵션만기일 변동성은 과거보다는 축소되었지만 여전히 다른 날보다는 변동성이 큰 편입니다.

선물옵션만기일은 수급적인 이벤트가 발생한 날이어서 장기적으로 주식시장에 미치는 영향은 제한적입니다. 하지만 외국인, 기관의 단기적인 매매가 발생하다 보니 단기 변동성 확대는 불가피한 측면이 있습니다. 3개월에 한 번씩 돌아오는 선물옵션만기일, 한 달에 한 번씩 돌아오는 옵션만기일은 변동성 확대의 원인으로 작용하기 때문에 꼭 알아두시기 바랍니다.

 엽블리의 꿀팁

주식은 보유기간에 제한이 없습니다. 하지만 선물과 옵션은 보유기간에 제한이 있습니다. 선물은 3개월에 한 번씩, 옵션은 한 달에 한 번씩 만기일이 있습니다. 옵션은 매월 두 번째 목요일, 선물은 3, 6, 9, 12월 두 번째 목요일이 만기일입니다. 만기일에는 시장 변동성이 평소보다 커지는 경향이 있습니다.

외국인투자자는 누구이고
어떻게 투자하나요?

주식시장에는 다양한 참가자들이 존재합니다. 이 책을 읽고 있는 여러분 같은 개인투자자도 있고, 큰 자금을 운용하는 기관투자자도 있습니다. 해외에서 투자를 하는 외국인투자자들도 당연히 있습니다.

한국 주식시장은 100% 개방되어 있기 때문에 누구든 자유롭게 투자를 할 수 있습니다. 사실 외국인, 기관, 개인투자자 모두 수익을 내기 위해 투자하기 때문에 목적은 같다고 보시면 됩니다. 다만 투자방식, 시장에 미치는 영향, 자금운용 방법은 제각기 조금 상이합니다.

외국인투자자라고 하면 흔히 많은 사람들이 미국의 기관투자자를 떠올립니다. 미국의 월스트리트에서 근무하면서 대규모 자금을 운용하는 펀드매니저라고 생각을 많이 합니다. 물론 외국인투자자에서 많은 비중을 차지하는 것이 미국, 영국 등 서구 선진국인 건 사실이지만 중국, 일본, 중동, 아프리카, 남미 등 외국인투자자는 다양합니다. 외국의 기관투자자도 있을 수 있고, 여러분과 같은 외국의 개인투자자도 있을 수 있습니다. 이 모든 외국인투자자를 합쳐서 우리는 그냥 외국인이라고 부릅니다.

외국인투자자들은 대규모 자금을 운용하는 기관투자자들이 굉장히 많기 때문에 시장에 미치는 영향력이 매우 큽니다. 한국시장은 외국인투자자 입장에서 보았을 때 신흥시장에 속해 있습니다. 때문에 신흥국의 환율이 매우 중요합니다.

중국, 대만, 동남아, 남미 등 신흥국의 통화가 달러 대비해서 강세로 가면 외국인들은 투자규모를 늘리고 주식시장에 적극적으로 뛰어드는 경향이 있습니다. 한국의 주가지수가 원달러환율이 하락할 때(원화강세) 외국인의

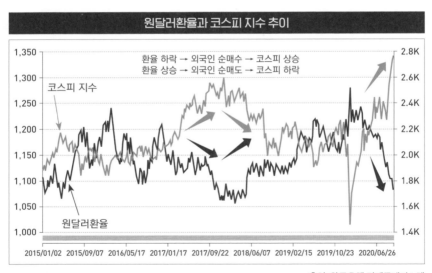

출처: 한국은행 경제통계시스템

순매수로 상승하는 경우가 많은 이유가 거기에 있습니다. 그리고 외국인은 스몰캡(중소형주)보다는 대형주, 그중에서도 삼성전자나 현대차 같은 초대형주를 주로 매매합니다. 지수와 연동되는 대형주 중심으로 투자를 하는 것이 특징적입니다.

외국인투자자의 또 다른 특징 중의 하나는 상대평가를 좋아한다는 것입니다. 무슨 얘기냐 하면 한국, 중국, 대만은 위치도 비슷하고 산업구조도 비슷합니다. 일본은 왜 제외하냐고 하실 수 있는데, 일본은 선진국 지수에 편입되어 있기 때문에 신흥국 지수에 편입된 한국과의 상대평가는 의미가 없습니다. 외국인 입장에서는 한국, 중국, 대만이 비슷해 보일 수 있습니다.

외국인도 자금이 한정되어 있기 때문에 이 중에서 더 매력적인 국가, 기업에 투자를 하는 경향이 있습니다. 2020년 10월 30일 한국의 코스피 지수가 오후 1시부터 급락세를 보이기 시작했는데요, 이유는 외국인 매도 때문이었습니다. 그날 하루에만 코스피, 코스닥 합쳐서 무려 1.1조 원을 순매도한 것입니다.

이날 외국인이 매도를 강하게 한 이유는 중국 거대기업인 알리바바의 자회사 앤트그룹*의 상장 때문이었습니다. 앤트그룹은 시가총액이 거의 삼성전자와 비슷한 규모로 상장을 앞두고 있었습니다. 외국인투자자들은 앤트그룹 공모주 청약에 참여하고 상장 이후 매수를 위해 한국증시의 대표 기업들을 무차별적으로 매도한 것입니다. 중국의 거대기업에 투자하기 위한 일시적인 매도였습니다.

그런데 중국정부가 앤트그룹의 상장을 취

> **앤트그룹**
>
> 앤트파이낸셜(Ant Financial, 중국어: 蚂蚁金服)은 중국의 핀테크 회사로 알리바바 그룹의 계열사. 본사는 저장성 항저우시 시후구에 있으며 세계에서 가장 가치가 높은 핀테크 회사로 알려져 있음

소시켜버리자 외국인투자자들은 언제 그랬냐는 듯 한국 기업들을 다시 매수했습니다. 그리고 코스피 지수는 다시 상승세로 전환했습니다.

　　외국인투자자들은 자금 규모가 크고 대형주를 위주로 매매하기 때문에 국내증시에 미치는 영향력이 매우 큽니다. 원달러환율, 중국과 대만과의 상대평가, 글로벌 경기 등에 따라 자금을 유출하기도 하고 유입시키기도 합니다. 외국인투자자들의 동향은 한국증시의 중장기 방향을 결정한다는 점에서 항상 면밀히 관찰해야 합니다.

 염불리의 꿀팁

외국인투자자들은 미국과 영국 국적의 투자자들이 많습니다. 외국인투자자들은 원달러환율, 중국과 대만과의 상대평가, 글로벌 경기 등을 종합적으로 고려해 투자하는 경향이 있습니다. 스몰캡(중소형주)보다는 대형주 위주로 투자하기 때문에 코스피 지수에 큰 영향을 끼칩니다.

기관투자자는 누구이고
어떻게 투자하나요?

기관투자자는 증권시장에서 대규모 자금을 운용하는 투자자로, 일반인이나 법인으로부터 자금을 모아 주식에 투자하는 법인 형태의 투자자를 의미합니다. 간단히 말하면 여러분이 직접 주식에 투자한다면 여러분은 개인투자자가 됩니다. 여러분이 직접 투자를 하지 않고 그 자금을 펀드에 넣는다면 그 자금은 누가 운용을 할까요? 여러분이 직접 하는 게 아니라 그 펀드를 운용하는 기관투자자가 대신 매매를 하게 되겠죠. 이렇게 타인으로부터 모은 자금을 운용하는 투자자를 기관투자자라고 합니다.

기관투자자는 종류가 매우 다양합니다. 금융투자, 투신, 은행, 보험, 종금, 연기금, 사모펀드 등으로 기관투자자를 분류할 수 있는데 각 주체마다 성격이 조금 다릅니다.

기관투자자의 코스피 월별 순매수 현황 (2018년 11월 ~ 2020년 10월)

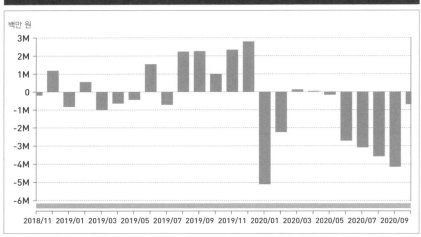

백만 원

출처: 한국은행 경제통계시스템

금융투자*는 주로 증권사를 의미합니다. 증권사에는 트레이딩 부서가 있는데요, 회사의 고유자금을 운용해 돈을 버는 부서입니다. 일명 프랍이라고도 부릅니다. 대규모 자금을 운용하지만 장기투자보다는 단기투자를 하는 경향이 많습니다. 금융투자는 선물과 현물의 가격차익을 이용한 프로그램 매매도 많이 하는 편이라서 외국인과 마찬가지로 시장에 큰 영향을 끼치는 투자자 중의 하나입니다.

투신은 자산운용사입니다. 펀드를 운용하는 곳이라고 생각하시면 됩니다. 이 펀드를 운용하는 사람을 펀드매니저라고 합니다. 2007년에는 개인투자자들이 직접투자보다는 적립식 펀드 같은 간접투자를 선호했습니다. 그래서 투신이 매수하는 종목의 영향력이 굉장히 컸습니다. 2020년에는 반대로 직접투자를 하는 투자자가 많아지고 간접투자를 하는 투자자가 감소하면서 투신의 시장 영향력은 줄어들었습니다. 기존에 가입했던 펀드마저 환매하는 투자자들이 많아지면서 자금감소로 인한 투신의 매도는 지속되고 있는 상황입니다.

은행, 보험, 종금은 각각 은행, 보험, 종금의 일부 자산을 가지고 투자를 하는 기관투자자라고 생각하면 됩니다. 금융투자가 증권사인 것과 비슷합니다. 금융회사들은 자금을 많이 보유하고 있습니다. 이 자금들을 그냥 은행 예금에 넣어두지는 않습니다. 주식투자, 채권투자 등 다양한 자산에 투자해 수익을 추구합니다.

연기금은 사실 여러분의 돈을 가지고 운용하는 기관투자자입니다. 대표적인 기관이 바로 국민연금입니다. 국민연금은 국민의 노후를 대비해서 자금을 관리해야 하는 막중한 책임이 부여된 기관입니다. 규모도 굉장히 크고 주식, 채권, 해외주식, 부동산 등 다양한 자산에 고르게 투자를 합니다. 국민연금은 매년 국내주식, 채권, 해외주식, 부동산 등 자산군별로 포트폴리오 비중목표를 결정하고 거기에 맞게 투자를 합니다. 국민연금의 국내주식비중 목표가 올해 20%였는데 주가지수가 올라서 22%가 되었다면 2% 비중을 줄여서 20%로 맞추기도 합니다. 한국증시를 부정적으로 보는 게 아니라 목표비중을 맞추기 위한 기계적인 매도를 하는 경우가 있습니다.

마지막으로 사모펀드입니다. 대부분의 개인투자자들이 가입하는 펀드는 공모펀드입니다. 사모펀드는 소수의 투자자로부터 자금을 모아서 주식, 채권 등에 투자하는 기관투자자를 의미합니다. 여기서 말하는 소수의 투자자는 49인 이하를 의미합니다. 최대 49명의 투자자로부터 돈을 모아서 투자하는 소수 펀드입니다. 중소형주 투자를 많이 하며, 비상장 기업에도 투자를 많이 하는 편입니다. 사모펀드는 코스닥 시장에 비교적 영향을 많이 끼치는 편입니다.

　기관투자자는 사실 과거에 비해 영향력이 많이 감소했습니다. 하지만 여전히 대규모 자금을 운용하고 있고 응집력이 강해서 기관들이 공통적으로 매수하고 매도하는 기업들은 주가가 큰 변동성을 보입니다. 그러므로 주식투자자라면 기관투자자들의 동향도 잘 체크해야 합니다.

 염블리의 꿀팁

기관투자자는 일반인이나 법인으로부터 자금을 모아 주식에 투자하는 법인 형태의 투자자를 의미합니다. 기관투자자는 금융투자, 투신, 은행, 보험, 종금, 연기금, 사모펀드 등 그 종류가 다양하고 성격도 다릅니다. 대규모 자금을 운용하고 있기 때문에 외국인처럼 시장에 큰 영향력을 행사하고 있습니다.

질문
TOP
35

많이 똑똑해진 개인투자자, 요즘 어떻게 투자하나요?

개인투자자는 바로 여러분입니다. 한국사람으로서 증권사에 계좌를 개설하고 직접 주식매매를 하는 투자자를 개인투자자라고 합니다. 100만 원이든, 100억 원이든 자신의 돈을 직접 투자한다면 모두 개인투자자입니다.

정확한 통계는 아니지만 개인투자자는 2019년 기준으로 600만 명 이상이라고 합니다. 한국 전체 인구의 12% 정도가 되겠네요. 주식시장에서 차지하는 비중으로만 보면 개인투자자들의 비중이 압도적으로 많습니다. 특히 중소형주가 많은 코스닥에서 개인들의 비중은 매우 큽니다.

주식시장의 대표적인 고정관념이 한 가지 있는데요, 개인투자자들은 중소형주를 선호하고, 매매기간이 짧고, 주식시장에 큰 영향을 주지 않는다고 생각하는 사람들이 많습니다. 하지만 이제는 그렇지 않습니다. 2020년 3월

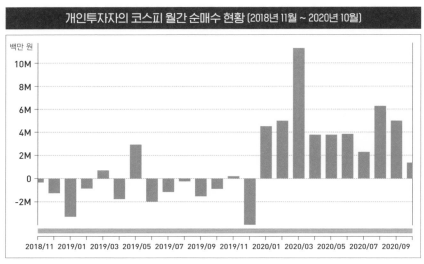

개인투자자의 코스피 월간 순매수 현황 (2018년 11월 ~ 2020년 10월)

출처: 한국은행 경제통계시스템

코로나19 팬데믹 이후 상황이 많이 변했습니다.

　　2020년 코로나19로 주식시장이 폭락하고 부동산 규제가 강화되면서 개인투자자들이 주식시장에 대거 뛰어들었는데요, 고객예탁금(주식을 매수하기 위해 증권계좌가 넣어놓은 돈)은 20조 원대에서 60조 원대로 급증했고, 2020년 3월 19일부터 2020년 11월까지 개인투자자들은 코스피와 코스닥을 합쳐서 무려 40조 원을 순매수했습니다. 같은 기간에 외국인은 10조 원을 순매도했고, 기관투자자들은 24조 원을 순매도했습니다. 과거 같으면 '개인이 사고 외국인과 기관이 팔았으니 주식시장은 급락했겠구나' 생각할 수도 있는데요, 그렇지 않습니다. 코스피 지수는 58% 상승했고, 코스닥 지수는 90% 급등했습니다. 개인투자자만 매수했는데 지수가 급등한 것입니다.

　　중소형주만 매수했을 것이라는 생각도 이번에는 틀렸습니다. 개인투자자들은 삼성전자, SK하이닉스, 카카오, 네이버, LG화학 등 국내의 대표적인 성장기업들을 대규모로 순매수했습니다. 물론 코스닥 중소형주도 골고루 매수했지만 과거에는 관심을 보이지 않던 시가총액 상위 대형주에도 손을 뻗은 것입니다.

개인투자자들의 보유기간도 과거처럼 짧지 않습니다. 장기투자에 대한 관심이 증가하면서 개인투자자들의 주식보유 기간도 늘어나고 있습니다.

뉴스를 접할 수 있는 채널이 많이 늘어났고 증권사에서 양질의 보고서가 무료로 제공되고 있는 데다가 유명한 증권전문가들이 유튜브 등에서 많은 정보를 무료로 제공하고 있어서 개인투자자들이 매우 똑똑해졌습니다. 외국인, 기관투자자에게 매번 시달리던 개인투자자들이 아니라 이제는 시장의 주인공이 된 것입니다.

개인투자자들의 시장 영향력이 커지게 된 가장 큰 배경은 저금리와 정부의 부동산 정책입니다. 은행금리가 1%가 안 되는 상황에서 부동산 규제까지 겹치자 갈 곳 잃은 개인들의 돈이 주식시장에 몰린 것입니다. 이 기조가 이어지는 이상 개인투자자의 고객예탁금과 주식매수는 꾸준히 증가할 가능성이 높습니다.

 염불리의 꿀팁

한국 주식시장에 참가하고 있는 개인투자자는 600만 명이 넘는다고 합니다. 저금리, 정부의 부동산 규제 등의 정책으로 개인투자자의 증시 유입은 지속되고 있습니다. 고객예탁금의 급증과 대형주 선호로 개인투자자들의 영향력은 점차 커지고 있습니다.

질문
TOP
36

코스피와 코스닥 지수의 정기변경에 기회가 있나요?

저자 직강 동영상 강의로 이해 쏙쏙!
QR코드를 스캔하셔서 동영상 강의를 보시고
이 칼럼을 읽으시면 훨씬 이해가 잘 됩니다!

국내증시에는 총 2,200개가 넘는 기업들이 상장되어 있습니다. 정말 많은 숫자인데요, 이 많은 기업들 중에서 시장을 대표하는 기업은 몇 개나 될까요? 정답은 350개입니다.

미국의 다우지수*는 30개의 종목으로만 구성되어 있고, S&P500*은 500개의 종목으로 구성되어 있습니다.

한국에는 350개의 종목으로 구성된 코스피 200, 코스닥 150지수가 있습니다. 코스피, 코스닥 지수는 전체 기업을 다 지수화한 것인데 코스피 200과 코스닥 150은 각각 200개,

다우지수

미국의 다우존스(Dow Jones)사가 뉴욕증권시장에 상장된 우량기업 주식 30개 종목을 표본으로 하고 시장가격을 평균해 산출하는 세계적인 주가지수. 1884년 미국의 월스트리트 저널(Wall Street Journal) 편집장인 찰스 다우(Charles H.Dow)가 처음 창안한 지수

150개의 기업만으로 구성되어 있는 지수입니다.

코스피 200, 코스닥 150은 코스피와 코스닥을 대표하는 기업들이 포함되어 있습니다. 코스피 200에는 삼성전자, SK하이닉스, 네이버, 현대차, LG화학, 삼성바이오로직스, 셀트리온 등의 기업들이 포함되어 있고, 코스닥 150에는 CJ ENM, 펄어비스, 케이엠더블유, 스튜디오드래곤 등의 기업이 포함되어 있습니다.

이러한 대표지수에 편입되는 주요 기준은 시가총액입니다. 특정기간의 평균 시가총액 순위를 기준으로 해서 편입·편출기업을 선정하게 됩니다.

코스피 200 편입종목 (2020년 12월 11일 기준)

편입종목 상위

종목별 ▼	현재가 ▼	전일비 ▼	등락률 ▼	거래량 ▼	거래대금(백만) ▼	시가총액(억) ▲
삼성전자	73,400	▲ 500	+0.69%	18,416,478	1,351,809	4,381,820
SK하이닉스	115,500	▼ 1,000	-0.86%	3,918,407	455,268	840,843
LG화학	808,000	▼ 9,000	-1.10%	309,977	252,281	570,386
삼성바이오로직스	820,000	▲ 1,000	+0.12%	86,147	70,634	542,553
셀트리온	361,000	▲ 1,000	+0.28%	1,098,194	400,721	487,342
NAVER	290,000	▲ 4,000	+1.40%	502,033	145,423	476,364
현대차	190,000	▼ 1,500	-0.78%	1,572,645	301,394	405,970
삼성SDI	556,000	▼ 4,000	-0.71%	348,022	193,639	382,331
카카오	374,500	▲ 4,000	+1.08%	435,671	163,615	330,722
기아차	63,700	▼ 100	-0.16%	1,609,533	102,587	258,216

출처: 네이버

코스피 200, 코스닥 150에 편입되는 기업들은 외국인, 기관의 매매 영향을 많이 받습니다. 기업의 실적이나 가치에 관계없이 외국인, 기관의 매매에 따라 주가가 큰 변동성을 보이는 경우도 많습니다. 코스피 200, 코스닥 150에 편입된 기업들은 1년에 두 번씩 변경됩니다.

계속 유지되는 기업들이 대부분이지만 일부 기업들은 탈락하기도 하고, 새롭게 편입되기도 합니다. 매년 6, 12월 선물옵션 동시만기일 종가에 교체가 이루어집니다. 코스피 200을 추종하는 자금이 30조 원 정도 되고, 코스닥 150을 추종하는 자금이 3.5조 원 정도 되기 때문에 새롭게 편입되는 기업은 추종자금이 유입되면서 주가가 오르는 경우가 많고, 탈락하는 기업은 추종자금이 이탈하면서 주가가 하락하는 경우가 많기 때문에 투자자들은 잘 체크해야 합니다.

삼성전자는 코스피를 대표하는 기업이라서 코스피 200에서 아마 영원히 퇴출되지 않을 것입니다. 반면 코스피 200 기업 중에서 대교(2020년 12월 11일 코스피 200 지수에서 편입 제외 됨) 같은 기업은 언제든 편출될 수 있는 상황입니다. 대교는 시가총액 3,200억 원(2020년 11월)으로 주가부진이 장기화되고 있었기 때문에 12월 정기변경 때 코스피 200에서 편출된 것입니다. 그렇게 되면 코스피 200을 추종하는 펀드에서 강제적으로 매도물량이 나오게 됩니다. 반면 씨에스윈드(2020년 12월 11일 코스피 200 지수에 편입됨)는 풍력관련주로 2020년 시가총액이 3,000억 원에서 2조 원까지 급증한 기업입니다. 시가총액이 매우 커졌기 때문에 코스피 200 지수에 편입이 된 것입니다. 편입이 확정되면 2020년 12월 10일(코스피 200 정기변경 예정일 전일) 종가에 편입이 되고, 코스피 200을 추종하는 펀드에서 매수가 크게 유입될 가능성이 높습니다.

거래소에서는 코스피 200, 코스닥 150에 편입되고 편출되는 기업들에 대해서 미리 공지를 해줍니다. 물론 각 증권사의 담당 애널리스트들은 미리 편입·편출기업들을 예상해서 보고서를 작성합니다. 그 보고서가 100% 맞는 것은 아니지만 대체로 맞는 경우가 많기 때문에 참고를 하는 게 좋습니다. 6월 정기변경과 관련해서는 보통 5월 초에 보고서가 발간되고, 거래소에서는 5월 말에 편입·편출기업을 확정해서 발표합니다. 12월 정기변경과 관련해서는 11월 초에 보고서가 발간되고, 11월 말에 편입·편출기업을 발표합니다.

코스피 200, 코스닥 150은 한국을 대표하는 지수입니다. 여기에 속한 기업들은 역시 대표성을 갖습니다. 이를 추종하는 자금도 상당하기 때문에 코스피 200, 코스닥 150 정기변경은 기업주가에 큰 영향을 끼치는 매우 중요한 이벤트입니다. 1년에 두 번은 내가 보유한 기업이 코스피 200, 코스닥 150에 새롭게 편입되는지, 편출되는지 확인하면서 투자하시기 바랍니다.

 염블리의 꿀팁

코스피 200, 코스닥 150 지수는 1년에 두 번 리밸런싱(정기변경)을 합니다. 6, 12월 선물옵션 동시만기일 종가 기준으로 교체가 이루어집니다. 새롭게 편입되는 기업은 자금이 유입되면서 단기 상승세를 보이는 경우가 많고, 편출되는 기업은 자금이 이탈해 주가가 단기 하락세를 보이는 경우가 많습니다.

공매도와 대차거래로
주가를 예측할 수 있나요?

2020년 3월 코로나19로 전 세계 주식시장이 갑자기 급락하자 증권거래소
가 6개월 동안 공매도를 금지한다고 발표했습니다. 시장 참가자들은 그 조
치를 반겼습니다. 공매도가 무엇이길래, 얼마나 무섭길래 금지한다고 하니
까 투자자들이 이토록 좋아하는 걸까요?

공매도에서 공은 한자로 '空'(빌 공)입니다. 말 그대로 없는 것을 판다는
것을 의미합니다. 투자자 본인이 가지고 있지 않은 것을 빌려서 파는 것을
뜻합니다. 주가가 하락하면 큰 수익을 낼 수 있는 투자 방법입니다.

우리는 매수한 주식을 다시 매도해서 수익이나 손실을 확정짓는 데 반
해, 공매도 투자자는 반대입니다. 공매도 투자자는 주식을 먼저 매도하고,
일정기간 후에 매수를 해서 수익이나 손실을 확정짓습니다. 매도부터 하기

때문에 공매도가 많은 기업은 몸살을 앓을 수밖에 없습니다. 아무리 실적이 좋고 기업가치가 좋아도 결국 매수하는 사람이 많아야 주가가 상승합니다. 매도부터 하는 물량이 많다는 것은 기업의 주가에 악영향을 줄 수밖에 없습니다.

공매도에서 꼭 알아두셔야 할 것이 바로 대차거래입니다. 공매도와 대차거래를 많이 혼동하시는데, 공매도는 빌린 것을 파는 것이고, 대차거래는 주식을 빌리는 거래를 의미합니다. 미국에서는 주식을 빌리지 않고도 공매도를 할 수 있습니다. 상상이 잘 안 가지만 빌리지 않고 먼저 주식을 판 후에 주식을 빌리는 매매가 가능하다고 합니다. 한국에서는 이렇게 하면 불법입니다. 한국 주식시장에서는 반드시 주식을 먼저 빌리고 나서 그 빌린 주식을 시장에 팔 수가 있습니다.

일부 외국계 증권사에서 주식을 빌리지도 않고 공매도를 해서 물의를 빚은 적이 있습니다. 한국에서는 먼저 주식을 빌리고(대차거래) 공매도를 해야 합니다. 그리고 공매도한 주식을 다시 매수한 후 빌린 주식을 갚으면 공매도 거래가 완료됩니다.

주가의 하락에 베팅하는 공매도는 어떻게 해서 수익을 내는지 구조를 알려드리겠습니다.

삼성전자를 공매도한다고 가정을 해보겠습니다. 공매도를 하기 위해서는 일단 삼성전자를 보유한 투자자에게 가서 삼성전자 주식을 빌려야 합니다. 100주를 빌려보겠습니다. 100주를 빌렸기 때문에 삼성전자 100주를 대차거래한 것으로 기록이 됩니다. 대차거래는 증권사 HTS*에서 확인이 가능합니다.

> **HTS(Home Trading System)**
> 투자자가 주식을 사고팔기 위해 증권사 객장에 직접 나가거나 전화를 거는 대신 집이나 사무실에 설치된 PC를 통해 거래할 수 있는 시스템

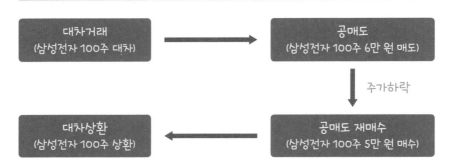

삼성전자 100주 6만 원 공매도 = 600만 원 현금 발생
삼성전자 100주 5만 원 재매수 = 500만 원 현금 투입
100주만 그대로 돌려주면 되기 때문에 100만 원의 수익을 내게 된다.

이 100주를 6만 원에 매도해보겠습니다. 주가가 하락해서 5만 원까지
빠졌고 다시 100주를 5만 원에 사보겠습니다. 빌렸던 100주를 다시 갚으
면 끝납니다.

그럼 삼성전자를 공매도한 투자자는 얼마의 수익을 냈을까요? 6만 원
에 100주를 팔았으면 매도금액은 600만 원이 됩니다. 600만 원이 계좌에
들어옵니다. 5만 원에 다시 100주를 삽니다. 매수금액은 500만 원입니다.
100만 원은 계좌에 남아있습니다. 빌린 주식은 그 수량만 그대로 갚으면 됩
니다. 100주를 그대로 돌려주면 됩니다. 주가는 20%가 하락했고, 공매도
투자자는 100만 원의 이익을 낸 것입니다.

공매도는 이렇듯 회사의 주가가 하락할 가능성이 높을 때 수익을 내기

위한 투자 방법 중 하나입니다. 그런데 공매도는 개인투자자들에게는 진입 장벽이 매우 높습니다. 외국인, 기관투자자들은 주식을 대량으로 빌려서 공매도를 하지만 개인투자자들은 주식을 빌리는 대차거래가 어렵습니다. 대차거래 수수료도 상당하기 때문에 접근도 쉽지 않습니다. 외국인, 기관에게만 허용된 '기울어진 운동장' 같은 상황입니다. 이러한 이유들 때문에 한국의 개인투자자들은 공매도를 매우 싫어합니다.

공매도가 많다고 해서 주가가 꼭 급락하는 것은 아닙니다. 미국의 테슬라는 엄청난 공매도 물량에도 불구하고 주가는 크게 상승했습니다. 공매도는 단기적인 주가에 악영향을 줄 수 있지만 결국 주가를 결정하는 것은 기업의 실적과 성장성임을 잊지 마시기 바랍니다.

 염블리의 꿀팁

공매도는 없는 주식을 매도하는 것을 의미합니다. 주식을 빌리는 것은 대차거래라고 합니다. 대차거래를 하고 공매도를 한 후에 다시 주식을 사고 그 주식을 갚으면 공매도 투자는 완료됩니다. 공매도는 주가가 하락해야 수익이 나기 때문에 주가에 부정적으로 작용하는 경우가 많습니다.

실적을 발표할 때 언급되는 컨센서스란 뭔가요?

저자 직강 동영상 강의로 이해 쑥쑥!
QR코드를 스캔하서서 동영상 강의를 보시고
이 칼럼을 읽으시면 훨씬 이해가 잘 됩니다!

실적은 기업의 성적표입니다. 매 분기마다 기업들은 성적표를 공개합니다. 작년보다 성적이 좋은 기업도 있고, 시장이 기대했던 것보다 더 좋은 실적을 발표한 기업들도 있습니다. 시장의 기대에 못 미치거나 실적이 악화된 기업들도 있습니다. 기업이 사업을 잘 하고 있는지, 이 기업의 미래가 밝은지 투자자들은 매번 검증을 해야 합니다. 미래를 알 수 없기 때문입니다. 사업을 잘하고 이익도 잘 내고 전망도 밝다면 장기투자가 가능할 것입니다.

그런데 실적을 뜯어봤더니 매출과 이익이 감소했고 향후 전망도 불투명하다면 투자를 할 이유는 없을 것입니다. 1년에 네 번 있는 실적발표 시즌에서 투자자들은 냉정한 눈초리로 보유한 기업들과 투자할 기업들을 검증해야 합니다. 주식투자란 꾸준한 실적 업데이트를 기반으로 합니다.

분기별 실적발표 기간

시즌	보고서	제출기한
1분기	분기보고서	4.1 ~ 5.15
2분기	반기보고서	7.1 ~ 8.15
3분기	분기보고서	10.1 ~ 11.15
4분기	사업보고서	1.1 ~ 3.31
	감사보고서	정기주주총회 1주일 전까지

　　1년에 네 번 있는 실적 시즌에 가장 자주 등장하는 용어는 '컨센서스'입니다. 컨센서스는 사전에서 찾아보면 '동의'라고 되어 있습니다. 주식시장에서 사용하는 컨센서스는 시장 예상치입니다. 시장 참가자들이 생각하고 있는 예상 수준을 컨센서스라고 합니다. 예를 들어 삼성전자의 3분기 영업이익 컨센서스가 10조 원이라는 뉴스가 나왔다면 이는 삼성전자의 3분기 영업이익 시장 예상치가 10조 원이라는 의미입니다.

　　그렇다면 실적 컨센서스는 어떻게 형성될까요? 삼성전자의 컨센서스인 10조 원이라는 숫자가 갑자기 하늘에서 떨어진 것도 아니고 10조 원이 나오게 된 이유가 있을 텐데 그것을 한번 알아보겠습니다.

　　A라는 애널리스트가 삼성전자의 영업이익을 5조 원으로 예상했고, B는 8조 원, C는 10조 원, D는 12조 원, E는 15조 원으로 예상했다고 가정을 해 보겠습니다. 컨센서스는 애널리스트들의 예상치입니다. 가장 높은 것과 가장 낮은 것을 뺀 후에 남은 것들로 평균을 냅니다. 즉 5조 원과 15조 원은

제외합니다. 그리고 8조 원, 10조 원, 12조 원을 평균하면 됩니다. 평균하면 10조 원이 나오겠죠. 이것이 바로 컨센서스입니다. 시장에서 예상하는 예상 영업이익이라고 생각하면 됩니다.

컨센서스는 매우 중요합니다. 시장이 기대하고 있는 수치이기 때문입니다. A라는 기업의 3분기 영업이익 컨센서스가 1,000억 원인데 1,200억 원이 나왔다면 시장은 환호하고 주가는 급등할 가능성이 높습니다. 컨센서스보다 20% 이상 잘 나왔기 때문입니다. 반대로 900억 원이 나왔다면 실망할 것이고 주가는 하락할 가능성이 높습니다. 실적 시즌에는 작년 대비 이익이 증가했는지 감소했는지도 중요하지만 컨센서스보다 잘 나왔는지 여부가 더 중요합니다.

아래 표는 대상의 2019년 1분기 영업이익을 나타낸 것인데요, 왼쪽의 381억은 실제 발표된 이익입니다. 오른쪽의 345억은 추정치, 즉 컨센서스입니다. 컨센서스보다 10% 이상 실적이 잘 나왔습니다. 어닝 서프라이즈가 나온 것입니다. 급락세를 보였던 주가는 실적발표 후 급등세로 전환해 이틀간 9%나 상승했습니다. 실적이 잘 나오자 시장은 환호를 한 것입니다.

컨센서스는 실적 시즌에 꼭 체크해야 할 중요한 요소입니다. 주가에 큰

대상의 영업이익 실제치와 추정치

일자	영업이익(실제치)	영업이익(추정치)
2018년 3분기	414억 원	-
2018년 4분기	132억 원	143억 원
2019년 1분기	381억 원	345억 원

영향을 미치기 때문입니다. 1년에 네 번 있는 실적시즌, 전년도 및 컨센서스와의 비교를 통해 기업의 성적표를 점검하시기 바랍니다. 꾸준한 검증은 장기투자를 지속할 수 있는 힘이 될 것입니다.

 엄블리의 꿀팁

실적은 기업의 성적표입니다. 매 분기마다 발표되는 실적을 통해 기업의 성장 여부를 검증할 수 있습니다. 컨센서스는 시장이 기대하는 실적 예상치입니다. 영업이익이 컨센서스를 +10% 이상 상회하는 것을 어닝 서프라이즈라고 합니다. 매분기마다 발표되는 실적을 점검한 후 투자 여부를 결정하시기 바랍니다.

5장

주식투자를 하는 데 있어서 기술적인 분석도 매우 중요합니다. 현재 시장이 상승추세인지 혹은 하락추세인지, 위치가 높은지 혹은 낮은지, 매수를 하기에 적당한지 혹은 기다려야 하는지 등 매매 타이밍을 알기 위해서는 기술적 분석을 할 줄 알아야 합니다. 기술적 분석에는 다양한 지표들이 활용됩니다. 간단한 지표부터 매우 복잡한 지표까지 활용범위는 무궁무진합니다. 모든 기술적 지표를 활용하면 좋지만 워낙 많은 지표가 있어서 다 활용하는 것은 쉽지 않습니다. 5장에서는 주린이가 반드시 알아야 하는 기술적 지표만을 선정했습니다. 투자 시점을 파악하는 데 유용하게 활용하시기 바랍니다.

주린이가
가장 궁금해하는
기술적 분석 7가지

질문 TOP 39

양봉과 음봉은
어떤 의미인가요?

저자 직강 동영상 강의로 이해 쏙쏙!
QR코드를 스캔하셔서 동영상 강의를 보시고
이 칼럼을 읽으시면 훨씬 이해가 잘 됩니다!

한국에서는 빨간색을 상승으로 표시하고, 파란색을 하락으로 표시합니다.
미국은 초록색이 상승이고, 빨간색이 하락입니다. 한국은 일본식 스타일인
봉차트를 대부분 보는데요, 미국은 선차트를 주로 봅니다.

국내 주식투자를 하시는 분들은 당연히 봉차트를 알고 있어야 합니다.
봉차트가 바로 기술적 분석의 가장 기초이기 때문입니다.

주식시장이 오전 9시에 개장을 하면 시초가가 형성되는데요, 그 시초
가를 기준으로 주가가 위로 상승하면 양봉(빨간색 봉)이고, 아래로 하락하
면(파란색 봉) 음봉입니다. 예를 들어 삼성전자가 6만 원에 시초가를 형성했
는데 현재 가격이 62,000원이 되었다면 양봉이고, 현재가격이 59,000원이
되었다면 음봉이 됩니다. 시초가를 기준으로 상승이냐, 하락이냐에 따라 양

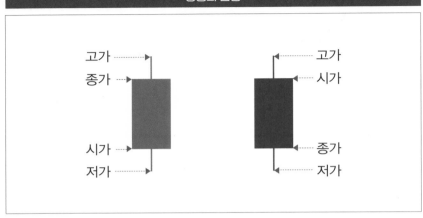

봉과 음봉이 결정됩니다.

양봉은 시초가보다 현재가가 더 높기 때문에 매수의 힘이 매도의 힘보다 더 강한 상황입니다. 반면에 음봉은 매도의 힘이 더 센 것입니다. 3~5일 연속으로 양봉이 나왔다는 것은 매수세가 연속적으로 유입되고 있다는 의미로 상승세가 매우 강한 것입니다.

봉의 길이도 매우 중요합니다. 삼성전자의 시초가가 6만 원이고 현재가가 62,000원인 것보다 현재가가 65,000원인 것이 훨씬 매수세가 센 것이죠. 봉의 길이가 긴 것을 장대봉이라고 합니다. 봉의 길이가 긴 양봉이면 장대양봉이라 하고, 봉의 길이가 긴 음봉이면 장대음봉이라고 합니다. 장대양봉은 강한 상승을 의미하고, 장대음봉은 강한 하락을 의미합니다.

봉차트에는 위꼬리와 아래꼬리도 있습니다. 위꼬리의 끝은 고가를 의미하고, 아래꼬리의 끝은 저가를 의미합니다. 삼성전자의 시초가가 6만 원, 당일 최고가가 63,000원, 당일 최저가가 59,000원, 종가가 62,000원이라면 봉차트의 모양은 오른쪽과 같습니다.

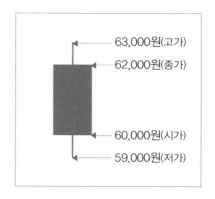

위꼬리, 아래꼬리의 길이를 보면 금일 주가의 흐름이 어땠는지를 판단할 수 있습니다. 위꼬리가 길다는 것은 종가가 당일의 고점 대비 크게 밀렸다는 의미로, 장중 강한 상승을 보였지만 고점에서 강한 매도세가 출현해서 밀리면서 마감한 것입니다. 위꼬리가 긴 봉의 출현은 단기적인 주가의 하락을 예고하는 패턴 중의 하나입니다.

출처: 이베스트투자증권 HTS

반대로 아래꼬리가 길다는 것은 종가가 당일의 저점 대비 크게 상승했다는 의미로, 장중 급락을 보이던 주가가 강한 매수세의 출현으로 반등을 하면서 마감한 것입니다. 아래꼬리가 긴 봉의 출현은 단기적인 주가의 상승을 예고하는 패턴 중의 하나입니다.

봉차트는 기술적 분석의 기초입니다. 양봉, 음봉, 장대양봉, 장대음봉 등 봉의 모양을 통해 과거와 현재의 주가흐름을 파악할 수 있고, 미래의 주가 흐름도 일부 예측할 수 있습니다.

염블리의 꿀팁

양봉은 시가보다 현재가(종가)가 더 높은 상태를 의미하고, 음봉은 시가보다 현재가(종가)가 더 낮은 상태를 의미합니다. 양봉은 매수의 힘이 세기 때문에 강세를 의미하고, 음봉은 매도의 힘이 세기 때문에 약세를 의미합니다.

이동평균선이란 게
도대체 뭔가요?

저자 직강 동영상 강의로 이해 쑥쑥!
QR코드를 스캔하셔서 동영상 강의를 보시고
이 칼럼을 읽으시면 훨씬 이해가 잘 됩니다!

주식시장의 기술적 분석에서 가장 기본적인 분석도구 중의 하나가 바로 이동평균선입니다. 이동평균선은 평균값을 의미합니다. 즉 5일 이동평균선은 5영업일 동안의 주가 평균값을 의미합니다. 어떤 기업의 주가가 최근 5영업일 동안 차례로 1,000원, 1,300원, 1,200원, 1,100원, 1,300원의 주가를 형성했다면 5일 이동평균선은 1,180원이 됩니다.

현재 주가가 1,300원이면 5일간의 평균값보다 현재가가 높다는 것으로 최근 5일간 거래한 투자자들은 평균적으로 수익을 내고 있다는 것을 의미합니다. 현재 주가가 1,150원이라면 최근 5일간 거래한 투자자들은 평균적으로 손실을 내고 있다는 의미입니다. 주가가 이동평균선보다 위에 있으면 상승을 의미하고, 아래에 있으면 하락을 의미하기도 합니다.

이동평균선은 주로 5일, 10일, 20일, 60일, 120일, 200일을 사용합니다. 5일, 10일, 20일 이동평균선은 단기 이동평균선을 의미합니다. 주가가 이 이동평균선들 위에 있고, 이 이동평균선들이 위로 상승하는 모습을 보여주고 있다면 '이 기업은 기술적으로 상승추세를 이어가고 있다'라고 생각하면 됩니다. 반대로 주가가 이동평균선 아래에 있다면 기술적으로 하락추세를 이어가고 있다고 판단하면 됩니다.

60, 120일 이동평균선은 중기 이동평균선을 의미합니다. 최소 3개월에서 최대 6개월간의 주가흐름을 한번에 파악할 수 있습니다. 주가가 이 이동평균선들 위에 있고 이 이평선들이 위로 상승하는 흐름을 보여주고 있다면 '이 기업은 오랜 기간 동안 상승이 지속되고 있구나'라고 생각하면 됩니다.

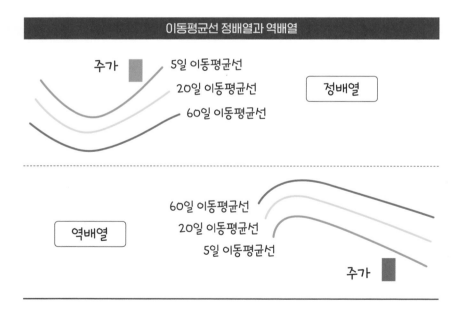

이동평균선 정배열과 역배열

주가   5일 이동평균선
        20일 이동평균선   정배열
        60일 이동평균선

        60일 이동평균선
역배열   20일 이동평균선
        5일 이동평균선
                    주가

현재가가 5일 이동평균선 위에 있고 '5일〉10일〉20일〉60일〉120'일의 흐름을 보여주고 있다면 시장에서는 이것을 정배열*이라고 부릅니다. 반대로 현재가가 5일 이동평균선 아래에 있고 '5일〈10일〈20일〈60일〈120'일의 흐름을 보여주고 있다면 시장에서는 이를 역배열*이라고 부릅니다.

정배열은 주가와 이동평균선이 꾸준히 상승하는 것으로, 향후 강세가 이어질 가능성이 높은 패턴입니다. 역배열은 주가와 이동평균선이 지속적으로 하락하는 것으로, 향후 약세가

정배열

짧은 기간의 이동평균선이 긴 기간의 이동평균선보다 위에 있는 것을 의미함. 상승추세의 종목을 이동평균선이 정배열 되어 있다고도 표현함

역배열

긴 기간의 이동평균선이 짧은 기간의 이동평균선보다 위에 있는 것을 의미함. 하락추세의 종목을 이동평균선이 역배열 되어 있다고도 표현함

출처: 이베스트투자증권 HTS

이어질 가능성이 높은 패턴입니다.

　마지막으로 골든크로스와 데드크로스가 있습니다. 단기 이동평균선이 중장기 이동평균선 위로 돌파해서 올라왔을 때를 골든크로스라고 하고, 단기 이동평균선이 중장기 이동평균선 아래로 떨어졌을 때를 데드크로스라고 합니다.

　골든크로스는 상승추세로의 전환을 알리는 강한 상승신호 중의 하나입니다. 데드크로스는 이와 반대로 하락추세로의 전환을 알리는 신호 중의 하나입니다.

이동평균선은 어느 특정 기간 동안의 주가평균값을 의미합니다. 주로 5, 10, 20, 60, 120일 이동평균선을 사용합니다. 단기 이동평균선이 중장기 이동평균선을 돌파하는 것을 골든크로스라고 하고, 단기 이동평균선이 중장기 이동평균선을 깨고 내려가는 것을 데드크로스라고 합니다.

질문
TOP
41

거래량을 분석하면
주가의 방향을 알 수 있나요?

주식시장에서 거래량은 주식이 거래된 양을 의미합니다. 5,000원이라는 가격에 누군가 1,000주를 매도하고 1,000주를 매수한다는 주문을 내면 5,000원에 1,000주가 체결될 것입니다. 이 1,000주를 거래량이라고 합니다. 이 거래량에 가격 5,000원을 곱하면 거래대금이 됩니다.

가격의 변화와 함께 거래량의 변화도 투자자들은 항상 살펴야 합니다. "주가는 속여도 거래량은 속이지 못한다"는 주식시장의 오랜 격언처럼 거래량의 변화는 주가에 큰 영향을 끼칩니다.

보통 주가가 상승하면 거래량이 증가합니다. 거래량이 증가한다는 것은 사는 사람도 많고, 파는 사람도 많다는 뜻입니다.

주가가 상승하면서 거래량이 증가한다는 것은 수익이 발생한 투자자들

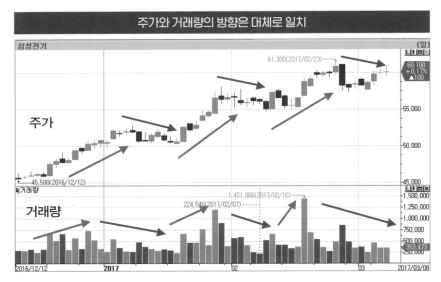

주가와 거래량의 방향은 대체로 일치

삼성전기 (일)

주가

거래량

61,300(2017/02/23)

45,500(2016/12/12)

224,546(2017/02/07)

1,451,066(2017/02/16)

출처: 이베스트투자증권 HTS

이 대거 매도를 하지만 그 매도 물량을 새로운 매수세가 대부분 흡수를 한다는 의미입니다. 기존 투자자들의 매물을 소화하면서 새로운 매수세가 유입되면 주가는 한 단계 더 레벨업할 가능성이 높습니다.

주가가 하락하는데 거래량이 증가하는 경우도 있습니다. 이는 좋지 않은 신호입니다. 주가상승 시 거래량이 수반되면 강한 상승세가 이어지는 경우가 많지만 주가하락 시 거래량이 급증한다면 매도세가 매우 강하다는 의미입니다. 주식을 사는 매수세도 많지만 이보다 더 강한 매도세가 주가를 억누르면서 매도를 하기 때문에 주가가 하락하면서 거래량이 증가한다고 생각하시면 됩니다.

주가에 큰 영향을 줄 수 있는 악재들이 나왔을 때 '거래량 증가, 주가급

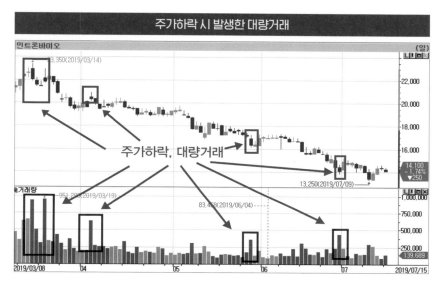

주가하락 시 발생한 대량거래

출처: 이베스트투자증권 HTS

락' 현상이 자주 발생합니다.

반대로 거래량이 감소하는 현상도 있습니다. 거래량이 감소한다는 것은 무슨 의미일까요? 매수, 매도의 힘이 약하다는 뜻입니다. 투자자들이 적극적으로 시장에 참여하지 않고 상황을 지켜보고 있다는 뜻으로 생각해도 됩니다.

주가가 상승하면 거래가 증가하고, 주가가 하락하면 거래가 감소하는 것이 일반적입니다. 주가가 상승하는데 거래가 감소한다는 것은 상승의 힘이 약하다는 의미입니다. 반대로 주가가 하락하는데 거래가 감소한다는 것은 하락의 힘이 약하다는 의미입니다.

거래량은 대체로 주가에 선행합니다. 상승하던 주가가 거래량이 감소하면 주가는 단기적으로 하락할 가능성이 높습니다. 반대로 하락하던 주가가 거래량이 증가하게 되면 주가는 하락을 멈추고 반등할 가능성이 높습니다. 거래량 분석을 통해 상승이 지속될지, 하락이 진정될지 스스로 예측해보시기 바랍니다.

 염블리의 꿀팁

거래량은 매수와 매도가 이루어진 합계입니다. 거래량은 주가에 선행합니다. 상승하던 주가가 거래량이 감소하면 주가는 단기적으로 하락할 가능성이 높습니다. 하락하던 주가가 거래량이 증가하게 되면 주가는 반등할 가능성이 높습니다.

추세가 중요하다는데
그 이유가 뭔가요?

추세를 국어사전에서 찾아보면 '어떤 현상이 일정한 방향으로 나아가는 경향'이라고 되어 있습니다. 이 의미를 주식시장에서 적용하면 '주가가 일정한 방향으로 나아가는 경향'입니다. 즉 상승추세란 상승방향이 지속되는 상황이고, 하락추세란 하락방향이 지속되는 상황입니다. 상승과 하락의 방향성을 나타낸다고 생각하면 됩니다.

물론 추세가 없는 경우도 있습니다. 주가가 옆으로 횡보하는 흐름이 나올 때를 비추세구간이라고 합니다. 비추세구간에서는 방향성 없이 주가가 상승과 하락을 반복하는 경우가 많습니다.

상승추세란 주가의 상승세가 계속 이어지는 상황으로, 저점과 고점이 계속 올라가고 있는 형태입니다. 하락추세란 이와 반대로 저점과 고점이 점

진적으로 내려가고 있는 형태입니다. 횡보추세는 저점과 고점이 일정한 형
태를 나타냅니다.

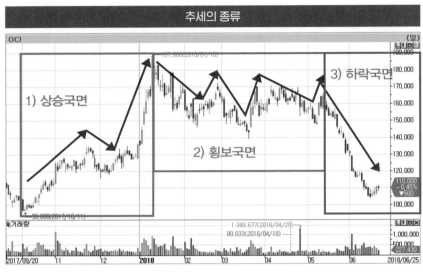

출처: 이베스트투자증권 HTS

일봉

하루 동안의 주가흐름을 나타
낸 차트로 시가, 고가, 저가, 종
가로 구성되어 있음. 일본에서
만들어진 것으로 봉모양처럼
생겨서 봉차트라고 불림

주봉

한 주간의 주가흐름을 나타낸
차트로 시가, 고가, 저가, 종가
로 구성되어 있음

기간에 따라서 추세도 달라지는데요, 단기
추세, 중기추세, 장기추세가 각각 존재합니다.
장기추세는 상승인데 단기추세는 하락인 경우
도 있고, 단기추세는 상승인데 장기추세는 하락
인 경우도 있습니다.

보통 단기추세를 볼 때는 일봉*을 보고, 중
기추세를 볼 때는 주봉*을 보고, 장기추세를 볼
때는 월봉*을 봅니다. 투자하는 성향에 따라 단

기로 투자판단을 하는 투자자는 일봉의 추세를, 중장기로 투자판단을 하는 투자자는 주봉과 월봉의 추세를 보고 판단하는 것이 좋습니다.

추세선을 그리는 방법도 알아두시면 좋습니다. 반드시 저점은 저점끼리만 연결하고, 고점은 고점끼리만 연결해서 그려야 합니다. 고점과 저점을 연결하는 것은 추세선이 아닙니다. 저점과 저점을 연결한 추세선을 지지선이라고 하고, 고점과 고점을 연결한 선을 저항선이라고 합니다. 아래 차트처럼 추세선을 그리면 됩니다.

출처: 이베스트투자증권 HTS

주식시장에서 한 번 형성된 추세는 계속 유지되는 경향이 있습니다. 주식시장에도 관성의 법칙이 작용합니다. 즉 상승추세가 시작되면 계속 상승세가 이어지는 경향이 있고, 하락추세가 시작되면 계속 하락하는 경향이 있습니다.

특히 시가총액이 큰 기업일수록 움직임이 느리기 때문에 추세가 쉽게 바뀌지 않습니다. 보유한 기업이 현재 상승추세인지, 횡보추세인지, 하락추세인지 꼭 확인을 하고 투자하는 습관을 들이시기 바랍니다.

 염불리의 꿀팁

추세는 방향의 지속성을 의미합니다. 상승추세는 상승의 지속성을, 하락추세는 하락의 지속성을 의미합니다. 상승추세는 저점과 고점이 계속 올라가는 형태이고, 하락추세는 저점과 고점이 내려가는 형태입니다. 한 번 형성된 주가의 추세는 쉽게 바뀌지 않습니다.

주가차트에도
일정한 패턴이 있나요?

주가차트를 보면 종목별로 다양한 패턴들이 형성되어 있는 걸 알 수 있습니다. 세모, 네모, 깃발 등 다양한 패턴들이 있다는 것을 차트를 통해 확인할 수 있습니다. 상승을 예고하는 패턴도 있고, 하락을 예고하는 패턴도 있습니다. 100% 예측은 불가능하지만 일정한 패턴을 알면 주가예측도 가능합니다. 주식시장에서 일반적으로 확인되는 몇 가지 패턴을 소개해드리겠습니다.

여기서 소개해드리는 차트패턴은 가장 흔하게 발생하는 패턴만을 선정한 것입니다. 이들 패턴 외에도 다양한 패턴들이 존재하지만 모든 패턴을 다 안다고 해서 수익률이 높아지는 것은 아닙니다. 여기서 소개해드리는 기본적인 패턴만 이해해도 차트를 이해하는 데는 전혀 무리가 없을 것입니다.

상승 삼각형 패턴

컴투스   (일)

출처: 이베스트투자증권 HTS

    상승 삼각형 패턴은 고점은 같고, 저점은 올라오는 패턴입니다. 위의 차트를 보면 고점과 고점을 연결하고 저점과 저점을 연결하면 삼각형 모양이 그려집니다. 전형적인 상승 삼각형의 패턴인데요, 삼각형의 윗변인 고점과 고점을 연결한 저항선을 거래량이 증가하면서 돌파를 하게 되면 강한 상승이 나오는 경우가 많습니다.

    저점이 올라간다는 것은 상승이 진행중인 상황에서 하락이 제한적이라는 의미입니다. 강한 하락이 발생하면 저점이 내려갈 수밖에 없습니다. 저점이 올라간다는 의미는 상승을 예고하는 것입니다. 그리고 고점이 일정하다는 것은 위에서는 저항을 받고 있다는 뜻입니다. 위에서 저항을 받으면서 매물을 소화하고 있다는 것입니다. 이런 상승 삼각형 패턴에서 일정한 고점라인을 돌파할 때가 바로 본격적인 주가상승의 신호입니다.

하락 삼각형 패턴은 상승 삼각형과 반대로, 저점은 같고 고점은 내려가는 패턴입니다. 삼각형의 밑변인 저점과 저점을 연결한 지지선을 거래량이 증가하면서 하향이탈하면 하락추세가 본격화되는 경우가 많습니다.

고점이 점점 낮아진다는 것은 상승의 힘이 떨어지고 있다는 증거입니다. 주가가 강한 상승추세를 이어가기 위해서는 고점을 계속 돌파하는 모습이 나와야 합니다. 즉 고점이 올라가야 상승추세라고 할 수 있는데, 위의 차트처럼 고점이 계속 내려가는 모습은 상승의 힘이 떨어지고 있다는 증거입니다. 다만 저점은 변하지 않고 일정한데요, 저점 구간에서는 저가매수세가 유입되고 있다는 의미입니다. 상승의 힘이 약해졌지만 지지는 되는 패턴을

출처: 이베스트투자증권 HTS

하락 삼각형 패턴이라고 합니다. 물론 일정하게 유지되고 있는 저점을 이탈하면 새로운 하락이 시작될 수 있기 때문에 저점을 계속 지지하는지 아니면 이탈하는지 꼭 확인하고 대응하는 것이 좋습니다.

상승 N자형 패턴은 상승추세를 나타내는 전형적인 패턴입니다. 주가가 강하게 상승한 후에는 조정을 받게 되는데, 보통 20일 이동평균선 혹은 60일 이동평균선 부근에서 지지를 받는 경우가 많습니다. 이동평균선에서 일단 지지가 형성되면 다시 2차 상승이 시작되는데요, 상승폭은 상황에 따라 다르지만 1차 상승의 고점을 돌파하게 되면 상승추세가 지속되는 경우가 많습니다. 영어 N자와 비슷한 모습이라고 해서 상승 N자형 패턴이라고 합니다.

출처: 이베스트투자증권 HTS

N자형 상승패턴은 주도주에서 흔히 볼 수 있는 차트패턴입니다. 주가가 큰 상승을 하고 나면 일정한 조정을 받는데, 주도주는 조정 폭이 작습니다. 강한 상승 이후 약한 하락, 그리고 다시 직전 고점을 돌파하는 강한 상승의 출현, 다시 약한 조정, 그리고 다시 직전 고점을 돌파하는 패턴이 지속되는 모습을 볼 수 있습니다. 주도주의 가장 일반적인 패턴입니다.

　　하락 N자형 패턴은 하락추세를 나타내는 전형적인 패턴입니다. 주가가 크게 하락한 후에는 반등을 하게 되는데 보통 20일 이동평균선 혹은 60일 이동평균선 부근에서 저항을 받는 경우가 많습니다. 이동평균선에서 일단 저항을 받게 되면 다시 2차 하락이 시작되는데요, 하락폭은 상황에 따라 다르지만 1차 하락의 저점을 이탈하게 되면 하락추세가 지속되는 경우가 많

출처: 이베스트투자증권 HTS

습니다. 상승 N자형과 반대라고 보시면 됩니다.

실적이 좋지 않거나 펀더멘털에 문제가 생겨 장기간 하락하는 기업들의 일반적인 차트패턴입니다. 급락 후 약한 반등, 그리고 저점을 이탈하는 급락, 다시 약한 반등, 그리고 다시 저점을 이탈하는 급락이 지속되면서 하락 추세를 이어가는 전형적인 패턴입니다.

박스권 패턴은 박스는 말 그대로 네모난 상자입니다. 네모 모양의 상자처럼 패턴이 형성되었다고 해서 박스권이라고 부릅니다. 주가가 상승이나 하락을 한 이후 장기간 횡보하는 흐름에서 나타나는 전형적인 패턴입니다. 고점과 고점의 위치가 비슷하고, 저점과 저점의 위치도 비슷한 것을 알 수 있습니다.

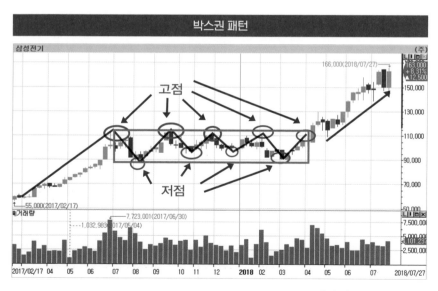

출처: 이베스트투자증권 HTS

이러한 박스권 패턴을 장기간 유지한 이후에 주가가 박스권의 상단부를 돌파하면 장기간 상승랠리가 이어지고, 반대로 박스권의 하단부를 이탈하면 장기간 하락세가 이어지는 경우가 많습니다. 박스권 패턴이 출현하면 당장 방향성을 알 수는 없지만 박스권의 위나 아래로 주가가 움직이기 시작할 때는 방향성이 결정되는 경우가 많습니다.

　　W자 패턴은 이중 바닥 형태의 패턴입니다. 주가가 하락하고 나면 보통 반등을 하게 됩니다. 반등 후에 지속적인 상승을 보이는 경우도 있지만 대부분은 한 차례 더 하락을 하고 나서 상승을 합니다.

　　아래의 차트를 보면 영어 대문자 W자처럼 패턴이 형성된 걸 확인할 수 있는데요, 이를 이중 바닥(쌍바닥)이라고 표현합니다. 바닥을 두 번 확인했

출처: 이베스트투자증권 HTS

다는 의미입니다. 두 번의 바닥을 확인하고 주가가 직전고점을 돌파하면 상
승추세로 전환했다고 판단해도 됩니다. W자형 패턴은 지금 주가가 단기적
인 바닥을 확인했는지 알 수 있는 패턴입니다.

플랫폼형은 기차역에 있는 플랫폼처럼 주가가 좁은 박스권에서 움직이
는 패턴을 의미합니다. 주가가 일정기간 상승하고 나면 조정을 받게 되는
데, 강한 조정을 받는 경우도 있지만 플랫폼 패턴처럼 약한 조정을 받는 경
우도 있습니다. 상승 후 횡보하는 흐름이라고 생각하면 됩니다.

이러한 플랫폼 패턴은 주도주에서 자주 출현하는 패턴입니다. 주도주는
상승은 길고, 조정은 짧고, 조정폭도 작습니다. 플랫폼 패턴을 일정기간 보
인 후, 네모난 박스권의 상단부를 돌파하면 다시 상승이 시작되고 다시 플

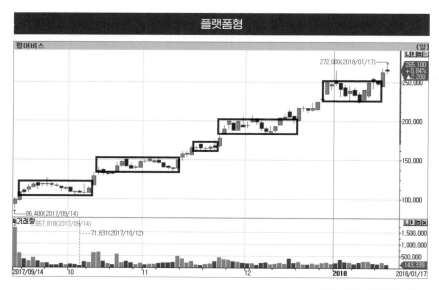

출처: 이베스트투자증권 HTS

랫폼 패턴으로 조정을 받고 다시 고점을 돌파하고 상승하는 랠리가 지속되는 경우가 많습니다. 차트에 이런 패턴이 보인다면 그 종목은 강력한 주도주라고 생각해도 됩니다.

　주가차트는 어찌 보면 굉장히 복잡합니다. 일봉, 거래량, 이동평균선, 날짜, 주가 등 다양한 요소들이 결합되어 주가차트를 형성하기 때문입니다. 하지만 규칙적인 패턴도 존재합니다. 우리가 수학시간에 배웠던 도형의 모습을 띤 패턴들이 실제 차트에 나타나곤 합니다. 이러한 패턴들이 정답이라고 할 수는 없지만 상승추세, 하락추세, 횡보추세를 나타내는 패턴들을 통해 주식투자자는 향후 주가가 어떻게 흘러갈 것인지 일부 예측할 수 있습니다.

 염불리의 꿀팁

패턴은 정해진 형태입니다. 주가차트에서도 일정한 패턴들이 형성됩니다. 상승패턴, 하락패턴, 횡보패턴 등 패턴분석을 통해 현재의 주가흐름을 파악할 수 있고, 미래의 주가흐름을 예상할 수 있습니다.

헤드앤숄더 패턴이
도대체 뭔가요?

저자 직강 동영상 강의로 이해 쑥쑥!
QR코드를 스캔하셔서 동영상 강의를 보시고
이 칼럼을 읽으시면 훨씬 이해가 잘 됩니다!

헤드앤숄더는 주가차트에 나타나는 전형적인 패턴 중의 하나입니다. 헤드앤숄더만 따로 떼내 글을 쓰는 이유는 이 패턴이 매우 중요하기 때문입니다. 주가의 고점과 바닥을 확인하는 지표 중에서 가장 확률이 높고 많이 쓰이는 패턴입니다.

헤드앤숄더에서의 헤드는 머리입니다. 그리고 숄더는 어깨입니다. 사람의 머리와 어깨 모양이 주가차트에 그대로 나타난다고 해서 이름 붙여진 패턴입니다.

헤드앤숄더에는 2가지 패턴이 있습니다. 고점을 나타내는 헤드앤숄더, 저점을 나타내는 역헤드앤숄더가 있습니다.

먼저 헤드앤숄더부터 알아보겠습니다.

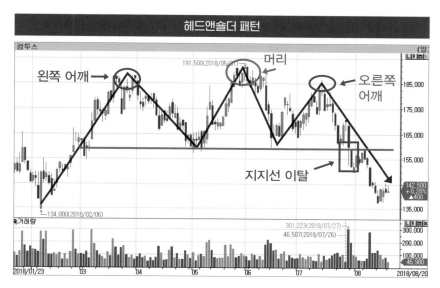

출처: 이베스트투자증권 HTS

컴투스의 주가차트입니다. 2018년 5월 31일 191,500원으로 최고점을 형성하고 주가가 하락했는데요, 이 고점이 바로 헤드로, 머리에 해당하는 영역입니다. 이 헤드를 중심으로 왼쪽과 오른쪽에 각각 또 다른 고점이 형성되어 있는데. 이 2개의 고점을 숄더라고 합니다.

사실 헤드앤숄더에서 왼쪽 어깨보다 오른쪽 어깨의 고점이 더 높아야 하는 게 헤드앤숄더 패턴의 정석이지만 주식시장에 절대 진리는 없습니다. 오른쪽 어깨가 비슷하거나 낮아도 큰 상관은 없습니다.

헤드앤숄더 형태가 만들어졌다고 해서 주가가 무조건 급락하는 것은 아닙니다. 이러한 패턴이 나온 이후 저점과 저점을 연결한 지지선을 이탈할 때 비로소 하락추세가 시작됩니다. 위의 차트에서 지지선은 빨간색으로 그

어진 16만 원입니다. 이 구간을 이탈하면서 컴투스는 본격적인 약세 흐름을 보이게 됩니다.

다음으로 역헤드앤숄더에 대해 알아보겠습니다.

출처: 이베스트투자증권 HTS

역헤드앤숄더는 헤드앤숄더를 180도 뒤집어놓았다고 생각하면 됩니다. 머리가 가장 아래에 있고, 양 옆으로 어깨가 있습니다. 위의 차트는 카카오 차트입니다. 2019년 2월 12일 93,300원에 최저점을 형성하는데요, 여기가 역헤드앤숄더 패턴의 헤드입니다. 최저점이 되는 것입니다. 그리고 왼쪽과 오른쪽에 또 다른 저점이 형성되어 있는 것을 확인할 수 있습니다. 이 2개의 저점이 숄더입니다. 빨간색으로 그어놓은 선은 역헤드앤숄더 패턴의 고점과 고점을 연결한 저항선입니다. 카카오는 이 저항선을 돌파하면서 본격적인 상승추세가 시작되는 것을 확인할 수 있습니다.

헤드앤숄더 패턴은 주가의 고점과 저점을 비교적 명확하게 알 수 있는 패턴입니다. 특히 지지선과 저항선을 이탈하거나 돌파할 때 새로운 추세가 형성되는 경우가 매우 많기 때문에 헤드앤숄더 패턴은 반드시 알아두시기 바랍니다.

 엽불리의 꿀팁

헤드앤숄더 패턴은 주가의 고점과 바닥을 확인하는 지표 중에서 가장 확률이 높고, 많이 쓰이는 패턴입니다. 헤드는 머리이고, 숄더는 어깨입니다. 사람의 머리와 어깨 모양과 유사하다고 해서 붙여진 패턴입니다. 헤드앤숄더는 고점을 나타내고, 역헤드앤숄더는 저점을 나타냅니다.

이격도는 어떤 개념이고
어떻게 활용되나요?

이격도는 주가와 이동평균선과의 간격을 나타내는 보조지표입니다. 주가는 이동평균선과 멀어지면 다시 가까워지고, 이동평균선과 가까워지면 다시 멀어지는 고유의 속성이 있습니다. 주가와 이동평균선 간의 간격인 이격도를 이해하면 지금 주가가 단기적으로 과열권에 있는지, 아니면 침체권에 있는지를 알 수 있습니다.

이격도는 100을 기준으로 합니다. 이격도가 100이라는 것은 주가와 이동평균선이 똑같다는 것입니다. 현재가가 10,000원인데 5일 이동평균선이 10,000원이면 5일 이격도는 100입니다.

5일 이격도가 110이면 현재가와 5일 이동평균선은 어떤 모습일까요? 이격도가 110이라는 것은 현재가가 이동평균선보다 10% 위에 있다는 의

미입니다. 즉 현재가는 11,000원이고 5일 이동
평균선은 10,000원이라는 의미입니다. 이격도
가 90이면 현재가가 이동평균선보다 10% 아
래에 있다는 의미입니다.

이격도는 증권사의 HTS, MTS*에서 설정이
가능합니다. 이격도에서 사용할 이동평균선은
5일, 20일, 60일, 120일 등 다양합니다. 어느

MTS

Mobile Trading System의 약
자로 주식 거래를 하기 위한 목
적으로 만들어진 증권사의 매
매 프로그램을 의미함. MTS는
모바일을 의미하는 개념으로,
스마트폰을 이용해 언제 어디
서든 증권거래를 할 수 있음

이동평균선이 정답이라고 할 수 없지만 대체적으로 20일 이동평균선을 많
이 활용합니다. 주가와 20일 이동평균선과의 간격인 20일 이격도를 활용하
면 단기적인 주가의 과열, 침체를 확인할 수 있습니다.

출처: 이베스트투자증권 HTS

출처: 이베스트투자증권 HTS

　　위의 차트는 LG화학의 20일 이격도 차트입니다. 20일 이격도가 110을 넘어가면 단기적으로 조정을 받는 경우가 매우 많았음을 확인할 수 있습니다. 반대로 90이하로 가면 주가가 다시 강하게 반등하는 것을 확인할 수 있습니다.

　　대형주는 주로 20일 이격도로 보면 90~110 사이에서 움직이는 것을 알 수 있습니다. 다만 정답은 없습니다. 20일 이격도가 130을 넘어섰는데도 계속 가는 경우도 있고, 80 이하로 내려갔는데도 계속 하락하는 경우도 있기 때문입니다. 하지만 대체적으로 대형주는 20일 이격도 90~110 범위에서 움직이는 경향이 많다는 점을 참고해 투자하시기 바랍니다.

　　지금까지 이격도의 의미와 투자전략에 대해 알아보았습니다. 주가는 계속 상승할 수도 없고, 계속 하락할 수도 없습니다. 과하게 상승하면 조정이 나오게 되고, 과하게 하락하면 반등이 나오는 것이 일반적입니다. 과도한 상승, 과도한 하락을 알 수 있는 객관적인 지표로 이격도는 활용하기에 매우 좋은 보조지표입니다. 이격도를 활용해 단기적인 주가의 과열이나 침체를 파악하고 매매타이밍을 잡는다면 확률 높은 투자를 할 수 있을 것입니다.

염볼리의 꿀팁

이격도는 주가와 이동평균선과의 간격(괴리)입니다. 이격도가 상승한다는 것은 주가가 이동평균선보다 상승폭이 더 크다는 것을 의미합니다. 이격도는 100을 기준으로 합니다. 이격도가 100 이상이면 주가가 이동평균선보다 위에 있다는 것이고, 100 이하면 주가가 이동평균선 아래에 있다는 것입니다.

6장

주식시장은 살아 있는 생명체와 같습니다. 그래서 흔히 미스터 마켓이라고도 하는데요, 이 미스터 마켓은 사람과 똑같습니다. 기분이 좋을 때는 흥분해서 시장이 급등하기도 하고, 기분이 우울할 때는 급락이 나오기도 합니다. 주식시장은 기업 실적, 글로벌 경제상황, 환율, 정치, 기후 등 다양한 요인에 의해 움직임이 결정됩니다. 기업들의 주가도 마찬가지입니다. 실적, 외부 변수, 수급, 대주주, 정부정책 등 다양한 요인들에 의해 주가의 움직임이 결정됩니다. 6장에서는 주식시장과 기업들의 주가 움직임을 이해하는 데 꼭 필요한 지식들을 알려드리겠습니다.

주린이도 꼭 알아야 할
주식시장을
움직이는 힘 10가지

FOMC를 알면 주식시장의
흐름이 보인다면서요?

주식시황을 보신 분들은 FOMC와 연준이라는 단어를 아마 가장 많이 들었을거예요. 주식투자자라면 반드시 알고 있어야 하는 단어임에는 틀림없습니다. 미국의 금리결정은 글로벌 증시에 큰 영향을 주기 때문에 FOMC에 대해서는 항상 신경을 쓰고 있어야 합니다. FOMC가 당장 영향을 안 주더라도 중장기적으로 글로벌 경제와 여러분이 투자한 기업의 실적과 주가에도 영향을 주기 때문입니다.

　　FOMC를 알기 위해서는 먼저 연방준비제도를 알아야 합니다. 연준이라고도 불리는데요, 현재는 연준이라고 부르는 경우가 많습니다. 한국에는 한국은행이라는 중앙은행*이 있습니다.

　　중앙은행은 그 나라의 통화정책을 책임지는 기관입니다. 물가가 너무

중앙은행

한국은행, 미국 연방준비은행, 영국 영란은행 등이 있으며 금리, 통화량을 결정해 그 나라의 경기를 조절하는 매우 중요한 역할을 하고 있음. 화폐를 발행할 수 있으며 채권 매입이나 매각 등을 통해 시중 통화량을 조절해 경기를 조절함

오르면 금리를 인상하고 통화량을 줄여 경기를 위축시켜 물가상승을 제어합니다. 경기가 좋지 않으면 금리를 인하하고 통화량을 증가시켜 경기를 부양시키기도 합니다. 코로나19와 같은 경제충격이 발생하면 금리인하 외에 채권매입 등을 통해 시중에 막대한 돈을 풀어 경기부양에 모든 것을 쏟아붓기도 합니다. 미국에서는 이 역할을 연준이 하고 있습니다.

연준은 1913년 12월 23일 미 의회를 통과한 연방준비법에 따라 공식적으로 출범했습니다. 연준은 12개의 지역 연방준비은행과 연방준비위원회, 연방공개시장조작위원회(FOMC)로 구성되어 있습니다. 이 중 FOMC는

12개의 미국 연방준비은행

- 01- 보스턴
- 02- 뉴욕
- 03- 필라델피아
- 04- 클리블랜드
- 05- 리치먼드
- 06- 애틀랜타
- 07- 시카고
- 08- 세인트루이스
- 09- 미니애폴리스
- 10- 캔자스시티
- 11- 댈러스
- 12- 샌프란시스코

출처: 미국 연방준비제도 이사회

통화정책*을 결정하는 기관입니다.

'연준의 수장'이라고 불리는 연준의장은
미국의 대통령이 지명하며, 4년의 임기 동안
의장직을 수행합니다. 첫 4년 임기 이후에는
연임이 가능합니다. 연준의장은 '글로벌 경제
대통령'이라고도 불리웁니다.

연준의장의 말 한 마디의 무게는 엄청납니다. 경기에 대한 판단, 향후 금
리정책에 대한 전망 등을 발언할 때마다 자산시장은 크게 출렁이게 됩니다.

연준의장을 비롯한 연방준비제도 이사들이 참여해 미국의 통화정책을
결정하는 FOMC는 일년에 8번의 정기회의를 개최합니다. 특히 8번의 정기
회의 중에서 3, 6, 9, 12월에 열리는 FOMC는 매우 중요합니다. 경제에 큰
영향을 줄 수 있는 금리결정 등 중요한 정책들이 3, 6, 9, 12월에 결정되는
경우가 많기 때문입니다.

미국 연준 홈페이지에 접속하면 FOMC 일정이 나옵니다(www.
federalreserve.gov/monetarypolicy/fomccalendars.htm). 꼭 FOMC 일정을 체
크해 어떤 이벤트가 발생할지 관심을 갖고 대응하시기 바랍니다.

 염블리의 꿀팁

연준은 미국의 중앙은행입니다. 미국의 통화정책을 결정하는 곳입니다. 연준은
매년 8번의 FOMC를 개최합니다. FOMC에서 금리 등 중요한 의사결정을 합니다.
FOMC의 결정은 글로벌 경제와 주식시장에 큰 영향을 끼치기 때문에 투자자들
은 꼭 FOMC의 결과를 확인하시기 바랍니다.

비둘기파 vs. 매파,
그 차이는 뭔가요?

"비둘기파도 금리인상 가능" "한은 비둘기파의 저물가 경고" "매파 4인방 앞세운 트럼프" 등 뉴스 제목에 갑자기 비둘기와 매가 등장해서 의아해하시는 분들이 있으실 거예요.

비둘기와 매라는 단어를 여러분이 들었을 때 어떤 느낌이 드시나요? 비둘기는 우리가 평화의 상징으로 알고 있기 때문에 온순함이라는 단어가 떠오르실 거예요. 반면에 매는 아무래도 전투적인 느낌이 드실 겁니다. 비둘기파는 느낌 그대로 온건파라고 생각하시면 되고, 매파는 강경파라고 생각하시면 됩니다.

앞에서 FOMC를 설명해드렸는데요, FOMC에는 여러 명의 연준 위원들이 참석해서 통화정책을 결정하게 됩니다. 경기가 생각보다 좋으니 금리를

올리자는 의견을 제시하는 위원도 있을 거고, 경기가 여전히 부진하니 금리를 내리자는 의견을 제시하는 위원도 있을 거예요.

경기가 좋고 물가가 상승하니 금리를 올려서 긴축을 하자는 세력을 매파라고 지칭합니다. 반대로 경기부양을 위해 금리를 내리자고 하는 세력을 비둘기파라고 합니다. 경기에 맞서는 세력을 매파라고 생각하시고, 경기를 부양하기 위해 온건한 통화정책을 펼치는 세력을 비둘기파라고 생각하시면 됩니다.

"매파는 옳고 비둘기파는 틀리다" "매파는 틀리고 비둘기파는 맞다" 식으로 우리가 단정지을 수는 없습니다. 경제상황에 따라 항상 변수가 존재하기 때문입니다. 코로나19가 발생하고 글로벌 경제가 큰 충격을 받았을 때, 매파성향을 가진 미국의 연준위원들은 비둘기파가 되어서 금리를 0%까지 낮추는 데 적극적으로 찬성했습니다. 매파가 비둘기파가 된 거죠. 반대로 2007년 글로벌 경기가 너무 좋아서 물가가 급등하자 비둘기파 성향을 가지고 있던 연준위원들도 금리인상에 적극 찬성하기도 했습니다. 물론 경기판단이 애매한 구간에서는 매파와 비둘기파의 의견이 확실히 나눠져서 격론을 펼치기도 합니다.

매파든 비둘기파든 정답은 결코 없습니다. 항상 상황에 맞는 의사결정이 필요합니다. 경기가 과열되어서 물가가 너무 치솟으면 금리를 인상해서 경기과열을 막아야 하고, 경기가 너무 위축되어서 침체에 빠지면 적극적인 금리인하를 통해 경기를 부양시켜야 합니다.

투자자 여러분들은 매파와 비둘기파라는 용어에 큰 의미를 두지는 마시기 바랍니다. 왜 금리를 올리는지, 왜 금리를 내리는지, 왜 금리를 동결시키는지 그 이유를 파악하는 것이 더 중요합니다.

 엽불리의 꿀팁

매파는 강경파입니다. 매파는 경기과열로 물가가 상승하면 금리인상을 통해 경기과열을 막으려는 세력을 의미합니다. 반면에 비둘기파는 온건파입니다. 비둘기파는 경기침체로 물가가 하락하면 금리인하를 통해 경기를 부양시키려는 세력을 의미합니다.

질문
TOP
48

양적완화로 주식시장이
오르는 이유는 뭔가요?

사람은 몸이 아프면 병원에 갑니다. 병원에
가서 의사의 진단을 받고 건강이 심각해지면
병원에 입원하고 치료를 받게 됩니다. 간혹
생명이 위태로워지면 중환자실에 들어가서
집중치료를 받기도 합니다. 중환자실에서 의
료진의 우선순위는 몸을 정상으로 회복시키
는 게 아니라 목숨을 살리는 것입니다. 환자
가 죽으면 어떤 것도 의미가 없기 때문입니다.

> **대공황**
>
> 1929년 미국에서 발생한 경제쇼
> 크. 주식시장 급등과 공급과잉의
> 영향으로 경제에 거품이 생긴 상
> 황에서 주가지수가 폭락하자 연
> 쇄적으로 모든 자산의 가격이 폭
> 락했고 실물경제도 큰 침체에 빠
> 진 사건

경제도 마찬가지입니다. 1929년 대공황*, 2008년 금융위기, 2012년
유럽위기*, 2020년 코로나19 팬데믹 등 경제에 큰 충격이 발생하면 세계각

국의 중앙은행과 정부는 경제를 살리기 위해 긴급 처방전을 내리게 됩니다. 긴급 처방전 중 가장 대표적인 것이 바로 여러분이 많이 들었던 양적완화입니다.

경제도 사람처럼 건강할 때도 있고, 아플 때도 있습니다. 너무 건강해서 에너지가 과하게 넘칠 때도 있고, 정말 심각할 정도로 위험할 때도 있습니다. 경제의 상승기, 경제의 하락기에 중앙은행은 적절한 조치를 취하게 되는데요, 경기가 좋으면 물가가 상승하기 때문에 물가상승을 막고 거품을 차단하기 위해 선제적으로 금리를 올리는 정책을 시행하고, 반대로 경기가 좋지 않으면 물가가 하락하고 소비가 줄어들고 기업투자가 위축되면서 고용이 줄어들기 때문에 경기 활성화를 위해 금리를 인하하게 됩니다. 이렇게 금리를 조절해서 경기를 조절하는 통화정책을 '전통적인 방식의 통화정책'이라고 합니다.

양적완화는 비전통적인 방식의 통화정책입니다. 대공황이나 코로나19 팬데믹은 아주 드물게 발생하는 충격이지만 발생할 경우 경제에 엄청난 충격을 주게 됩니다. 기업들은 도산하고, 실업자는 증가하고, 나라경제는 엉망이 되죠. 이런 경우에 정부와 중앙은행은 긴급 처방전을 쓰게 됩니다. 물론 전통적인 방식인 금리인하는 기본이고요.

미국의 기준금리는 2008년 금융위기 전에 5%를 넘었지만 금융위기 이후에는 0%까지 내려갔습니다. 당시 미국은 금리를 매우 빠른 속도로 0%까지 인하했지만 위기를 막기에는 역부족이었습니다. 이처럼 금리인하는 효과가 나타날 때까지 시간이 많이 걸립니다. 하지만 양적완화는 바로 효과가 나타납니다.

2008년 양적완화를 단행해 위기를 종식시킨 벤 버냉키 前 연준의장

양적완화는 중앙은행이 돈을 대규모로 찍어내고(발행하고), 그 찍어낸 돈으로 국가가 발행한 채권인 국채나 민간기업들이 발행한 회사채를 매입해 시중에 돈을 대량으로 유입시키는 통화정책입니다. 중앙은행의 돈이 시장으로 나가고 중앙은행은 국채나 회사채를 보유하게 됩니다. 시장에 풀린 많은 돈들은 필요한 곳으로 흘러들어가게 되고 목숨이 위태롭던 경제는 일단 한숨을 돌리게 됩니다. 2008년 당시 미국의 연준의장이던 벤 버냉키는 4조 5,000억달러의 화폐를 발행해서 금융회사 채권을 매입했고, 미국경제는 살아나게 되었습니다.

양적완화는 돈을 찍어내서 시중에 유통시키는 정책이기 때문에 돈의 양이 매우 많아지게 됩니다. 돈의 공급이 늘어난다는 의미죠. 공급이 늘면 당연히 돈의 가치는 떨어지게 됩니다.

양적완화는 돈의 가치를 금리인하보다 더 급격히 떨어뜨립니다. 돈의 가치가 떨어지면 반대로 자산의 가치는 올라갑니다. 현금과 반대에 위치한 자산인 부동산, 주식, 원자재 등 실물자산의 가치는 급격히 상승하게 되죠. 2020년 3월 코로나19 팬데믹이 발생한 후 미국 등 많은 나라들이 막대한 돈을 풀었고, 이때 경제상황이 좋지 않음에도 주식시장이 급등한 것은 이러한 이유 때문입니다.

위기 때마다 등장하는 양적완화! 양적완화는 경제가 심각할 정도로 좋지 않다는 것을 알려주기도 하지만 주식투자로 자산을 증식할 수 있는 좋은 기회가 될 수 있다는 것을 잊지 마시기 바랍니다.

 염불리의 꿀팁 ─────

금리는 전통적인 방식의 느린 통화정책입니다. 양적완화는 경제에 위기가 닥쳤을 때 중앙은행이 돈을 찍어내서 채권을 매수하는 비전통적인 방식의 통화정책입니다. 양적완화가 시작되면 돈의 공급은 크게 증가하고, 주식 등 자산가치는 상승하게 됩니다.

턴어라운드 기업에
투자기회가 있다면서요?

턴어라운드(turn around)는 '돌아선다'는 뜻입니다. 부실기업이 우량기업으로, 적자기업이 흑자기업으로, 저성장 기업이 고성장 기업으로 변신에 성공했다는 의미입니다. 2군에만 머물던 야구선수가 피나는 노력을 통해 1군선수가 된 것도 턴어라운드이고, 망해가던 음식점이 〈골목식당〉에 출연해서 백종원 씨의 도움으로 대박집이 된 것도 턴어라운드라고 할 수 있습니다. 턴어라운드는 긍정적인 변화라고 생각하시면 됩니다.

주식시장에서 턴어라운드 기업은 많지 않습니다. 실적이 좋지 않았던 기업은 계속 안 좋은 경우가 많고, 좋은 기업은 계속 좋은 경우가 많습니다. 그래도 턴어라운드 기업은 꾸준히 나옵니다.

우리가 턴어라운드 기업에 주목해야 하는 이유는 주가상승률이 엄청나기 때문입니다. 단막극 무명배우가 영화의 주연배우가 되어 몸값이 천정부지로 치솟는 것처럼 부실기업, 적자기업으로 관심도 못 받던 회사가 대규모 흑자를 내고 시장의 관심을 한 몸에 받게 되면 주가도 엄청난 상승세를 보이게 됩니다.

대표적인 턴어라운드 기업이 5G 통신장비 회사인 케이엠더블유입니다. 이 기업은 삼성전자, 노키아 등 세계적인 통신장비 회사에 통신 기지국 부품 등을 납품하는 업체입니다. 2014년부터 통신장비 투자가 급감하면서 2018년까지 5년간 연이어 적자를 기록하게 됩니다. 그러다 보니 주가도 1만 원 이하에서 주로 거래가 되었고, 한때 3,000원대까지 급락하기도 했습니다. 이익을 내지 못했기 때문에 자금조달을 위해 전환사채*와 유상증자*를 하면서 주주가치를 훼손하기도 했습니다.

그런데 한국의 통신 3사가 2019년에 5G를 전 세계에서 최초로 상용화하겠다고 발표하자 케이엠더블유의 상황이 바뀝니다. 2018년에도 여전히 적자를 기록했지만 그 기대감으로 주가는 2018년부터 서서히 상승하기 시작했고, 2019년 4월에 5G 상용화가 시작되자 주가는 그야말로 천정부지로 치솟게 됩니다. 2019년 3월 12,000원에 있던 주가는 불과 6개월 만에 8만 원까지 상승하게 됩니다. 물론 실적도 좋아지게 됩니다. 2018년 200억 원이 넘는 적자를 기록했지만 2019년에는 무려 1,300억 원이 넘는 흑자를 기록했습니다.

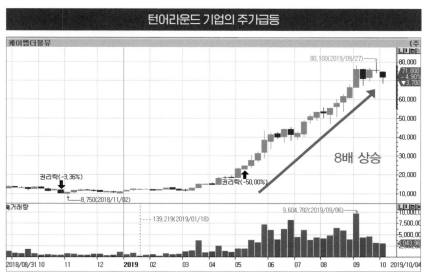

턴어라운드 기업의 주가급등

케이엠더블유   (주)

80,100(2019/09/27)
권리락(-3.36%)   권리락(-50.00%)   8배 상승

8,750(2018/11/02)

거래량   139,219(2019/01/18)   9,604,782(2019/09/06)

2018/08/31 10   11   12   2019   02   03   04   05   06   07   08   09   10   2019/10/04

출처: 이베스트투자증권 HTS

　　케이엠더블유의 사례에서 보듯이 턴어라운드 기업의 주가상승률은 굉장하기 때문에 많은 투자자들이 턴어라운드 기업을 찾아내려고 노력을 합니다. 하지만 결코 쉽지 않습니다. 대규모 적자를 보는 기업이 대규모 흑자기업으로 전환할 가능성은 높지 않습니다. 그렇기 때문에 적자기업에 무턱대고 투자해서는 안 됩니다. 반드시 좋아지는 것을 확인하고 투자를 해야합니다.

　　확인하고 투자해도 결코 늦지 않습니다. 세계적인 전기차 제조회사인 테슬라도 그런 경우에 해당됩니다. 설립 이후 매년 막대한 적자를 기록하면서 부도설까지 돌기도 했습니다. 전기차가 팔리지 않았다면 부도가 났을 수도 있었을 겁니다. 하지만 테슬라는 전기차 판매가 증가하면서 흑자를 내며 결국 살아남았고, 전 세계 자동차 회사 중에서 가장 높은 시가총액을 기록하게 됩니다(2020년 11월 기준 테슬라 시가총액 500조 원, 2위 도요타 200조 원).

이처럼 턴어라운드 기업에 대한 투자는 성공할 경우 투자자에게 막대한 이익을 안겨줍니다. 하지만 실패할 경우 전 재산을 다 날릴 수도 있을 정도로 리스크 역시 큽니다. 기업의 미래는 그 누구도 알 수가 없기 때문입니다.

적자기업 중에서 그 기업이 속한 업종이 성장을 할 것이 확실해야 합니다. 그리고 그 기업의 매출이 증가하면서 흑자전환한 것을 확인한 후에 투자하면 됩니다.

턴어라운드 기업에 대한 투자를 할 때는 예언가가 되어서는 안 됩니다. 돌다리도 두들겨 건너는 투자자가 되어야 합니다.

 염블리의 꿀팁

턴어라운드 기업은 장기간 실적부진을 겪었던 기업이 강력한 성장 모멘텀을 기반으로 매출과 이익이 급증하며 주가가 큰 폭의 상승세를 기록하는 것을 의미합니다. 미래는 아무도 알 수 없는 만큼 적자에서 흑자로 실적이 돌아서는 것을 반드시 확인하고 투자해야 합니다.

MSCI 지수가
도대체 뭔가요?

한국은 자본시장이 완전히 개방된 국가입니다. IMF 전까지만 해도 한국 주식시장은 외국인들 투자가 제한되어 있었습니다. IMF 이후 한국시장은 완전 개방되어 외국인들은 자유롭게 한국증시에 상장된 기업들의 주식을 사고팔 수 있습니다.

한국증시에 외국인들이 투자하는 방법은 다양합니다. 미국에 사는 스미스 씨가 직접 계좌를 개설해서 한국주식을 살 수도 있고, 미국의 유명펀드가 대규모 자금을 동원해서 한국주식을 살 수도 있습니다. 아니면 기준이 되는 지수를 따라서 한국주식을 살 수도 있습니다. 이를 패시브 펀드라고 하는데, 어렵지 않으니 쉽게 설명해드리겠습니다.

글로벌 시장에는 다양한 펀드들이 있습니다. 펀드매니저들이 자기가 종목을 고르고 매수하는 방식의 액티브(능동형) 펀드가 있고, 기준이 되는 지수를 그대로 따라서 매수하는 방식의 패시브(수동형) 펀드가 있습니다. 과거에는 액티브 펀드 비중이 컸는데 현재는 패시브 펀드 비중이 더 커졌습니다 (2007년 액티브 펀드 규모 65조 원, 패시브 펀드 규모 4조 원 / 2019년 액티브 펀드 규모 22조 원, 패시브 펀드 규모 40조 원).

여러분이 김치찌개를 만들기 위해 마트에 장을 보러 갔다고 가정해볼게요. 여러분만의 레시피가 있어서 버섯도 사고 돼지고기도 사고 파도 사고 떡도 사고 등등 원하는 대로 재료를 사다가 고추장과 고춧가루를 넣고 적당히 끓였다면 이는 액티브 펀드입니다. 여러분이 자신만의 생각을 가지고 만들었기 때문이죠.

그런데 백종원 씨가 유튜브에 올려준 김치찌개 레시피대로 여러분이 똑같이 재료를 사고 똑같이 요리를 해서 만들었다면 어떨까요? 이는 여러분의 생각이 아닌 백종원 씨의 요리를 따라한 것이 되겠죠. 이런 방식이 바로 패시브 펀드입니다.

MSCI는 바로 백종원의 김치찌개 레시피라고 이해하기 쉽게 생각하면 됩니다. MSCI는 패시브 펀드가 기준으로 삼는 지수입니다. Mogan Stanley Capital International이라고 표기하는데, 미국의 모건스탠리*가 개발한 전 세계 주식시장의 기준이 되는 지수 중의 하나입니다.

패시브 펀드들은 MSCI 지수에 속한 국가, 개별 기업들의 비중이 변하면 거기에 맞게 포트폴리오를 조정합니다. 백종원 씨가 김치찌개 레시피에서 김치를 10조각 넣고 버섯을

모건스탠리

1935년 JP모건 소속의 모건, 스탠리 등이 뉴욕시에서 창립한 금융회사. 세계에서 가장 큰 투자은행 및 글로벌 금융 서비스 업체 중 하나. 회사, 정부, 금융기관, 개인을 상대로 다양한 서비스를 제공함

3개 넣었었는데, 김치를 8조각 넣고 버섯을 5개 넣는 것으로 변경했다면 여러분도 따라서 재료의 양을 조절하겠죠.

MSCI 지수에 한국증시가 20% 비중으로 들어가 있고, 중국증시가 10% 비중으로 들어가 있다고 가정을 해볼게요. 그런데 MSCI가 중국시장이 커지는 것을 감안해서 중국비중을 12%로 올리겠다고 발표를 한다면 어떻

MSCI 신흥시장지수 편입국가

MSCI 신흥시장지수		
신흥시장		
미주	EMEA	아시아
아르헨티나	체코공화국	중국
브라질	이집트	인도
칠레	그리스	인도네시아
콜롬비아	헝가리	대한민국
멕시코	쿠웨이트	말레이시아
페루	폴란드	파키스탄
	카타르	필리핀
	러시아	대만
	사우디아라비아	태국
	남아프리카	
	터키	
	아랍에미리트	

출처: msci.com

게 될까요? 당연히 한국을 비롯한 다른 나라들의 비중이 줄어들겠죠. 중국이 들어오는 만큼 다른 나라가 차지하는 비중은 줄어들게 됩니다. MSCI를 추종하는 펀드들은 이러한 결정이 나면 중국주식에 대한 비중을 2%만큼 더 늘리고 한국 등 다른 국가의 비중은 MSCI의 기준대로 축소하게 됩니다.

MSCI 지수는 선진지수, 신흥지수, 프론티어(개발도상국)지수 3개로 나누어져 있습니다. 한국은 신흥지수에 편입되어 있습니다.

MSCI 신흥지수(EM)를 추종하는 자금은 무려 2,000조가 넘는다고 합니다. 1%만 비중이 축소되어도 20조 원이 넘는 돈이 국내주식을 매도하고 빠져나갈 수 있습니다. MSCI EM 내에서 향후 중국의 비중은 계속 늘어날 가능성이 있습니다. 이렇게 되면 한국증시는 그럴 때마다 외국인 매도로 몸살을 앓을 수 있죠.

MSCI는 매년 2월 말, 5월 말, 8월 말, 11월 말에 정기적으로 리밸런싱을 합니다. 그때마다 한국증시는 외국인 매매에 따라 변동성이 커지곤 합니

MSCI 한국, MSCI 신흥시장, MSCI 세계지수 차트

출처: msci.com

다. 항상 불편한 이슈지만, MSCI 지수 리밸런싱(비중조절)의 의미를 정확히 이해하고 시장을 보신다면 주식시장이 지금보다 좀 더 명확하게 보이리라 생각합니다.

 염블리의 꿀팁

MSCI 지수는 2,000조 원에 달하는 펀드자금이 추종하는 기준지수입니다. MSCI 신흥지수에 속해 있는 한국증시는 중국의 편입비중 확대 때문에 매년 비중이 줄 어들고 있고, 그러한 비중축소에 따른 외국인 매도가 그때마다 나오고 있습니다.

블록딜이란 어떤 것이고
왜 악재가 되나요?

여러분이 어느 기업의 대주주라고 한번 가정을 해보세요. A라는 기업의 대주주인데 급하게 지분을 일부 팔아야 하는 사정이 생겼습니다. 급하게 큰돈이 필요한데 대출을 받기는 그렇고 주식을 처분해서 현금을 확보해야 하는 상황이 발생한 거죠. 30%의 지분을 보유하고 있는데 이 중 2%를 그냥 장중에 매도한다고 하면 어떤 일이 발생할까요?

지분 2%면 사실 굉장히 큰 돈입니다. 시가총액 5,000억짜리 회사라면 100억 원 가치의 주식을 파는 거죠. 장중에 주가는 급락할 것이고, 주가급락으로 원하는 가격에 팔기도 어려울 것이고, 그래서 주가가 왜곡될 수도 있겠죠. 그래서 장중에 대규모로 매도하기보다 블록딜을 이용해 지분을 매각하는 경우가 많습니다.

블록딜이란 주식을 대규모로 보유한 주요주주가 사전에 매도물량을 인수할 매수자를 구해 시장에 영향을 끼치지 않도록 장 개시 전이나 장 마감 후에 지분을 넘기는 거래를 의미합니다.

블록딜은 대주주가 지분을 매각할 때 주로 사용하는데요, 지분을 매각하기 전에 투자자를 일단 모집합니다. 주로 외국인과 기관투자자들을 대상으로 매각하는데요, 이들에게 지금 현재가로 지분을 매각하면 이들은 당연히 그 가격엔 지분을 인수하지 않을 겁니다. 그래서 할인을 해줍니다. 보통 현재가에서 7% 아래로 할인을 하는 경우가 많이 있습니다. 현재가가 1만 원이면 9,300원에 보유 지분을 넘기는 거죠.

블록딜은 주가에 명백한 악재로 작용합니다. 그것은 다음과 같은 2가지 이유 때문입니다.

첫째, 유통주식수*가 늘어납니다. 대주주 보유지분이나 자사주 등은 시장에 쉽게 나오지 않는 물량입니다. 그렇기 때문에 유통주식수에는 빠지게 되는데요, 유통주식수가 적을수록 주가에는 긍정적입니다. 거래되는 주식이 적기 때문에 공급감소로 주가에는 긍정적입니다.

> **유통주식수**
> 상장법인의 총발행 주식 중 대주주 지분, 자사주, 정부 소유주 등 특수관계인이 보유한 물량를 제외하고 실제 시장에서 유통이 가능한 주식수

블록딜로 인해 잠겨 있던 대주주 지분이나 자사주가 외국인이나 기관투자자에게 넘어가면 유통주식수가 늘어납니다. 이들은 장기투자보다는 시세차익을 노리고 들어온 경우들이 많기 때문에 물량을 받고 바로 차익실현을 할 가능성이 높습니다. 시중에 물량이 풀려버리는 거죠. 유통주식수 증가로 주가도 당연히 악영향을 받습니다.

둘째, 투자심리에 부담으로 작용합니다. 대주주가 가진 주식 중 일부를

매각하는 것은 자칫 주주들의 불안심리를 자극할 수 있습니다. '회사에 우리가 모르는 문제가 생긴 것인가?' '회사가 안 좋으니 지분을 축소하려는 거 아닌가?' 등 불안한 생각이 들 가능성이 높습니다.

주가는 다양한 요인에 의해 변동을 하게 됩니다. 투자심리도 주가에 큰 영향을 주게 됩니다. 그래서 대주주의 지분매각을 위한 블록딜은 특히 주가에 악영향을 끼칩니다.

2020년 코로나19가 발생한 이후 주가가 가장 많이 상승한 기업 중에 신풍제약이 있습니다. 코로나19 치료제 기대감으로 8,000원에 머물던 주가가 214,000원까지 거의 30배 상승을 했습니다.

고공행진을 하던 신풍제약의 주가는 블록딜로 인해서 갑자기 급락을 하게 되었는데요, 자사주 128만 9,550주를 홍콩계 헤지펀드 등에 블록딜로 넘기는 거래를 하면서 유통주식수 증가로 인해 주가는 크게 하락하게 됩니다.

블록딜을 결정한 다음날(2020년 9월 22일) 주가는 -29% 급락세를 보이다 종가는 -14%에 마감했습니다. 그 후 한 달간 주가는 30% 더 하락세를 보이게 됩니다.

2020년 9월 22일 신풍제약 자사주 블록딜

| 019170 ▼ ⬆️🔍 ▶ 관 현 신풍제약 | ○ 금액 ⊙ 수량 ○ 단가 | ⊙ 순매수 ○ 매수 ○ 매도 | 2020/09/22 ▼ ~ 2020/09/22 ▼ | □ 누적 | [주] |

일자	종가	대비	거래량	개인	외국인	기관계	금융투자	투신	보험	은행	증금	연기금 등	사모펀드	내외국인	기타
2020/09/22	166,000	▼ 27,500	13,709,460	1,296,332	-40,699	-3,220	277	-4 자사주 블록딜				-3,552	536	8,14	1,260,553

출처: 이베스트투자증권 HTS

블록딜은 이렇듯 주가에 큰 영향을 끼치는 이벤트입니다. 투자자가 사전에 블록딜을 할지 안 할지 알 수는 없습니다. 하지만 블록딜을 공시한 기업이 있다면 투자에 주의하시기 바랍니다. 기업가치가 좋아도 수급 악화로 상당 기간 주가가 부진할 가능성이 높기 때문입니다.

염불리의 꿀팁

블록딜은 사전에 약정을 맺은 투자자에게 시간외거래에서 대규모 지분을 매각하는 것입니다. 대주주가 본인의 보유지분을 매각하거나 자사주를 매각할 때 주로 사용하는 방법입니다. 유통주식수가 증가하고 투자심리에 악영향을 끼쳐 주가가 급락하는 경우가 많습니다.

원달러환율이 하락하면
왜 외국인이 매수하나요?

저자 직강 동영상 강의로 이해 쏙쏙!
QR코드를 스캔하셔서 동영상 강의를 보시고
이 칼럼을 읽으시면 훨씬 이해가 잘 됩니다!

환율은 한 나라의 화폐와 외국화폐와의 교환비율입니다. 원달러환율은 우리나라 원화와 미국 달러화의 교환 비율이고, 엔달러환율은 일본 엔화와 미국 달러화의 교환 비율입니다.

환율이 하락한다는 것은 그 나라의 통화가치가 상승한다는 의미입니다. 원달러환율이 하락한다는 것은 원화가 강해지고 달러가 약해진다는 의미입니다. 원달러환율이 하락할 때 한국 주식시장은 상승하는 흐름을 보이고 외국인투자자들은 한국주식 비중을 확대하는 경향을 보이기 때문에 원달러환율의 흐름을 알고 전망하는 것은 국내주식 투자를 하는 데 있어서 매우 중요합니다.

한국시장에서 외국인들의 비중은 2020년 10월 말 기준으로 34.2%에 달합니다. 자금규모도 크고 대형주 중심으로 매매를 하기 때문에 우리나라 주식시장에 큰 영향을 끼칩니다. 그렇기 때문에 외국인투자자들이 한국주식에 대한 비중을 늘릴 것인지, 비중을 줄일 것인지 전망을 하는 것은 매우 중요합니다.

미국 연준의 통화정책

연준이 통화량을 증가시키는 금리인하 정책을 펼치면 증시에는 긍정적이며 통화량을 감소시키는 금리인상 정책을 펼치면 증시에는 부정적으로 작용

외국인투자자들이 한국시장에 대해 비중을 늘릴지 줄일지 어떻게 판단할 수 있을까요? 달러가치와 한국 기업들의 수출을 살펴보면 됩니다.

지정학적 리스크

지리적인 위치 관계가 정치, 국제 관계에 미치는 영향으로 한국은 북한과의 전쟁 위험이 리스크로 작용 중

여러분이 미국에 있는 펀드매니저라고 생각해보기 바랍니다. 1조 원이나 되는 큰 자금을 운용한다면 다양한 변수들을 생각하면서 신중하게 투자를 해야 할 것입니다. 미국경제, 글로벌 경기, 미국 연준의 통화정책*, 신흥국 경제상황, 지정학적 리스크*, 환율 등 여러 변수를 종합해서 어디에 투자할지, 어떤 비중으로 투자할지 결정을 할 것입니다. 만약 미국 경기가 좋고 달러화가 강할 것이라고 생각한다면 미국 시장에 많은 자금을 투자할 것이고, 신흥국 경기가 좋고 달러화가 약할 것이라면 아마 신흥국에 많은 자금을 투자할 것입니다. 만약 달러가 강할 것이라면 달러화 자산에 투자하고, 중국의 위안화가 강할 것이라면 중국의 자산에 투자하는 것이 유리할 것입니다.

그렇다면 외국인투자자들이 한국 주식시장에 투자하려면 무엇을 고려해야 할까요? 당연히 1순위는 원달러환율입니다. 달러화 대비해서 우리나라의 원화가 더 강할 것이라면(원달러환율 하락), 달러를 팔고 삼성전자 같은

한국주식을 사는 것이 유리합니다.

예를 들어보겠습니다. 원달러환율이 1달러에 2,000원이고 삼성전자 주가가 10만 원이라면 삼성전자 1주를 매수하는 데 몇 달러가 필요할까요? 50달러가 필요합니다.

그런데 한 달 후에 원달러환율이 급락해서 1달러에 1,000원이 되었고 삼성전자 주가는 10만 원 그대로 변동이 없다면 이 투자자는 웃고 있을까요, 울고 있을까요?

아마 크게 웃고 있을 것입니다. 삼성전자 1주를 10만 원에 팔고 달러로 환전하면 몇 달러를 받을 수 있을까요? 100달러를 받을 수 있겠죠. 삼성전자 주가는 변하지 않았는데 원달러환율이 50% 하락하면서 외국인투자자는 100%의 수익을 얻을 수 있게 됩니다.

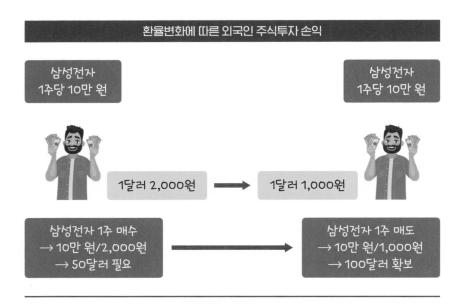

환율변화에 따른 외국인 주식투자 손익

삼성전자
1주당 10만 원

삼성전자
1주당 10만 원

1달러 2,000원 ➡ 1달러 1,000원

삼성전자 1주 매수
→ 10만 원/2,000원
→ 50달러 필요

삼성전자 1주 매도
→ 10만 원/1,000원
→ 100달러 확보

한국은 수출비중이 높은 나라입니다. 기업 이익의 대부분이 수출에서 발생하기 때문에 수출이 증가할지, 감소할지 예측하는 것이 매우 중요합니다. 삼성전자의 주가가 상승하려면 반도체, 스마트폰, 가전 등의 제품수출이 증가해야 합니다. 그런데 한국의 수출 증가율은 원달러환율이 하락할 때 상승하는 경향이 있습니다. 글로벌 경기가 좋아질 때 원달러환율은 하락하는 경향이 있기 때문에 수출도 증가한다고 생각하면 됩니다.

'글로벌 경기개선 → 원달러환율 하락 → 수출증가 → 기업실적 개선 → 한국 대표 수출기업 주가상승 → 주식시장 상승'의 흐름이 전개되는 것입니다.

한국 주식시장은 외국인투자자의 자금 흐름과 환율에 매우 민감하게 반응하는 시장입니다. 원달러환율을 정확히 예측할 수는 없지만 신문, 증권사 보고서, 책 등을 통해서 원달러환율을 파악할 수 있는 능력을 키우시기 바랍니다. 환율분석은 성공투자를 위한 필수조건입니다.

 엄블리의 꿀팁

한국 주식시장은 원달러환율이 하락할 때 강세를 보이는 경향이 있습니다. 환율하락은 원화 가치의 상승을 의미하기 때문에 외국인투자자들은 한국주식 비중을 늘리게 됩니다. 또한 원달러환율의 하락은 글로벌 경기개선을 의미하기 때문에 한국 기업들의 실적개선을 미리 알려주기도 합니다.

주가가 급등하려면
결정인자가 필수라면서요?

주도주란 시장을 앞장서서 이끄는 기업들을 의미합니다. 주도주가 되려면 주가상승은 기본이고, 그 당시 시장의 산업 트렌드를 주도하는 업종에 속해 있어야 합니다. 2005~2007년의 강세장을 주도했던 조선주와 철강주는 당시 중국의 대규모 인프라 투자 확대에 따라 막대한 이익을 냈을 뿐만 아니라 주가도 크게 상승했습니다.

대표 조선사인 현대미포조선은 2005년부터 2007년까지 무려 1,067% 상승했고, 철강 대표기업인 POSCO는 같은 기간 동안 309% 상승했습니다. 삼성전자는 같은 기간 동안 겨우 23% 상승하는 데 그쳤습니다. 코스피 지수가 3년간 133% 상승했던 걸 감안하면, 주도주인 현대미포조선과 비주도주인 삼성전자의 주가흐름은 많은 것을 시사해줍니다.

현대미포조선과 삼성전자의 주가흐름 비교 (2005~2007년)

현대미포조선 3년간
1,000% 상승

삼성전자 3년간
20% 상승

출처: 이베스트투자증권 HTS

　왜 부동의 시가총액 1위 기업인 삼성전자의 주가는 상승하지 못하고 현대미포조선의 주가만 랠리를 보였을까요? 그것은 바로 결정인자의 차이 때문입니다. 결정인자란 한 기업의 주가를 상승시킬 수 있는 모멘텀(재료)을 의미합니다. 실적이 매년 비슷하고 기업의 주요사업에 별다른 변화가 없다면 주가 역시 큰 변동없이 제자리 걸음을 할 가능성이 높습니다. 하지만 무언가 큰 변화가 생긴다면 주가 역시 드라마틱한 변동성을 보이게 됩니다.

　현대미포조선의 주가를 급등시킨 결정인자는 바로 중국의 대규모 투자였습니다. 중국경제의 고성장과 투자확대로 신흥국 경기는 호황을 구가했고, 글로벌 교역량은 급증했습니다. 교역량 증가로 선박발주는 유례없이 급증했습니다. 현대미포조선이 건조하던 중형 선박에 대한 수요는 급증했고, 수주 역시 급증했습니다. '중국의 대규모 투자'라는 결정인자가 현대미포조선의 주가를 무려 10배나 급등시켰던 것입니다.

금융위기가 끝난 후 2009년부터 2011년까지 현대차는 연비좋은 중소형차가 자동차 시장 트렌드를 주도하자 자동차 판매량이 급증하며 실적도 좋아졌고, 주가도 같은 기간 600% 상승세를 보이며 시장을 주도했습니다.

아모레퍼시픽은 중국이 '세계의 공장'에서 '세계의 시장'으로 변화를 보인 것과 동시에 중국의 소비시장을 적극 공략했습니다. 그 결과 2014~2015년 2년 동안 주가는 355% 상승하게 됩니다.

2019년 5G 통신망 상용화*를 앞두고 한국의 통신 3사가 공격적인 5G

시기별 주도주 결정인자와 주가상승률

기업명	결정인자	주가상승률
현대미포조선 (2005~2007년)	중국 대규모 인프라 투자 → 선박발주 증가	+1,000%
현대차 (2009~2011년)	유가상승 → 연비 좋은 중소형차 수요증가	+600%
아모레퍼시픽 (2014~2015년)	중국 소비시장 성장 → 화장품 수요증가	+350%
한샘 (2014~2015년)	건설규제 완화 → 인테리어 수요증가	+600%
케이엠더블유 (2019년)	5G 통신망 상용화 → 통신장비 수요증가	+600%
JYP Ent. (2017~2018년)	트와이스 데뷔 → 걸그룹 성공신화	+700%

투자 계획을 발표하자 통신장비회사인 케이엠더블유는 2019년 한 해 동안 주가가 626% 상승하게 됩니다. 케이엠더블유가 속해 있던 코스닥 시장이 같은 기간 -0.8% 하락세를 보인 걸 감안하면 결정인자를 보유한 주도주의 주가상승은 우리의 상상을 초월하곤 합니다.

　기업의 주가를 결정하는 가장 중요한 요소는 기업을 성장시킬 수 있는 결정인자의 보유여부입니다. 결정인자는 장기간 없을 수도 있고, 갑자기 출현하기도 하며, 장기간에 걸쳐 천천히 나타나기도 합니다. 주식투자자는 늘 기업의 결정인자가 무엇일지, 언제 나타날지 확인해야 합니다.

 염블리의 꿀팁

시장을 이끄는 주도주는 아무 이유 없이 주가가 상승하지 않습니다. 주도주의 주가가 급등하는 것은 주가를 상승시키는 결정인자가 있기 때문입니다. 결정인자가 언제, 어떤 내용으로 나타날지 꼭 확인하면서 투자를 하시기 바랍니다.

주가가 급등하려면
멀티플이 중요하다면서요?

저자 직강 동영상 강의로 이해 쑥쑥!
QR코드를 스캔하셔서 동영상 강의를 보시고
이 칼럼을 읽으시면 훨씬 이해가 잘 됩니다!

주식투자를 함에 있어 공식을 외울 필요는 없지만 다음 공식은 주식투자자
라면 꼭 외워놓으시기 바랍니다. 이 공식을 알고 있어야 주가가 왜 상승하
는지를 알 수 있기 때문입니다.

EPS
연간 순이익 / 발행주식수

$$주가 = EPS^* \times PER^*$$

EPS는 주당 순이익입니다. 기업이 1년간
벌어들이는 순이익을 주식수로 나눈 것입니
다. 한 주당 얼마의 이익을 내는지를 나타냅니
다. 기업의 실적이라고 생각하면 됩니다.

PER
시가총액 / 연간 순이익 = 주가 /
EPS

PER(Price-Earnings Ratio, 주가수익비율)은 멀티플입니다. PER은 주가를 EPS로 나눈 것입니다. 현재 주가가 주당 순이익의 몇 배에 거래되는지를 나타내는 지표입니다. PER이 높을수록 주가가 실적에 비해 높게 거래되고 있다는 의미입니다. PER 10배인 기업과 PER 20배인 기업 중에 어느 기업이 시장에서 더 높은 가치를 인정받고 있는 것일까요? 당연히 PER 20배인 기업이 더 높은 가치를 인정받고 있는 것입니다.

주가가 상승하기 위해서는 EPS와 PER이 상승해야 합니다. 이익과 멀티플이 상승하면 주가는 큰 폭으로 오르게 됩니다. 누구나 기업의 이익이 증가하면 주가가 상승하는 것은 당연하다고 생각할 것입니다. 이익증가는 주가상승의 기본임을 누구도 부인하지 않을 것입니다.

그런데 멀티플은 어떻게 해야 상승할 수 있을까요? 어떤 기업은 멀티플을 10배 주고, 어떤 기업은 20배를 주고, 어떤 기업은 50배를 주기도 합니다. 이익이 같다면 멀티플에 따라 주가는 엄청난 차이를 보일 수밖에 없습니다. 그래서 주식투자자는 이 멀티플의 변화에 주목해야 합니다. 기업의 이익증가도 중요하지만 이익은 기본입니다. 멀티플 10배짜리 기업이 20배, 30배가 될 때 주가는 큰 상승을 하기 때문입니다. LG화학의 예를 들어보겠습니다.

LG화학 EPS와 주가(2017년~2020년)

구분	2017년	2018년	2019년	2020년
EPS(주당순이익)	24,854원	18,812원	4,003원	18,253원(예상)
주가	40만 원	35만 원	32만 원	81만 원

LG화학은 2017년 주당순이익이 24,854원을 기록했고, 2018년 18,812원, 2019년 4,003원, 2020년 18,253원(예상)을 기록했습니다. 2017년부터 2019년까지 실적은 감소했고, 2020년에는 증가했지만 2017년 이익에는 미치지 못하는 상황입니다. 그런데 주가는 오히려 급등세를 보였습니다. 2017년부터 25만~45만 원을 오고가던 주가는 2020년 11월 81만 원까지 급등하게 됩니다.

이익은 정체되고 감소하는데 주가는 급등하는, 언뜻 보면 이해하기 힘든 상황이 발생했는데 LG화학에 무슨 일이 발생한 것일까요? 무엇이 주가 상승을 일으켰을까요? 바로 멀티플의 증가 때문입니다. LG화학은 수년간 PER 10~18배 수준에서 멀티플이 형성되었었는데 2020년에는 50배까지 멀티플이 증가하게 됩니다.

왜 시장에서는 PER 10배인 기업을 50배까지 인정해주었을까요? 그것은 바로 전기차 시장의 본격 성장 때문입니다. 미국의 전기차 제조사 테슬라의 전기차 판매량이 급증했고 유럽, 중국, 한국 등 주요 국가들이 내연기관차 판매를 규제하고 친환경차 판매를 장려하면서 전기차 시장에 대한 기대감이 커졌습니다. 전기차의 핵심은 2차전지입니다. 고품질의 대량 생산이 가능한 2차전지를 확보하는 것이 전기차를 생산하는 데 가장 중요한 요소로 작용한 것입니다.

LG화학은 글로벌 1위(2020년 기준) 전기차용 2차전지 제조업체입니다. 테슬라, 폭스바겐, GM, 현대차 등 주요 자동차 메이커들의 전기차용 2차전지를 대규모로 수주했습니다. 2003~2007년 한국 조선사들이 대규모 선박 수주를 하며 주가가 10배 이상 상승했던 것처럼, 이제는 LG화학 같은 2차전지 기업이 그러한 상황을 맞이한 것입니다.

전기차용 2차전지를 생산하려면 연간 조단위가 넘는 막대한 돈이 필요합니다. 그에 비해 아직 전기차 시장은 내연기관차의 5%(2020년 기준) 수준에 불과하기 때문에 이익을 내기는 쉽지 않습니다. 하지만 전기차가 내연기관차를 대체하는 데 대해 의심을 하는 투자자는 없을 것입니다. 시간이 지나면 막대한 이익을 낼 것이고, 주가는 이것을 미리 반영하고 있는 것입니다. 그래서 LG화학의 멀티플이 50배 이상까지 상승하게 된 것입니다.

주식시장에서 얘기하는 '대박주', 즉 2배 이상의 수익률을 올릴 수 있는 기업을 발굴하기 위해서는 이 멀티플의 개념을 잘 이해하고 있어야 합니다. 멀티플은 미래의 성장가치입니다. 현재가 아닌 미래가치가 증가할 기업을 발굴하는 것은 주식투자의 가장 중요한 요소입니다.

염블리의 꿀팁

주가는 이익(EPS)과 멀티플(PER)의 함수입니다. 이익이 크게 증가하거나 멀티플이 상승해야 합니다. 이익 성장은 매분기 발표되는 숫자로 확인이 가능하지만 멀티플은 미래에 대한 확신이 있어야만 계산이 가능합니다. 주가급등은 이익의 증가보다 멀티플의 증가에서 비롯됩니다.

증권사 보고서는
주가에 어떤 영향을 주나요?

애널리스트

금융 및 투자에 대한 전문적인 의견을 제공하기 위해서 자료를 수집하고 분석하는 일을 하는 직업. 경제, 투자전략, 산업, 기업 등 다양한 분야의 많은 애널리스트들이 분석 자료를 발간해 투자자들에게 정보를 제공함

증권사 애널리스트*는 단어 그대로 분석을 하는 것이 주 업무인 직업입니다. 기업을 분석하고, 시장을 분석하고, 산업도 분석하고, 경제도 분석합니다. 분석을 통해 미래를 예측하기도 합니다. 물론 예측과 다른 흐름이 나와서 전망이 틀리기도 하지만 애널리스트는 예언가가 아닙니다. 예측의 근거가 명확하고 논리적이고 합리적이라면 시장에서는 이를 인정해줍니다.

애널리스트는 보고서를 통해서 자신의 생각을 얘기하고 전달합니다. 주식투자자는 애널리스트의 보고서를 통해 기업, 산업, 시장, 경제 등 주가에 영향을 줄 수 있는 다양한 요소들을 파악할 수 있습니다.

사실 주식투자자가 기업의 정보, 산업 동향 등을 파악하는 것은 쉽지 않습니다. 기업 탐방을 가기도 쉽지 않고 반도체, 2차전지, 음식료 등의 업황을 검색이나 신문 등의 뉴스를 통해서만 알 수는 없습니다. 그런데 증권사 애널리스트가 작성한 기업, 산업 등의 보고서는 다릅니다. 전문성을 갖춘 애널리스트가 작성한 보고서는 기업과 산업에 관한 깊이 있는 정보를 제공해주고 향후 전망까지 해주기 때문에 주식투자를 위해서는 반드시 정독을 해야 합니다.

애널리스트는 각각의 전문분야가 있습니다. 한 애널리스트가 반도체, 2차전지, 음식료, 조선, 건설 등의 많은 산업을 커버*할 수는 없습니다. 반도체를 커버하는 애널리스트, 조선을 커버하는 애널리스트가 따로 있습니다. 경제만 분석하는 이코노미스트도 있고,

> **커버**
> 증권사 애널리스트가 커버한다는 것은 해당 산업, 해당 기업을 담당해서 분석하고 자료를 내고 목표주가까지 낸다는 의미

투자전략을 작성하는 스트레지스트도 있습니다. 정말 다양한 애널리스트가 존재합니다.

이들이 작성하는 보고서는 맞을 수도 있고, 틀릴 수도 있습니다. 하지만 우리는 이 보고서를 활용할 줄 알아야 합니다. 애널리스트 보고서는 가장 깊이 있는 주식시장의 정보창고이기 때문입니다.

보고서는 우리가 공부를 하기 위해서도 필요하지만 주가에도 강한 영향을 주기도 합니다. 2019년 6월 19일 오전 하나금융투자의 윤재성 연구원(화학담당)이 한 보고서를 발간했는데요, 태양광 산업과 한화솔루션(당시 한화케미칼)에 관한 보고서입니다.

미국의 태양광 설치량이 상향조정되었고 미국증시에서 태양광 기업들의 주가가 급등했다는 내용입니다. 한화솔루션의 수혜가 예상된다는 내용도 덧붙였습니다. 당일 한화솔루션의 주가는 +8% 이상 상승했고, 2주간 +13%가 넘는 상승세를 보였습니다. 3개월간 약세를 보였던 한화솔루션의 주가가 보고서 하나로 상승세로 전환된 것입니다.

2019년 12월 24일에는 NH투자증권 구완성 연구원의 동구바이오제약

2019년 6월 19일 하나금융투자 윤재성 연구원 보고서 '태양광, 미국 1분기 설치량'

▶ 한화케미칼(BUY, TP 28,000원)

• Wood Mackenzie와 미국 태양광협회(SEIA)는 어제(6/18일) 공동보고서를 발표

• 1Q19 미국 태양광 설치량은 2.7GW로 YoY +10% 증가하면서 역대 최대 1Q 설치량 달성. 구성은 유틸리티 1.6GW + 상업용 438MW + 주거용 600MW

• 또한 2019년 미국 태양광 설치량을 기존 12.1GW(YoY +14%)에서 13.3GW(YoY +25%)로 상향. 상향된 +1.2GW는 유틸리티급 설치량 증분이 대부분. 2019~24년 누적설치량 전망 또한 5.1GW 상향

• 주목할 점은, 1Q19 설치량 1위는 캘리포니아를 제치고 플로리다가 차지했다는 점. 텍사스가 2019년 설치량 전망 상향의 주요인이고, 향후 5년 간 설치량 전망 상향의 주요인은 플로리다

• 플로리다는 NextEra의 Florida Power & Light 및 Duke Energy Florida 프로젝트가 반영되기 때문. 지난 달 Florida Power & Light 프로젝트는 700MW 규모의 10개의 신규 태양광 발전소 건설을 발표했고, 2030년까지 10GW 이상을 설치할 전망. 향후 유틸리티 발전의 주요 지역은 플로리다가 될 전망

• 미국 태양광 설치량 전망치 상향의 가장 주된 요인은 1) 태양광패널 가격하락에 따라 풍력과 견줄 정도로 강해진 원가경쟁력 2) ITC 만료 전 설치수요 증가 등

• 보고서 발표 이후 오늘 새벽(6/19일) 미국 태양광업체 주가 초강세

  − 설치: Sunpower +22.6%(52주 신고가) / Sunrun +6.9%(역사적 신고가) / Vivint +9%(52주 신고가)

  − 셀/모듈: First Solar +3.2% / Canadian Solar +3.0% / Jinko Solar +3.0%

  − 폴리실리콘: Daqo +2.2% / Wacker +1.2%

• 한화케미칼은 미국 태양광 설치량 호조의 직접적인 수혜 가능. 미국향 셀/모듈 판매비중이 25~30%에 달하며, 신규로 증설된 미국 모듈 1.7GW 공장의 가동률 또한 점진적인 상향이 나타나고 있음. 섹터 Top Pick으로 제시

출처: 하나금융투자

보고서가 발간되었는데요, 이 보고서의 영향으로 동구바이오제약의 주가는 당일 장중 +20%가 넘는 상승세를 보였고, 한 달간 +45% 급등했습니다. 공장증설 완료로 매출과 이익이 크게 증가할 것이라는 내용이었습니다. 보고서가 주가에 긍정적인 영향을 준 대표적인 사례입니다.

보고서를 자주 읽고 깊이 생각하는 훈련을 하시기 바랍니다. 주식투자

2019년 12월 24일 NH투자증권 구완성 연구원 보고서 '동구바이오제약'

동구바이오제약 (006620.KQ)

신공장 가동 본격화로 4분기 호실적 기대

신공장 증설 완료에 따른 실적 성장 본격화 기대. 공동 생동성 시험 금지 등 영업환경의 변화로 비용 증가 불가피하나 중장기 관점에서 긍정적. 2020년 투자회사 상장에 따른 이익 회수로 현금흐름 개선 전망

증설 완료에 따른 투자 회수기 진입

2019년 10월 공장 증설 완료(약 100억원 투자). 12월부터 가동률 상승 본격화에 따른 실적 고성장 국면 진입 전망 정제, 연질캡슐 등 기존 라인에서 약 1,000억원의 매출 발생. 이론적으로 이번 증설로 최대 매출은 1,500~ 2,000억원 사이 도달 가능할 것. 2019년 연간 매출액 1,204억원(+ 14.8% y-y), 영업이익 55억원(-2.9% y-y, 영업이익률 4.6%) 추정. 1) ETC부문 직접 영업인력 채용 확대, 2) 화장품 브랜드 Cell Bloom 마케팅비, 3) 임상 진행에 따른 개발비 증가, 4) 생산인력 신규 채용에 따른 고정비 증가 등 비용 증가 요인으로 본격적인 이익 서장은 내년부터 가능 전망

출처: NH투자증권

를 하는 데 있어 보고서는 가장 기본 중의 기본이기 때문입니다.

　참고로 애널리스트 보고서는 각 증권사에서 대부분 무료로 제공하고 있습니다. 일부 증권사는 유료로 제공하지만 증권사 홈페이지에서 대부분 무료(증권사 계좌 보유자에 한해 무료로 제공)로 볼 수 있습니다. 무료로 볼 수 있는 사이트도 있습니다. 모든 증권사 보고서가 제공되지는 않지만 다양한 보고서를 무료로 볼 수 있습니다(한경컨센서스, consensus.hankyung.com).

 염블리의 꿀팁

증권사 보고서는 주식투자를 하는 데 있어 필수적인 도구입니다. 시간과 정보가 부족한 투자자들에게 기업, 산업, 시장, 경제와 관련된 보고서는 투자판단을 하는 데 큰 도움을 줄 것입니다. 보고서를 자주 읽고 깊이 생각하는 훈련을 하시기 바랍니다. 보고서는 주가에 큰 영향을 끼치기 때문입니다.

7장

주식시장은 우리가 생각하는 일반적인 상식에 역행하는 속성도 가지고 있습니다. 호재가 발생했는데 주가는 오히려 급락하는 경우도 있고, 악재가 나와도 상승하는 경우가 있습니다. 실물경제는 최악인데 돈이 많이 풀려서 주가가 급등하는 현상도 자주 발생합니다. 이번 7장에서는 우리의 상식과 대비되는 주식시장만의 다양한 속성에 대해서 다뤄보았습니다. 주식투자를 잘하기 위해서는 눈에 보이는 것이 아닌 그 뒤에 담겨 있는 숨은 의미를 잘 파악해야 합니다. 이번 장에서 주식시장만이 가지고 있는 숨겨진 의미를 잘 확인해보시기 바랍니다.

주린이가 가장 많이 질문하는 주가의 속성 6가지

호재가 나왔는데
왜 주가가 급락하나요?

"소문에 사서 뉴스에 팔아라"는 주식격언이 있습니다. 주식투자 경험이 많은 사람들에게는 매우 익숙한 말이죠. 주가에 긍정적으로 작용할 수 있는 소문이 들리면 그 기업의 주식을 사고, 그 소문이 사실로 드러나면 주식을 팔라는 의미입니다.

말이야 참 쉬워 보이지만 소문을 듣고 매수하는 건 쉽지 않습니다. 소문을 알기도 어렵지만, 설령 알아도 확실하지 않다 보니 소문만 듣고 매수를 하기는 쉽지 않습니다.

그런데 그 소문이 사실로 밝혀지는 뉴스가 나오면 투자자들은 그때서야 확신을 가지고 그 기업을 매수합니다. 의심을 했던 소문이 사실로 밝혀졌고 장밋빛 미래가 눈 앞에 펼쳐질 것으로 생각하기 때문에 대부분의 투자자들은 좋은 뉴스가 나오면 주저 없이 매수를 하게 됩니다.

국내 대표 조선사인 대우조선해양은 최대주주가 산업은행입니다. 기업의 주인이 산업은행이라는 것은 정부가 소유하고 있는 기업이라는 의미입니다. 은행소유의 기업은 기업이 어느 정도 정상화되면 지분을 매각합니다. 대우조선해양은 2016년 2.7조 원의 막대한 적자를 냈지만 2017년부터는 흑자기조로 돌아섰고, 2018년에는 1조 원의 영업이익을 달성하게 됩니다. 실적호조와 더불어 2018년부터 대우조선해양이 매각될 것이라는 루머가 시장에 확산되기 시작했습니다.

물론 인수주체가 누구인지, 매각시기는 언제인지 소문만 무성한 상태였기 때문에 의심의 눈초리도 많았습니다. 그런데 주가는 그런 의심과 상관없

출처: 이베스트투자증권 HTS

이 매각을 확신하며 급등세를 보였습니다. 2018년 1월 저점 13,950원에서 34,150원까지 거의 3배 가까운 상승을 했습니다. 실적도 좋았지만 매각이 될 것이라는 기대감이 더 크게 작용했던 것입니다.

주가는 역시나 똑똑했는데요, 루머가 실제로 현실화된 것입니다. 2019년 1월 31일이 되자 개장 초반부터 시장에 대우조선해양이 매각될 것이라는 뉴스가 나오기 시작했고, 주가는 오전 장에 21%나 급등하며 44,000원까지 상승세를 보였습니다. 마침내 산업은행은 공식적으로 대우조선해양을 현대중공업 그룹에 매각한다는 내용을 발표했고, 루머는 사실로 밝혀지게 된 것입니다.

그런데 소문이 사실로 드러나자 주가는 상승세를 접고 매물이 출회되며 밀리기 시작했습니다. 당일 +21%까지 상승했던 주가는 +2%에 마감했고, 그 후 고점 44,000원은 2020년 11월까지 도달하지 못하게 됩니다. 뉴스에 매수한 투자자들은 큰 손실을 보게 된 것이죠.

날짜가 확정되어 있는 이벤트에도 "소문에 사서 뉴스에 팔아라"는 격언이 그대로 적용됩니다. XXXX년 XX월 XX일에 기업에 변화를 줄 수 있는 이벤트가 계획되어 있다면 주가는 그 이벤트를 기대하며 미리 상승세를 보이게 됩니다. 하지만 이벤트 당일에는 재료노출로 주가가 급락하는 경우가 많이 발생합니다.

그런데 좋은 뉴스를 기대했던 이벤트가 오히려 나쁜 뉴스로 전환되어 주가가 급락하는 경우도 있습니다. 그런 경우 주가는 예상보다 훨씬 크게 하락합니다.

아난티는 대표적인 남북경협 관련 기업입니다. 과거 금강산 관광사업을 하던 이력이 있어서 남북, 북미관계 개선의 최대 수혜기업으로 시장에

베트남 하노이 북미 정상회담

2019년 2월 27~28일 베트남 하노이 메트로 폴호텔에서 열린 김정은 위원장과 트럼프 미국 대통령과의 역사상 두 번째 정상회담. 북한 비핵화에 대한 양국의 입장차이로 소득 없이 회담이 결렬되었음

서 각광을 받고 있었습니다. 베트남 하노이 북미 정상회담*이 2019년 2월 28일에 개최된다고 결정되자 아난티 주가는 8,000원에서 31,000원까지 지속적인 강세를 이어나가게 됩니다.

베트남 하노이 북미 정상회담 당일, 아난티를 비롯한 대부분의 남북경협주는 이벤트 소멸 우려감에 장 초반부터 약세를 보이고 있었습니다.

그런데 오후에 갑작스러운 악재가 발생하며 주가는 폭락세로 돌변하게 됩니다. 트럼프 대통령과 김정은 위원장의 오찬이 취소되었고 협상이 결

출처: 이베스트투자증권 HTS

렬될 것이라는 뉴스가 보도되자 투자심리가 악화되며 주가는 25%나 급락한 상태로 마감했습니다. 기대감이 실망감으로 바뀌면서 주가는 그 후에도 지속적인 약세를 보이게 됩니다. 아난티 주가도 28,650원에서 2020년 3월 19일 3,730원까지 거의 90% 하락세를 보였습니다.

주가는 미래를 선반영하는 속성이 있습니다. 호재든 악재든 주가는 이를 미리 반영합니다. 특히 주식을 처음 투자하는 투자자들은 이 현상을 처음에는 이해하지 못합니다. 좋은 뉴스가 확정되었는데도 주가는 오히려 하락하는 현상은 사실 상식적으로는 이해하기 어렵기 때문입니다. 하지만 주식시장에서는 이것이 상식입니다. 확정된 미래는 더 이상 미래가 아니기 때문입니다.

염블리의 꿀팁

주가는 미래를 선반영하는 특징이 있습니다. 좋은 뉴스가 확정되었는데 주가는 오히려 하락하는 현상은 주식시장에서 일반적인 현상입니다. "소문에 사서 뉴스에 팔아라"는 주식시장에서 잘 통용되는 격언입니다. 뉴스가 현실화되면 더 이상 미래가 아니기 때문입니다.

한 번 상승세를 타면
계속 오르는 것 아닌가요?

주가는 상승과 하락을 반복합니다. 영원한 상승도 없고, 영원한 하락도 없습니다. 7일 연속 상승하기도 하지만 분위기가 바뀌면 10일 연속 하락하기도 합니다. 주가의 상승도 하락도 결국 끝은 있습니다.

그런데 초보투자자들은 상승과 하락이 영원할 것이라는 생각을 하는 경향이 있습니다. 강세장에 운좋게 첫 발을 들여놓은 투자자들은 매수 후에 주가가 계속 오르는 것을 보고 주가상승은 영원할 것이라 착각합니다.

물론 기업이 성장하고 경제가 성장하는 한, 주가는 상승세를 보이는 것이 맞습니다. 하지만 상승세는 영원하지 않습니다. +30% 상승하면 -10% 하락하기도 합니다. 그게 어찌보면 정상입니다. 상승과 하락을 반복하면서 주가는 제 갈길을 가게 됩니다.

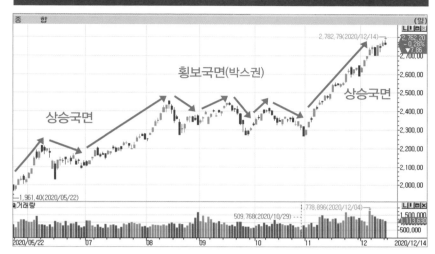

상승과 하락을 반복하는 코스피

출처: 이베스트투자증권 HTS

    초보투자자들이 가장 경계해야 할 것이 초심자의 행운입니다. 초보투자자는 주식투자에 대한 경험과 지식이 부족한 상태로 투자를 하게 됩니다. 실력보다는 운이 더 작용하는 시기입니다. 투자 시점의 시장이 강세장이라면 수익을 내는 것은 어렵지 않을 것입니다. 운이 정말 좋아 시장의 주도주를 잘 매수했다면 큰 수익을 낼 수도 있습니다. 본인의 실력이 아닌 시장과 기업의 실력이 수익을 증가시켜준 것입니다. 이럴 때 많은 투자자들이 실수를 하게 됩니다. 본인의 실력이 좋아서 큰 수익을 냈다고 생각하고 매우 공격적으로 투자를 하게 됩니다. 하지만 초심자의 행운은 오래가지 않습니다.

    강세기조를 유지했던 시장과 기업의 주가는 언제든 급락세로 전환될 수 있습니다. 플러스 수익률을 나타냈던 계좌 수익률이 마이너스로 전환되

피터 린치

미국 태생의 월 스트리트 펀드 매니저. 1969년 피델리티 인베스트먼트(Fidelity Investments)에 리서치 애널리스트로 입사 후, 펀드 매니저로 활동하면서 1977년 2,200만 달러에 불과했던 마젤란 펀드(Magellan Fund)를 13년간 운용하면서 연 평균 투자수익률 29.2%를 기록해 1990년 무렵에는 140억 달러 규모의 세계 최대 뮤추얼펀드로 성장시킴. 1990년 4월 3일, 46세의 나이에 가족과 더 많은 시간을 보내기 위해 은퇴함

는 것은 순식간입니다. 운을 실력으로 착각했던 투자자들이 정신을 차리게 되는 시기입니다.

절대로 강세장에 도취되어서는 안 됩니다. 주가는 계속 오르기만 하는 것이 아닙니다. 강세장에서도 중간중간 큰 조정이 옵니다. 특히 초심자의 행운 덕에 수익을 내던 초보투자자들이 강세장 속의 중간 조정장에서 타격을 크게 받는 경우가 많이 있습니다.

운은 영원하지 않습니다. 반드시 실력을 기르시기 바랍니다. 준비가 안 된 투자자에게 강세장과 투자한 기업의 주가상승은 독이 될 수 있습니다. 미국의 전설적인 투자자 피터 린치*는 "주가는 계속 상승하기만 한다고 생각하는 병은 주가가 급락하면 고쳐진다"라고 말했습니다. 상승과 하락을 반복하는 것은 주식의 기본적인 속성입니다.

 엄블리의 꿀팁

주가는 상승과 하락을 반복합니다. 강세장에서 처음 투자를 시작한 초보투자자들은 '초심자의 행운'이라는 덫에 걸리기 쉽습니다. 운을 실력으로 착각하게 되고, 약세장으로 시장이 전환하게 될 때 큰 손실을 보게 됩니다. 주가는 결코 계속 오르기만 하지 않습니다.

질문
TOP
58

기업이 제품가격을 올리면
왜 주가는 오르나요?

기업이익은 판매가격에 판매수량을 곱해 산출된 금액(매출액)에서 비용을
뺀 것입니다.

$$기업이익 = P(판매가격) \times Q(판매수량) - C(비용)$$

'매출액 – 비용 = 영업이익'이라는 공식이 성립되는 것입니다. 영업이
익은 기업이 영위하는 주요 사업에서 창출한 이익입니다. 이 영업이익이 증
가해야 주가도 상승할 수 있기 때문에 주식투자자는 반드시 영업이익을 매
분기 실적 발표 때마다 체크해야 합니다.

영업이익이 증가하기 위해서는 P(판매가격)를 증가시키거나 Q(판매수량)

를 증가시키면 됩니다. C(임대료, 인건비, 원재료비 등 각종 비용)를 감소시켜도 이익은 증가할 수 있습니다.

주식투자자는 P, Q의 개념을 반드시 이해하고 있어야 합니다. 먼저 P, 즉 판매가격 상승의 영향에 대해 알아보겠습니다.

2017년 5월 1일 라면을 제조하는 삼양식품은 라면 가격을 5.4% 인상하는 조치를 단행했습니다. 삼양라면이 760원에서 810원으로 6.5% 인상되었고, 불닭볶음면은 1,000원에서 1,050원으로 5% 인상되었습니다. 2012년 이후 4년 만에 가격인상을 한 것입니다. 인건비, 물류비, 재료비 등 원가상승 압박으로 불가피하게 인상을 했다고 언급했는데, 소비자 반응은 역시 좋지 않았습니다. 소비자 입장에서 음식료 가격의 상승은 당연히 기분이 나쁠 수밖에 없습니다. 하지만 음식료 업체 입장에서 가격인상은 큰 호재입니다. 가격인상을 조금만 해도 매출과 이익은 급증하기 때문입니다.

가격인상으로 실제 삼양식품의 분기 영업이익은 2016년 70억~90억 원에서 2017년에는 100억~180억 원까지 급증하게 됩니다. 주가 역시 긍정적인 반응을 보였습니다. 2016년 4만~5만 원대에서 움직이던 주가는 2017년 말 10만 원 근처까지 상승을 하게 됩니다. 물론 불닭볶음면의 중국시장 판매호조가 큰 역할을 했지만 가격인상이라는 우호적 변수가 실적상승을 이끌었던 점은 부인할 수 없습니다.

B2B*, 즉 기업 간 거래를 주로하는 회사들은 가격인상이 쉽지 않습니다. 삼성전자에 스마트폰 부품을 납품하는 회사, 현대차에 자동차 부품을 납품하는 회사, 공공기관 수주를 받는 회사 등 B2B 비즈니스 업체들은 가격인

B2B

Business-to-Business의 약자로 기업과 기업 사이의 거래를 기반으로 한 비즈니스 모델을 의미

상이 아니라 가격인하가 일상입니다. 특히 경쟁이 치열한 부품사들은 대기업 수주를 받기 위해 치열한 가격경쟁을 하고 있습니다. 대기업 입장에서 보면 제품의 품질이 비슷하다면 가격이 저렴한 회사 제품을 채택하는 것이 당연하기 때문입니다.

B2C(Business-to-Customer), 즉 소비자를 대상으로 제품을 판매하는 기업은 그렇지 않습니다. 물론 제품마다 다를 수는 있습니다. TV나 PC 같은 제품은 기술혁신 등에 따른 원가절감으로 장기간 판매가격이 하락하고 있는 추세입니다. 하지만 대부분의 소비재는 물가상승률에 따라 가격이 상승하는 추세입니다. 라면, 맥주, 햇반, 자동차, 음료 등 많은 제품들의 가격이 장기간에 걸쳐 꾸준히 오르고 있습니다. 소비자 입장에서 이런 제품들의 가격상승은 부담스럽지만 기업 입장에서 판매가격의 상승은, 비용은 고정된

현대차의 P(판매가격)를 상승시킨 제네시스 GV80

출처: 현대차

상태에서 매출을 증가시키기 때문에 이익을 큰 폭으로 증가시키는 촉매제로 작용합니다.

2020년 하반기 주도주인 현대차가 대표적입니다. 제네시스라는 고가 자동차 판매가 급증하며 판매단가가 급증했고, 실적과 주가가 나란히 고공행진하는 모습을 보여주었습니다(2020년 3분기 영업이익은 엔진비용 반영에 따른 일회성 비용으로 적자를 기록. 이 일회성 비용을 제외하면 2019년 3분기 대비 +381% 급증한 1.8조 원의 영업이익을 기록). 제네시스 출시가 P를 상승시켰고 Q마저 증가시켰으며 주가는 2020년 7~8월 두 달간 무려 80%나 급등했습니다.

소비자 입장에서 기분이 나쁠지라도 주식투자자는 반대로 생각해야 합니다. 기업 입장에서 손익을 잘 따져보고 투자를 결정해야 합니다. 좋아하고 평소 자주 사용하던 제품의 가격이 상승하면 소비자로서는 기분이 나쁘더라도 투자자라는 관점에서는 다르게 바라봐야 합니다. 그 제품이 기업의 실적을 개선시킬 수 있는 제품이라면 오히려 가격인상을 환영해야 하는 것입니다. 그것이 바로 소비자와 투자자의 차이입니다.

 염블리의 꿀팁

기업이익은 'P(가격)×Q(수량)-C(비용)'입니다. 그러므로 기업의 이익이 증가하기 위해서는 제품가격을 인상하거나, 판매량을 늘리거나, 비용을 줄여야 합니다. 소비자 입장에서 제품가격인상은 당연히 기분 나쁜 뉴스이지만 투자자 입장에서 제품가격인상은 기업의 실적과 주가를 상승시킬 수 있기 때문에 환영해야 합니다.

박리다매도 주가에
긍정적인 영향을 주나요?

앞에서 말했듯이 기업이 이익을 내기 위해서는 가격을 올리거나, 수량을 늘리거나, 비용을 줄여야 합니다. 가장 좋은 것은 당연히 3가지를 동시에 해내는 것입니다.

반도체 시장을 장악한 삼성전자, 국내 자동차 시장을 장악한 현대차, 국내 플랫폼* 시장을 장악한 네이버와 카카오 등 경쟁사가 없고 독점적인 기업은 3가지를 다 해내는 것이 가능합니다. 하지만 대부분의 기업들은 그렇게 할 수 없습니다. 가격을 올리면 수량을 포기해야 하고, 수량을 늘리기 위해서는 가격을

> **플랫폼**
>
> 기존에는 기차, 버스 등을 타고 내리는 승강장이나 강사가 사용하는 강단 등을 의미했지만 그 의미가 확대되어 어떤 특정 장치나 시스템을 구성하는 기초 틀 또는 골격을 지칭하기도 함. 대표적인 플랫폼 기업으로는 유튜브, 페이스북, 구글, 아마존, 애플 등이 있음

포기해야 합니다. 앞에서 P(판매가격) 상승에 대해 알아봤기 때문에, 이번에는 Q(수량)에 대해 알아보겠습니다.

박리다매, 가격을 포기하고 판매수량만 늘려도 이익과 주가가 상승할 수 있을까요? 가능합니다. 가격을 크게 낮추면 소비자들의 구매욕구를 자극시켜 매출성장이 크게 나올 수 있습니다. 판매가격 인하보다 판매증가 효과가 훨씬 크게 작용한다면 매출증가는 더욱 크게 나올 것입니다. 저가전략으로 제품의 판매가 늘어나고 사용자가 급증한다면 락인(Lock-In)효과도 노릴 수가 있습니다. 락인효과는 잠금효과라고도 하는데, 사용자를 다른 곳으로 못가게 만든다는 의미입니다.

락인효과의 대표주자는 아마존입니다. 아마존은 세계 1위 온라인 유통회사인데 초저가 정책으로 유명합니다. 마진을 포기한 저가 전략으로 시가총액이 1조 달러를 넘어서며 거대 공룡기업이 되었습니다.

아마존의 CEO 제프 베이조스*는 '플라이휠' 전략을 강조했는데요, 낮은 가격으로 고객을 확보하고 고객이 늘어나면 물건을 팔려는 판매자가 늘어나게 되고 '규모의 경제'로 비용이 줄어들게 되면서 지속적으로 이익을 낼 수 있게 된다는 전략입니다. 초기에는 막대한 적자를 볼 수도 있지만 장기적으로는 이익을 내게 된다는 의미입니다. 실제로 아마존은 이익을 내기 시작하고 있습니다.

대표적인 저가 정책 사례로는 스마트 스피커 '에코닷'이 있습니다. 2017년 아마존은 저가형 스피커 '에코닷' 가격을 50달러에서 30달러로 떨어뜨리면서 경쟁사인 구글과 애

제프 베이조스

프린스턴 대학교를 졸업하고 1994년에 아마존닷컴을 설립. 아마존에서는 처음에 인터넷 상거래를 통해 책을 판매했으며, 이후에는 다양한 상품을 판매하고 있음. 1999년에 <타임>지 '올해의 인물'에 선정. 2013년 <워싱턴포스트> 인수

아마존 킨들

출처: 네이버 쇼핑

플을 제치고 스마트 스피커 시장을 장악했습니다. 비록 스마트 스피커에서 이익을 내기는 어렵지만 락인효과로 사용자들이 아마존의 스피커를 통해 다양한 서비스를 이용하고 있어 아마존은 큰 부가가치를 창출합니다.

아마존의 대표 제품인 전자책 리더기 '킨들'*도 마찬가지입니다. 킨들 역시 저가형 제품이라 제품 판매를 통해서는 이익을 내지 못합니다. 하지만 킨들 사용자는 급증했고 락인효과로 사용자들은 킨들 안에서 다양한 전자책을 구매하기 시작했습니다. 킨들은 도구일 뿐이었습니다. 킨들로 인해 아마존은 '전자책 판매시장 장악'이라는 큰 부가가치를 창출한 것입니다.

박리다매는 가격을 포기하는 대신 판매수량 및 소비자를 늘리는 대표적인 정책입니다. 판매량 증가로 시장을 장악할 수도 있지만 기업의 경쟁력에 따라 그 효과는 단기에 그칠 수도 있고, 장기간 지속될 수도 있습니다.

먼저 단기에 그칠 예를 들어보겠습니다. 라면가격이 평균 1,000원인데 A라는 기업이 500원에 판매를 한다면 그 제품은 대박이 날 것입니다. 하지만 경쟁사들도 따라서 가격을 동일하게 낮춘다면 그 효과는 오래가지 못할 것입니다. A기업의 라면만 먹을 이유가 없기 때문입니다.

반면에 경쟁력이 뛰어나고 자금력이 풍

> **킨들**
>
> 아마존닷컴이 2007년 11월 19일에 공개한 전자책(e-book) 서비스와 서비스를 사용하기 위한 기기를 뜻하는 말. 전자 종이 디스플레이를 사용하며, 독자적인 킨들(AZW) 포맷을 사용함. 첫 판매 개시 후 5시간 30분만에 매진될 정도로 흥행에 성공

마이크론테크놀로지

1978년 설립된 글로벌 3위의 DRAM 반도체 제조사

부한 기업이 제품 가격을 낮추는 박리다매 전략을 펼치는 경우도 있습니다. 이 경우 효과는 기대 이상으로 오래갑니다. 대표적인 것이 삼성전자의 반도체 사업입니다.

지금은 메모리 반도체 시장이 3강(삼성전자, SK하이닉스, 마이크론테크놀로지*) 과점체제로 굳어졌지만 2000~2013년까지 메모리 반도체 시장은 3강 외에 대만의 난야, 일본의 엘피다, 독일의 키몬다 등 다수의 업체가 난립하고 있었습니다. 당시에 업계선두인 삼성전자는 막대한 자금력과 뛰어난 기술력을 앞세워 반도체 가격인하를 주도하면서 경쟁사들을 침몰시켰고, 지금의 반도체 시장재편을 만들어냈습니다. 박리다매 전략으로 시장을 장악했고, 지금은 막대한 이익을 내고 있는 것입니다.

경쟁력이 뛰어난 기업의 판매가격 인하와 그에 따른 판매급증은 실적, 주가, 산업에 큰 영향을 끼칩니다. 아마존, 삼성전자의 사례에서처럼 박리다매 전략은 잘 사용하면 기업의 시장점유율을 상승시키는 데 큰 도움을 줍니다. 하지만 경쟁력이 떨어진 기업들에게는 오히려 독이 될 수도 있습니다.

 염블리의 꿀팁

가격을 낮춰서 판매를 증가시키는 박리다매 전략은 매출증가에 큰 도움을 주는 전략입니다. 특히 경쟁력이 뛰어난 제품을 생산하는 기업들이 박리다매 전략을 사용한다면 시장점유율은 큰 폭으로 상승하게 됩니다. 시장점유율 증가는 장기적으로 매출, 이익, 주가에 긍정적인 영향을 주게 됩니다.

비용감소도 주가를
오르게 하는 요소인가요?

P(판매가격)와 Q(판매수량)가 일정하다면, C(비용)의 감소는 기업이익을 개선시키는 데 큰 도움을 줍니다. 비용을 감소시킬 수 있다면 매출액이 증가하지 않아도 이익을 증가시킬 수 있습니다.

P×Q(매출액)는 변동이 큽니다. 변수가 많고 기업이 직접 통제할 수 없기 때문에 변동성이 클 수밖에 없습니다. 예측도 쉽지 않습니다. 반면에 비용은 변동이 크지 않습니다. 제품을 만드는 데 필요한 원재료 가격이 급등락하는 경우를 제외하고는 대부분 통제가 가능합니다.

가장 대표적인 기업의 비용은 인건비와 마케팅비입니다. 인건비는 대규모 채용을 하는 경우를 제외하고는 큰 변화가 없습니다. 물가상승률에 따라 인건비는 꾸준히 증가하겠지만 예측가능한 범위 내에서 점진적으로 상승하기 때문에 통제가 가능합니다. 마케팅비 역시 연초에 계획을 수립하고 통제 가능한 범위 내에서 집행을 하기 때문에 예측이 가능합니다.

그렇다면 일정한 수준을 유지하는 비용은 우리가 무시해도 될까요? 그렇지 않습니다. 비용이 줄어드는 것이 확실한 상황이 있기 때문입니다.

2020년은 코로나19가 모든 것을 뒤덮은 시기입니다. 소비부진으로 기업들의 판매량은 크게 줄어들었고 판매가격도 상승하기 어려웠기 때문에 매출감소는 당연했습니다. 비용이 그대로라면 이익이 줄어드는 것은 당연

출처: Zoom Video Communications Inc.

해 보입니다. 그런데 2020년 3분기 기업들의 실적은 놀라웠습니다. 코로나 19 영향으로 당연히 이익이 감소할 것이라 예상했지만 코스피 상장기업들의 영업이익은 증가한 것입니다. 2020년 3분기 코스피 상장사들의 매출은 전년동기 대비 -2.5% 감소했지만 영업이익은 +27.5% 증가했습니다.

매출감소에도 이익이 증가한 것은 비용감소 때문입니다. 코로나19로 인해 재택근무, 비대면 영업이 시행되었고 인건비가 크게 감소했습니다. 해외출장도 사실상 금지되면서 출장비용도 급감했습니다. 소비경기 악화로 마케팅비 지출도 크게 줄였습니다. 비용이 생각했던 것 이상으로 크게 감소한 것입니다. C(비용) 감소만으로도 이익이 증가하는 것이 증명된 것입니다. 물론 코로나19라는 특수 상황 때문이지만 비용감소는 분명히 이익에 큰 영향을 줍니다.

특히 비용지출이 많은 기업들에게 비용감소는 중요한 투자포인트입니다. 대표적인 업종이 통신업종입니다. 통신 3사는 국내 소비자를 대상으로 치열한 점유율 경쟁을 펼치고 있습니다. 한정된 시장에서 성장을 하기 위해서는 점유율을 늘리는 것 밖에는 방법이 없기 때문입니다. 그래서 각종 할인 및 TV광고 등 상당한 금액을 마케팅비에 지출하고 있습니다. 매출액 변동이 크지 않은 업종이기 때문에 마케팅비 증감여부에 따라 이익증감 여부가 결정되곤 합니다.

정수기 등 가정용 생활가전 렌털 업종도 비슷합니다. 국내 소비자를 대상으로 치열한 점유율 경쟁을 펼치고 있습니다. 점유율을 높이기 위해서는 마케팅비 지출이 필수적입니다. 과도한 마케팅비 지출은 이익을 훼손시킬 수도 있습니다.

하지만 점유율을 높이지 않으면 도태될 수 있기 때문에 비용증가는 어쩔 수 없는 상황입니다. 그런데 시장이 재편되어 렌털업종 점유율 경쟁이 끝난다면 마케팅비는 줄어들 것이고, 이익은 크게 증가하게 될 것입니다.

$$기업이익 = P \times Q - C$$

기업이익을 결정하는 3대 요소인 가격, 수량, 비용을 알아보았는데요, 기업이익은 3가지 요소가 복합적으로 작용해 결정됩니다. 기업의 실적은 주가상승의 기본이기 때문에 위 공식 역시 꼭 알아두시기 바랍니다.

 염불리의 꿀팁

판매가격과 판매수량이 일정하다면 비용감소는 기업이익을 개선시키는데 큰 역할을 합니다. 매출액 변동이 크지 않은 산업에서는 인건비와 마케팅비 증감여부가 기업이익을 결정하는 핵심요소로 작용합니다. 비용감소가 구조적으로 발생하는 기업에 대해서는 긍정적인 시각을 갖는 것이 필요합니다.

체감경기가 안 좋은데
왜 주가는 상승하나요?

주식투자를 처음 하시는 분들의 공통적인 질문 중의 하나가 바로 "경기는
안 좋은 것 같은데 주가는 계속 올라가서 이해가 안 갑니다. 왜 그런 건가
요?"입니다. 상식적으로 생각해보면 맞는 말이죠. 주가는 기업의 이익을 반
영하는데 경기가 안 좋은데 기업의 이익이 좋을리가 없기 때문입니다. 그런
데 주가는 경기침체를 비웃기라도 하듯이 오히려 급등하는 경우가 종종 발생
합니다.

　2020년이 특히 그렇습니다. 코로나19가 발생하고 코스피 지수는 2월
2,200포인트에서 3월 19일 1,439포인트까지 -34.5% 급락세를 보였지만
3월 19일을 저점으로 11월 말 2,600포인트까지 무려 +80%나 급등세를 보
였습니다. 여전히 전 세계 경제는 침체 상황이고 코로나19 리스크에서 탈

출하지 못했는데도 미국의 다우와 나스닥을
비롯해 한국의 코스피까지 주식시장은 사상
최고치를 갱신하고 있습니다. 대규모 실업, 취
약계층의 파산, 여행 및 항공사의 구조조정,
자영업자들의 매출감소 등 체감경기는 최악
이지만 주식시장은 다른 세상에 존재하고 있
나 싶을 정도로 분위기가 완전히 다릅니다.

주식시장이 실물경기와 다소 괴리가 발생
한 이유는 무엇일까요? 그것은 바로 주식시장
이 가지는 3가지 속성 때문입니다.

첫째, 유동성*입니다. 코로나19로 경제가
큰 충격에 빠지고 대규모 실업이 발생하고 기
업들의 파산 리스크가 커지자 중앙은행은 금

출처: FRED

리를 크게 인하했고, 정부는 대규모 부양책을 동원해 시중에 돈을 풀었습니다. 금리는 낮아졌고 돈이 급속도로 풀리자 돈의 가치는 급락했고, 그 반대편에 있는 부동산·금·주식 등 실물자산의 가치는 크게 증가했습니다. 금리가 낮아지고 돈이 많이 풀리면 주식시장으로 자금이 유입됨은 물론 주식가치는 증가할 수밖에 없습니다.

둘째, 대형기업들의 시가총액 상승입니다. 코로나19로 인해 큰 피해를 입은 주체는 중소기업 및 소상공인입니다. 경기침체로 인한 소비감소로 매출이 감소하고 심지어 파산하는 등 큰 어려움을 겪었습니다. 반면 시장 지배력이 높은 대형기업들은 그렇지 않았습니다. 미국의 아마존, 애플, 테슬라를 비롯해 한국의 삼성전자, 네이버, 카카오, 삼성바이오로직스, LG화학 등은 오히려 이익도 증가했고 시가총액도 크게 증가했습니다.

상황이 어려운 중소기업의 주가등락은 증시에 큰 영향을 주지 않습니다. 하지만 삼성전자, 네이버 같은 대형기업들의 주가등락은 증시에 큰 영향을 줍니다. 네이버, 카카오, 엔씨소프트로 대변되는 언택트* 3인방은 2020년 국내증시에서 시가총액이 가장 크게 증가한 기업들입니다. 코로나19 이전 언택트 관련주 3사(네이버, 카카오, 엔씨소프트)의 합산 시가총액은 44조 원(2020년 3월 19일 기준)이었습니다. 2020년 11월 말 현재 이들의 합산 시총은 97조 원이 되었고 +120%나 증가했습니다. 이런 대형기업들의 주가상승이 주식시장 상승에 큰 영향을 주었던 것입니다.

언택트

언택트(Untact)는 contact(접촉)에 un(않는다)이라는 단어를 붙여 만든 신조어로 '접촉하지 않는다'는 의미로 사용됨. 소비자와 만나지 않고 온라인 상에서 상품과 서비스를 판매하는 비즈니스 모델을 의미셋째, 미래가치의 선반영입니다. 주식시장은 앞에서 거듭 강조한 대로 미래를 선반영하는 속성이 있습니다. 과거와 현재가 아닌 미래를 반영하는 곳이 주식시장입니다. 코로나19로 인해 현재 경제 상황은 좋지 않지만 백신은 나올 것이고, 코로나19 리스크는 해소될 것이고, 경제는 마침내 정상화될 것입니다. 주식시장은 그러한 미래 기대감을 선반영하고 있습니다.

전기차 관련주의 주가상승, 반도체 슈퍼사이클 기대감에 의한 반도체 관련주의 강세(2020년 11월 반도체 가격은 하락했지만 삼성전자 주가는 사상 최고가를 경신) 등도 현재가 아닌 미래가치를 반영하고 있는 것입니다.

"주식투자를 할 때는 백미러를 보지 말고 앞만 보고 운전해야 한다"고 흔히 말합니다. 미래가치를 반영하는 주식시장의 속성이 경기침체에도 오히려 주가가 상승하는 이유 중의 하나입니다.

염블리의 꿀팁

주식시장과 실물경기는 동행하지 않습니다. 실물경기침체에도 주가는 상승하는 경우가 많습니다. 유동성, 대형주의 주가흐름, 미래가치의 선반영 등으로 인해 주식시장은 실물경기와 다른 궤적을 그리곤 합니다.

8장

20여년간 주식시장에 몸담아왔던 필자만의 주식투자 노하우를 8장에 모아보았습니다. 기업의 주가에 영향을 줄 수 있는 공시들을 검색하고 해석하는 방법, 기술적 지표로 지수를 예측하는 방법, 매도가 하고 싶을 때 고민해야 하는 3가지 기준, 아주 간단한 기업분석 방법 등 꿀팁만을 담아놓았습니다. 거북이처럼 천천히 가는 것도 좋지만 가끔은 토끼처럼 빠르게 갈 필요도 있습니다. 8장은 여러분을 잠시 토끼로 만들어드릴 것입니다.

주린이도
반드시 기억해야 할
투자 꿀팁 10가지

질문 TOP 62

기업의 신규시설투자는
주가에 어떤 영향을 주나요?

저자 직강 동영상 강의로 이해 쏙쏙!
QR코드를 스캔하셔서 동영상 강의를 보시고
이 칼럼을 읽으시면 훨씬 이해가 잘 됩니다!

주식시장에 상장한 기업은 일정 규모 이상의 시설투자를 결정했을 때는 반드시 공시를 해야 합니다. 신규시설투자라는 항목으로 공시를 내게 되어 있는데요, 투자자들은 누구나 전자공시에 들어가서 기업들의 신규시설투자를 확인할 수 있습니다.

지금부터는 신규시설투자 공시를 어떻게 확인할 수 있는지 알아보도록 할게요. 어렵지 않으니 차근차근 따라해보시기 바랍니다.

전자공시 홈페이지에 들어가서 공시서류검색 메뉴에 공시통합검색을 클릭해보세요. 공시통합검색에 들어가면 원하는 공시정보를 확인할 수 있습니다. 신규시설투자만이 아니라 유상증자, 무상증자, 공급계약 체결 등 다양한 내용을 검색할 수 있습니다.

전자공시 홈페이지

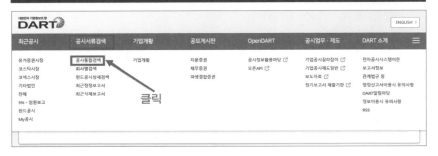

출처: 전자공시

전자공시 상세검색 화면

출처: 전자공시

먼저 기간을 설정해야 합니다. 당일공시만 검색할 수도 있고, 6개월 전부터 현재까지의 공시도 검색할 수 있습니다.

기간을 설정한 후에는 보고서명에 신규시설투자라는 키워드를 입력하고 검색 버튼을 누르시기 바랍니다. 화면에 다양한 기업들의 신규 시설투자 공시가 뜨게 되는 걸 확인할 수 있습니다.

기재정정이라고 표시되어 있는 제목은 무시하셔도 됩니다. 과거에 공시했던 내용을 정정하는 것이기 때문에 우리가 찾는 새로운 시설투자 공시는 아닙니다.

공시를 클릭하면 신규 시설투자에 관한 자세한 내용이 나오는데요, 여기서 투자자들이 반드시 주의를 기울여야 할 점이 하나 있습니다. 신규시설투자 공시에서 가장 중요한 것은 투자목적입니다. 설비투자 금액도 중요하

신규시설투자 공시내용

1. 투자구분		신규시설투자
2. 투자내역	투자금액(원)	43,500,000,000
	자기자본(원)	102,973,963,761
	자기자본대비(%)	42.24
	대규모법인여부	미해당
3. 투자목적		사옥 및 시스템반도체 R&D센터 신축을 통한 업무효율성 증대
4. 투자기간	시작일	2020-07-16
	종료일	2022-09-26
5. 이사회결의일(결정일)		2020-07-16
-사외이사 참석여부	참석(명)	1
	불참(명)	0
6. 감사(감사위원) 참석여부		참석
7. 공시유보 관련내용	유보사유	-
	유보기한	-

출처: 전자공시

FCBGA

Flip Chip Ball Grid Array의 약자로 반도체를 메인보드에 잘 연결해주는 것을 의미. Flip Chip은 반도체 칩과 기판을 공모양의 범프로 연결하는 방식으로 신호경로가 짧고 많은 입출력 범프로 연결해 전기신호를 빨리 전달할 수 있음. Ball Grid Array는 반도체 칩보다 기판 크기가 더 큰 제품으로 주로 PC의 CPU에 사용됨

지만 내용을 꼭 확인하시기 바랍니다.

앞페이지의 공시내용에서 투자목적 항목을 보면 '사옥 및 시스템반도체 R&D센터 신축을 통한 업무효율성 증대'라고 적혀 있습니다. 내용 그대로 회사의 사옥을 새로 건설한다는 것임을 알 수 있습니다. 이런 경우는 오히려 주가에 부담으로 작용합니다. 투자자들이 원하는 새로운 기술, 새로운 시장, 새로운 제품 혹은 기존 제품의 생산 증가를 위한 증설이 아니기 때문입니다.

앞에서(질문 TOP 26 '기업의 투자는 왜 주가에 긍정적인가요?') 대덕전자의 신규시설투자 공시를 보여드렸는데요, 그 공시의 투자목적 항목을 보면 '신규 비메모리 반도체 FCBGA* 시장 확대 수요에 대응하기 위한 생산설비 신설'이라고 적혀 있습니다. 새로운 분야에 진출하기 위한 설비투자라는 것을 명확히 알 수 있습니다. 이런 경우는 사옥건설 등과는 달리 대부분 주가에 긍정적으로 작용합니다.

 염불리의 꿀팁

신규시설투자 공시는 주가에 큰 영향을 끼칩니다. 투자자들은 누구라도 전자공시 홈페이지에서 신규시설투자 공시 내용을 검색하고 확인할 수 있습니다. 신규시설투자 공시에서의 핵심은 투자목적입니다. 회사가 성장하기 위해 시설투자 공시를 하는 것인지 꼭 확인하시기 바랍니다.

질문
TOP
63

5%룰을 활용하면 주가를 예측할 수 있나요?

2014년 12월 5일, 대한항공 오너 일가인 조현아 전 부사장의 땅콩회항 사
건을 기억하시나요? 조현아 전 대한항공 부사
장이 이륙준비 중이던 기내에서 땅콩제공 서비
스를 문제 삼으며 승무원을 폭행하고 항공기를
탑승 게이트로 되돌렸던 충격적인 사건이었죠.
이로 인해 대한항공을 지배하는 한진그룹 일가
에 대한 비난이 쏟아졌고, 한진 오너일가가 경
영에서 물러서는 등 큰 변화가 있었는데요, 그
럼에도 2018년까지 한진그룹 오너 일가의 갑
질은 계속 이어졌습니다. 이에 한진그룹은 큰

KCGI(그레이스홀딩스)

LK투자파트너스 출신의 강
성부 대표가 2018년에 설립
한 대한민국의 독립계 사모펀
드. KCGI는 Korea Corporate
Governance Improvement의
약자로, 지배구조가 취약하거
나 문제가 있는 회사의 지분을
사들여 경영에 참여하는 주주
행동주의를 지향하는 사모펀드

위기에 몰렸습니다.

　이 틈을 노려 한 사모펀드가 그룹의 지주회사 역할을 하고 있는 한진칼을 공격하는 사건이 발생했습니다. 강성부 대표가 2018년 설립한 사모펀드 KCGI(그레이스홀딩스)*가 한진칼 지분 9%를 취득했다고 공시를 한 것입니

KCGI의 한진칼 최초 지분 보유신고

주식등의 대량보유상황보고서

(일반서식 : 자본시장과 금융투자업에 관한 법률 제147조에 의한 보고 중 '경영권에 영향을 주기 위한 목적'의 경우)

–

금융위원회 귀중
한국거래소 귀중

보고의무발생일　　　 :　　2018년 11월 14일
보고서작성기준일 :　　2018년 11월 14일

보고자 :　　　　　　　유한회사 그레이스홀딩스

요약정보			
발행회사명	(주)한진칼	발행회사와의 관계	주주
보고구분	신규		
보유주식등의 수 및 보유비율		보유주식등의 수	보유비율
	직전 보고서	–	–
	이번 보고서	5,322,666	9.00
주요계약체결 주식등의 수 및 비율		주식등의 수	비율
	직전 보고서	–	–
	이번 보고서	–	–
보고사유	신규보고의무 발생(주식 장내매수)		

출처: 전자공시

다. 2018년 11월 14일, 5%룰에 따라 지분 취득 공시를 했는데 내용이 흥미로웠습니다. 단순한 지분 취득이 아닌 경영권 간섭을 하겠다는 목적을 확실히 드러냈습니다. 보유목적에 보면 임원의 선임, 해임 또는 직무의 정지, 회사의 배당결정, 회사의 해산 등 경영권에 영향을 줄 수 있는 사항을 언급한 것이죠.

다음날 각종 언론들은 강성부 펀드의 지분 취득을 대서특필합니다. '강성부의 KCGI, 국민연금 제치고 2대주주로, 한진칼 지배구조 개선 신호탄'

KCGI의 한진칼 지분 매수목적

4. 보유목적

자본시장과 금융투자업에 관한 법률 시행령 제154조 제1항 각 호에 대한 세부 계획은 없지만 장래에 회사의 업무집행과 관련한 사항이 발생할 경우에는 관계법령 등에서 허용하는 범위 및 방법에 따라 회사의 경영목적에 부합하도록 관련 행위들을 고려할 예정입니다.

자본시장과 금융투자업에 관한 법률 시행령 제154조 제1항 각 호

1. 임원의 선임·해임 또는 직무의 정지
2. 이사회 등 회사의 기관과 관련된 정관의 변경
3. 회사의 자본금의 변경   경영권 참여 목적
4. 회사의 배당의 결정
5. 회사의 합병, 분할과 분할합병
6. 주식의 포괄적 교환과 이전
7. 영업전부의 양수·양도 또는 금융위원회가 정하여 고시하는 중요한 일부의 양수·양도
8. 자산 전부의 처분 또는 금융위원회가 정하여 고시하는 중요한 일부의 처분
9. 영업전부의 임대 또는 경영위임, 타인과 영업의 손익 전부를 같이하는 계약, 그 밖에 이에 준하는 계약의 체결, 변경 또는 해약
10. 회사의 해산

출처: 전자공시

'KCGI, 경영참여 본격화' '이사진 교체 통한 경영권 장악 가능성' 등 경영권 분쟁이 시작되었음을 일제히 알렸습니다.

주식시장에서 경영권 분쟁은 가장 큰 호재 중의 하나입니다. 2018년 11월 15일 주가는 +13% 급등했고, 2만 원 초반대에 있던 주가는 한 달 만에 3만 원을 넘게 됩니다.

그런데 이게 끝이 아니었습니다. KCGI는 2018년 12월 26일 지분을 추가로 1.81% 취득했다고 공시를 하게 됩니다. 보유지분율이 9%에서 10.81%까지 늘어난 것이죠. 그리고도 꾸준히 지분을 매입해서 2020년 1월 31일에는 보유 지분율이 32.06%가 되었다고 공시를 했습니다.

경영권 분쟁이 지속되면서 한진칼 주가는 2018년 11월 지분취득 공시 당시 22,000원에서 2020년 4월 111,000원까지 급등세를 보였습니다.

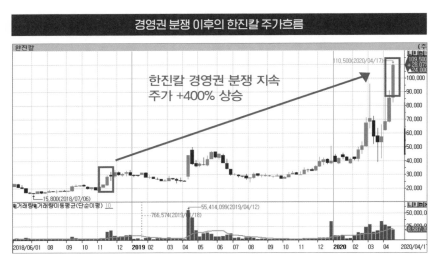

출처: 이베스트투자증권 HTS

2019년, 2020년 모두 적자를 기록했는데 주가는 무려 400% 넘게 상승한 것입니다. 경영권 분쟁이 얼마나 강력한 주가상승을 일으키는지 한진칼의 사례를 보면 명확히 알 수 있습니다.

　5%룰에 따라 지분공시를 하는 기업들은 많이 있습니다. 대부분은 경영권 참여가 아닌 단순투자 목적입니다. 그런 경우는 주가에 큰 영향을 주지 않습니다. 한진칼의 사례처럼 경영권 참여를 확실히 공시한 기업들의 주가가 크게 오르는 경향이 있는 만큼 5%룰도 그 내용을 꼭 살펴보시기 바랍니다(5%룰을 전자공시에서 검색하시려면 전자공시 홈페이지 상세검색에서 보고서명에 '주식등의대량보유상황보고서'를 입력하고 검색하면 됩니다).

 엄블리의 꿀팁

> 5%룰(지분을 5% 이상 신규 취득하거나 보유한 투자자가 매매내역을 보고하는 규정)을 활용하면 주가를 예측할 수 있습니다. 지분을 5% 이상 신규취득한 투자자가 투자목적을 경영권 참여라고 공시했을 경우, 경영권 분쟁 기대감에 의해 주가는 상승할 가능성이 높습니다.

대규모 수주를 확인하면
오르는 주식을 살 수 있나요?

필자는 오리온 초코파이를 굉장히 좋아합니다. 초코파이를 만드는 오리온
은 누구를 대상으로 이 제품을 만들었을까요? 당연한 얘기이지만 저를 비
롯한 여러분을 지칭하는 일반 소비자를 대상으로 만들었습니다. CJ제일제
당의 비비고 만두 역시 마찬가지죠. 삼성전자의 갤럭시S 스마트폰도 일반
소비자를 대상으로 하는 제품이죠.

반면 반도체를 생산하기 위해 필요한 반도체 장비, 제품을 운송하기 위
한 컨테이너 선박, 대규모 석유화학 공장, 데이터 센터, 전기차 배터리에 필
요한 양극재 등은 일반 소비자를 대상으로 하지 않습니다. 반도체 장비는
반도체를 생산하는 삼성전자에게 필요하고, 전기차 배터리에 필요한 양극
재는 LG화학에 필요하고, 컨테이너 선박은 HMM(현대상선)에 필요하고, 석

유화학 공장은 롯데케미칼 같은 기업에 필요하죠.

앞에서 설명한 일반 소비자를 대상으로 하는 제품과 비즈니스를 B2C(Business to Consumer)라고 합니다. 그리고 뒤에서 설명한 기업을 대상으로 하는 제품과 비즈니스를 B2B(Business to Business)라고 부릅니다.

전자공시에 보면 '단일판매·공급계약체결'이라는 공시가 있습니다. 이런 공시가 뉴스에 뜨면 그 기업의 주가는 순간적으로 급등세를 보이는 경우가 많습니다. 앞에서 설명드린 B2B 관련 사업을 하는 회사들은 기본적으로 수주를 해서 이익을 창출합니다. 건설사는 공장이나 아파트 건설 수주를 받아야 공사를 해서 돈을 벌고, 조선사는 배를 수주받아야 건조를 해서 돈을 법니다. 반도체 장비 회사 역시 삼성전자 같은 곳에서 수주를 받아야 장비를 만들고 돈을 법니다. B2B 기업들이 받는 수주가 바로 '단일판매·공급계약체결'이라고 생각하시면 됩니다.

의미 있는 규모의 공급계약을 체결한 기업들은 그 내용을 의무적으로 공시를 해야 합니다. 기업의 주가에 큰 영향을 줄 수 있기 때문입니다. 코스피 상장 기업은 매출액 대비 5% 이상의 단일판매·공급계약을 체결했을 때 반드시 공시를 해야 합니다. 코스닥 상장 기업은 매출액 대비 10% 이상이면 의무적으로 공시를 해야 합니다.

지금부터는 대규모 공급계약 체결이 얼마나 주가에 큰 영향을 주는지 알 수 있는 사례를 말씀드리겠습니다. 전기차 배터리용 양극재를 생산하는 에코프로비엠이라는 기업은 2020년 2월 3일 단일판매·공급계약체결 공시를 내는데요, 내용은 전기차 배터리용 하이니켈계 NCM 양극소재 중장기 공급계약체결입니다. 규모는 매출액 대비 무려 465%이며, 거래 상대방은 SK이노베이션이었습니다. 4년간 총 2조 7,000억 원의 대규모 수주계약으로, 공시 당일 주가는 +21%나 급등했습니다. 연 매출이 앞으로 2배가 늘어나는 계약이었고, 전기차 배터리 시장의 성장성은 누구도 의심하지 않았기 때문에 주가는 공급계약 체결일로부터 꾸준히 상승해서 무려 3배나 상승하는 힘을 보여주었습니다.

　　수주 공시를 확인하는 방법을 알려드리겠습니다. 대표적인 수주산업인

에코프로비엠의 대규모 양극재 공급계약체결 공시		
단일판매 · 공급계약체결		
1. 판매 · 공급계약 내용		전기차 배터리용 하이니켈계 NCM 양극소재 중장기 공급계약 체결
2. 계약내역	조건부 계약여부	미해당
	확정 계약금액	2,741,283,000,000
	조건부 계약금액	-
	계약금액 총액(원)	2,741,283,000,000
	최근 매출액(원)	589,185,697,593
	매출액 대비(%)	465.27
3. 계약상대방		에스케이이노베이션
-최근 매출액(원)		54,510,898,000,000
-주요사업		석유화학, 에너지, 이차전지 제조 등
-회사와의 관계		없음
-회사와 최근 3년간 동종계약 이행여부		미해당
4. 판매 · 공급지역		에스케이이노베이션 국내 및 해외 공장
5. 계약기간	시작일	2020-01-01
	종료일	2023-12-31
6. 주요 계약조건		-
7. 판매 · 공급방식	자체생산	해당
	외주생산	미해당
	기타	-
8. 계약(수주)일자		2020-01-31
9. 공시유보 관련내용	유보기한	-
	유보사유	-
10. 기타 투자판단에 참고할 사항		

출처: 전자공시

조선사, 건설사의 수주를 확인하고 싶으면 전자공시 홈페이지에 들어가 공시통합검색에서 '단일판매·공급계약체결'이라는 키워드를 넣고 검색을 하면 됩니다. 세계 1위 조선회사인 현대중공업의 수주를 확인하고 싶으시면 기업명에 '현대중공업'을 써놓고 기간을 설정한 후 검색하면 됩니다. 그러면 어떤 선박을 수주했고 금액은 어느 정도인지 등 상세한 수주내용을 확인할 수 있습니다.

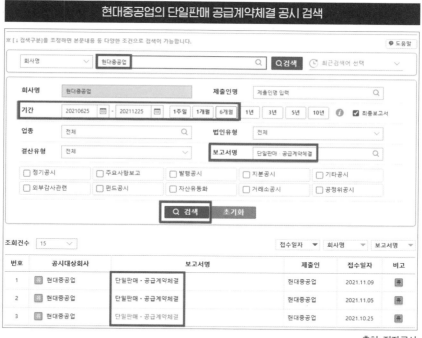

출처: 전자공시

한국증시에 상장된 기업들은 B2C보다는 B2B 기업들이 많습니다. B2B 기업의 이익의 원천은 수주입니다. B2B 기업을 보유한 투자자들은 꼭 '단일판매·공급계약체결'을 자주 확인해서 회사가 수주를 잘 받고 있는지 검증하시기 바랍니다.

 염블리의 꿀팁

　　기업을 대상으로 제품을 만드는 기업을 B2B 기업이라고 합니다. B2B 기업은 거래 상대방으로부터 수주를 받아서 제품을 생산하고 이익을 내게 됩니다. 투자자들은 '단일판매·공급계약체결'이라는 공시를 통해 그 내용을 확인할 수 있습니다.

고배당주에 투자하려면
어떻게 해야 하나요?

배당이 어떤 것인지 4장에서 이미 알아봤습니다. 여기에서는 배당주를 어떻게 투자해야 하는지 말씀을 드리겠습니다.

코스피 시장과 코스닥 시장에 상장된 기업들은 2,200개가 넘는데요, 이 많은 기업들 중에서 어떤 기업이 안정적으로 매년 배당을 지급하고 고배당을 하는지 찾으려면 막막할 수밖에 없습니다. 하지만 너무 걱정하지는 마세요. 검색을 활용하면 어렵지 않습니다.

네이버 검색 창에 '배당수익률'이라고 치고 검색을 해보세요. 그러면 배당수익률이 높은 기업부터 순서대로 결과를 보여줍니다.

배당수익률 순위 (2020년 12월 15일 기준)

국내증시 ▾　배당수익률 상위종목 ▾

종목명	현재가	전일대비	등락률	배당금	배당수익률
베트남개발1	240	▲ 1	+0.42%	90	37.32%
동양고속	26,400	− 0	0.00%	4,700	17.80%
두산우	43,800	▼ 50	-0.11%	5,250	11.99%
대동전자	4,230	▼ 50	-1.17%	500	11.82%
한국ANKOR유전	1,630	▼ 5	-0.31%	185	11.35%
웅진씽크빅	2,850	▼ 40	-1.38%	310	10.89%
삼양옵틱스	9,600	− 0	0.00%	1,000	10.42%
유아이엘	3,980	▲ 45	+1.14%	400	10.05%
두산	52,500	▼ 1,800	-3.31%	5,200	9.90%
대신증권우	11,100	▼ 100	-0.89%	1,050	9.46%

출처: 네이버

　　이제 해야 할 일은 어떤 기업을 선택할지 기준을 세우는 것입니다. 위의 표는 작년 배당금을 기준으로 현재 가격에서 가장 높은 배당수익률을 주는 기업을 나타낸 것입니다. 작년에 배당금을 1,000원 주었다고 해서 올해도 1,000원을 준다는 보장은 없습니다. 그리고 작년에 흑자여서 배당을 주었던 기업이 올해는 적자가 나서 배당을 주지 않을 수도 있습니다. 작년 배당금을 기준으로 하는 배당수익률을 참고하되 검증을 해야 합니다.

　　동양고속은 2019년 배당금으로 4,700원을 지급했고, 26,150원을 기준으로 배당수익률을 계산하면 17.97%가 나옵니다. 정말 엄청난 배당수익률인데 문제는 2020년입니다. 2019년 328억 원 순이익을 냈었는데

2020년에는 상반기에만 83억 원 적자를 기록했습니다. 적자를 내도 배당금을 줄 수 있지만 적자기업이 배당금을 지급하기가 결코 쉽지는 않습니다. 배당금을 지급하더라도 지급액수는 전년도에 비해 크게 감소할 가능성이 높습니다.

교육회사인 씨엠에스에듀는 매년 안정적으로 배당금을 지급하기로 유명한 기업 중의 하나입니다. 매년 흑자기조를 유지하고 있고, 배당도 주당 300원 이상을 꾸준히 지급하고 있습니다. 2020년에도 3분기까지 흑자를 냈기 때문에 300원 이상의 배당금 지급이 유력해보입니다.

배당주 투자 시 명심할 게 있습니다. 첫째, 과거 배당금입니다. 과거에도 높은 배당금을 꾸준히 지급했는지를 먼저 검증하시기 바랍니다. 둘째, 올해 예상 순이익입니다. 순이익이 지난해보다는 증가해야 적어도 지난해보다 많은 배당금을 기대할 수 있습니다. 이익이 줄거나 적자가 나면 과거 배당금은 의미가 없어질 수도 있습니다.

셋째, 시기입니다. 고배당 기업은 적어도 10월까지 투자를 해놓으시는 게 좋습니다. 11~12월에 배당을 노린 매수세가 유입되어 주가가 상승하는 경우가 많습니다. 주가가 오르면 배당 매력이 떨어지는 만큼 11월이 오기 전에 미리 기업을 선정하고 매수를 해놓는 게 좋습니다.

마지막으로, 배당주에 투자했다면 언제까지 보유해야 배당금을 받을 수 있는지 알아보겠습니다. 만일 국내증시 폐장일이 12월 30일이라면 폐장일 이틀 전까지 주식을 보유하고 있어야 배당을 받을 수 있습니다. 한국에서는 주식을 매도하고 바로 결제되는 것이 아니라

주주명부

당해년도 주주가 누구인지를 명시한 회사의 장부. 주주명부가 확정되어야 배당금을 지급할 수 있는 대상을 확정할 수 있음

배당금 지급 스케줄 (폐장일이 12월 30일인 경우)					
주주명부 확정일	배당락	폐장일	휴일	배당 공시	배당금 지급
12월 28일	12월 29일	12월 30일	12월 31일	1월~3월	4월~

이틀 후에 결제되기 때문에 폐장일 이틀 전이 주주명부*가 확정되는 날입니다. 즉 12월 28일에 주식을 보유한 투자자들이 그해의 주주로 최종 확정되는 것입니다(폐장일은 매년 바뀌므로 매년 확인하시기 바랍니다).

폐장일 하루 전을 배당락이라고 하는데요, 배당을 받을 수 있는 권리가 소멸되는 날입니다. 그리고 주식시장은 배당을 주는 만큼의 수익률을 배당락일에 반영해서 주가가 떨어지게 됩니다.

삼성전자의 배당수익률이 2%라면 배당락 당일에 2% 하락해 출발하게 됩니다(배당락 당일에 꼭 2% 하락하는 건 아닙니다. 전일 미국증시 상황 등에 따라 시초가는 달라질 수 있지만 어떤 변수도 없다고 가정한다면 이론적으로는 2% 하락이 정상입니다).

그래서 배당을 많이 주는 기업들은 배당락 당일에 주가가 급락하는 경우가 많습니다. 배당을 많이 주는 만큼 그걸 반영해서 배당 권리가 소멸되는 날에 주가가 하락하는 경우가 상당히 많습니다.

배당주 투자를 할 때 배당 기대감으로 주주명부 확정일까지 주가가 많이 올랐다면 배당보다는 매도를 하는 것도 좋은 방법입니다. 배당락 당일 주가가 하락하는 것은 물론이고 보통 1월 중순까지도 하락하는 경우가 많기 때문입니다.

마지막으로 배당금은 보통 1~3월에 결정되고, 4월에 전년도 주주들에게 지급됩니다.

 염블리의 꿀팁

저금리 시대에 배당주 투자는 안정적인 재테크 수단입니다. 배당주에 투자할 때는 과거 배당금, 올해 예상 순이익, 투자시기 등을 종합적으로 고려해야 합니다. 고배당을 기대하고 투자했지만 주가가 너무 올라 배당수익 이상의 수익률을 기록했다면 배당락 전에 매도하는 것도 좋은 방법입니다.

질문 TOP 66

유상증자 신주인수권, 어떻게 대응해야 하나요?

저자 직강 동영상 강의로 이해 쑥쑥!
QR코드를 스캔하셔서 동영상 강의를 보시고
이 칼럼을 읽으시면 훨씬 이해가 잘 됩니다!

유상증자를 하게 되면 주식수가 크게 늘어납니다. 주주들은 주식수 증가에 따른 주가하락으로 피해를 볼 수밖에 없습니다. 주주를 대상으로 하는 유상증자는 주주들에게 유상증자를 신청할 수 있는 권리를 부여하는데요, 이 권리를 신주인수권*이라고 합니다. 이 신주인수권을 보유하고 있으면 유상증자 청약을 신청할 수 있습니다. 이걸 통해 주주들은 유상증자로 인한 주가하락의 피해를 일부 만회할 수 있습니다.

2020년 10월 두산중공업이라는 국내 대표 산업재 기업이 유상증자를 한다고 공시를 했습니다. 유상증자 권리락 전까지 주식을 보유한 분들은 유상증자 권리를 획득하게 되는데요, 유

신주인수권

회사가 신주를 발행할 경우에 그 전부 또는 일부를 타인에 우선해 인수할 수 있는 권리

상증자 권리인 신주인수권이 11월 18일 계좌에 들어오게 됩니다. 40R이라는 이름으로 되었는데요, 40은 발행회차입니다. 기존에 발행한 것들과 구분하기 위한 숫자라고 생각하시면 됩니다. R은 워런티입니다. 워런티는 보증서라고 하는데 신주를 인수할 수 있는 보증서라고 생각하시면 됩니다. 즉 40R은 두산중공업의 40회차 신주인수권이라고 생각하면 됩니다. 당시 나온 공시를 보겠습니다.

두산중공업의 유상증자 공시

(5) 신주인수권증서에 관한 사항

1) 자본시장과 금융투자업에 관한 법률 제165조의6 및 증권의 발행 및 공시등에 관한 규정 제5-19조에 의거하여 주주에게 신주인수권증서를 발행합니다.
2) 신주인수권증서는 한국거래소에 상장 예정입니다.
3) 신주인수권증서 상장기간 : 2020년 11월 18일 ~ 2020년 11월 24일 (5영업일)
4) 금번 유상증자시 신주인수권증서는 전자증권제도 시행일(2019년 9월 16일) 이후에 발행되고 상장될 예정으로 전자증권으로 발행됩니다. 주주가 증권사 계좌에 보유하고 있는 주식(기존 '실질주주' 보유주식)에 대하여 배정되는 신주인수권증서는 해당 증권사 계좌에 발행되어 입고되며, 명의개서대행기관 특별계좌에 관리되는 주식(기존 '명부주주' 보유주식)에 대하여 배정되는 신주인수권증서는 명의개서대행기관 내 특별계좌에 소유자별로 발행 처리됩니다.

출처: 전자공시

유상증자 공시에 보면 신주인수권증서에 관한 사항이 나오는데요, 신주인수권증서가 2020년 11월 18일부터 2020년 11월 24일까지 5영업일간 상장된다는 내용입니다. 즉 신주인수권을 받은 주주들은 이 기간 동안 40R을 증권사 HTS나 MTS를 이용해서 매도할 수 있습니다. 물론 주주가 아닌 분들은 이 신주인수권을 매수할 수도 있습니다. 신주인수권을 보유한 주주가 5영업일간 신주인수권을 계속 보유하고 있으면 두산중공업 유상증자에

두산중공업의 유상증자 공시

6. 신주 발행가액	확정발행가	보통주식 (원)				9,980
		기타주식 (원)				–
	예정발행가	보통주식 (원)		–	확정예정일	–
		기타주식 (원)		–	확정예정일	–
7. 발행가 산정방법			"23. 기타 투자판단에 참고할 사항 – (1) 신주발행가액의 산정 근거" 참조			
8. 신주배정기준일			2020.10.16			
9. 1주당 신주배정주식수 (주)			0.3839824007			
10. 우리사주조합원 우선배정비율 (%)			20.0			
11. 청약예정일	우리 사주조합	시작일	2020.12.03			
		종료일	2020.12.03			
	구주주	시작일	2020.12.03			
		종료일	2020.12.04			
12. 납입일			2020.12.11			
13. 실권주 처리계획			"23. 기타 투자판단에 참고할 사항 – (2) 신주의 배정방법" 참조			
14. 신주의 배당기산일			2020.01.01			
15. 신주권교부예정일			–			
16. 신주의 상장예정일			2020.12.24			
17. 대표주관회사(직접공모가 아닌 경우)			한국투자증권(주), NH투자증권(주)			
18. 신주인수권양도여부			예			
– 신주인수권증서의 상장여부			예			

출처: 전자공시

참여할 수 있습니다. 하지만 이 기간 동안 신주인수권을 매도한다면 유상증자에 참여할 수는 없습니다.

위의 공시내용을 보면 두산중공업의 유상증자 신주가격은 9,980원으로 결정되었고, 1주당 0.38주를 배정한다고 되어 있습니다. 두산중공업 100주를 보유하고 있던 주주라면 38주의 신주인수권을 받을 수 있다는 의미입니다. 18번 항목에 보면 신주인수권양도여부와 상장여부가 있는데 모두 '예'라고 표시되어 있습니다. 신주인수권을 매매할 수 있다는 의미입니다. 11번 항목에서는 주주가 청약할 수 있는 청약일이 나와 있습니다. 2020년 12월 3일~4일입니다. 신주인수권을 팔지 않고 보유한 주주와 신주인수권 매매기간 동안 새롭게 신주인수권을 매수했던 투자자들만이 청약에 참여할 수 있습니다. 청약신청을 하고 2020년 12월 11일에 유상증자 대금을 납입하면 됩니다.

여기서 두산중공업 주주들은 2가지 선택을 할 수 있습니다. '신주인수권을 매도해서 현금을 확보할 것이냐, 유상증자 청약을 해서 신주를 받을 것이냐', 이 둘 중의 하나를 선택해야만 합니다. 둘 중 어느 것도 선택하지 않고 그냥 둔다면 어떤 보상도 받을 수 없습니다.

두산중공업의 유상증자 발행가격은 9,980원입니다. 현재 주가(2020년 11월 20일 기준)는 14,800원입니다. 신주인수권 40R은 4,385원에 거래되고 있습니다. 어떻게 하는 게 유리할까요?

너무 어렵게 생각할 필요는 없습니다. 현재주가와 유상증자 발행가격의 차이는 '14,800원-9,980원=4,820원'입니다. 유상증자 청약을 해서 신주를 받았고 지금 이 신주를 매도할 수 있다면 1주당 4,820원의 이익을 낼 수 있다는 의미입니다. 그런데 신주인수권은 4,385원에 거래되고 있기 때문에 신주인수권을 팔면 4,385원의 이익을 낼 수 있게 됩니다.

여러분이 주주라면 어떻게 하시겠습니까? 신주인수권을 4,385원에 매도하고 유상증자 권리를 포기하는 것보다는 신주인수권을 그대로 보유하고 청약을 해서 4,820원의 이익을 얻는 게 유리합니다.

하지만 유상증자 신주는 공시 16번의 항목에 나온 것처럼 2020년 12월 24일에 상장합니다. 이날 이후에 시장에서 거래가 가능하다는 의미입니다. 만일 주가가 현재가인 14,800원을 상장일에도 유지하고 있다면 1주당 4,820원의 이익을 얻을 수 있어서 유리하겠지만, 유상증자로 인한 주식 수 증가부담으로 상장일 주가가 13,000원이 되었다면 상황이 달라질 수 있습니다. '13,000원-9,980원=3,020원'입니다. 1주당 3,020원은 신주인수권 거래가격인 4,820원보다 훨씬 낮은 가격입니다. 이 경우에는 당연히 신주인수권을 미리 매도하고 유상증자 청약을 안 하는 게 더 유리했을 것입니다.

어느 것이 정답이라고 할 수는 없습니다. 유상증자 신주가 상장되는 날짜의 주가에 따라 결과는 달라지기 때문입니다. 신주인수권을 매도하고 현금을 확보할 것인지, 혹은 신주인수권을 보유하고 유상증자 청약을 할 것인지는 주주의 몫입니다. 다만 둘 중의 하나는 꼭 선택하시기 바랍니다. 신주인수권을 그대로 보유한 채 유상증자 청약을 하지 않으면 권리는 자동소멸됩니다(유상증자 청약절차에 대해서는 주거래 증권사 고객상담센터에 문의를 하면 친절히 알려줄 것입니다).

 엄블리의 꿀팁

주주배정 유상증자에 참여할 수 있는 권리를 획득한 주주는 신주인수권을 부여받게 됩니다. 신주인수권은 유상증자 신주를 받을 수 있는 권리로 정해진 기간 동안 매도를 해서 현금화할 수도 있고, 보유를 해서 유상증자에 청약해 신주를 받을 수도 있습니다. 선택은 주주의 몫입니다.

RSI라는 보조지표로
지수를 예측할 수 있나요?

주가차트 보조지표 중에 RSI(Relative Strength Index)라는 지표가 있습니다. 상대강도지수라고 하는데요, 가격의 상승압력과 하락압력 간의 상대적인 강도를 의미합니다. 이 지표가 상승하면 상승압력이 더 높다는 것이고, 하락하면 하락압력이 더 높다는 것입니다. 따라서 주가가 크게 상승하면 RSI 지표도 크게 상승하고, 주가가 급락하면 RSI 지표도 크게 하락하게 됩니다.

가격이 전일보다 상승한 날의 상승분은 U라 하고, 가격이 전일보다 하락한 날의 하락분은 D라고 하겠습니다. U와 D의 평균 값을 AU, AD라고 하고, AU를 AD로 나눈 값이 RSI입니다. 이 값이 클수록 하락한 폭보다 상승한 폭이 크다는 의미입니다.

RSI는 0~100까지의 값을 가집니다. 70 이상이면 과매수 상태, 30 이하면 과매도 상태를 의미합니다. 70 이상이면 단기에 많이 상승해서 고점일 가능성이 높다는 것이고, 30 이하이면 많이 하락해서 바닥일 가능성이 높다는 의미입니다.

RSI를 활용하는 팁을 알려드리겠습니다. 각 증권사의 HTS나 MTS에서 차트에 RSI 지표를 먼저 넣으시기 바랍니다. RSI는 개별종목보다는 지수에 적용하는 게 더 의미가 있습니다. 코스닥 지수차트에 RSI를 넣고 지수의 단기바닥을 잡아내는 것을 알려드리겠습니다.

코스닥 종합차트에 RSI 적용

출처: 이베스트투자증권 HTS

과매도

주가가 많이 하락했음에도 매도가 강해서 하락세가 더욱 가속화되는 것을 의미. 적정 수준을 넘어서는 과도한 하락을 의미

차트 아래에 RSI 지표가 보이는데요, 빨간색 선이 RSI입니다. 이 RSI가 30 이하로 떨어지면 과매도* 상태인데, 네모박스 3곳에서 RSI가 30 이하로 떨어진 것을 확인할 수 있습니다. 지

수차트에서 그때 지수는 바닥을 찍고 바로 급반등하는 것을 볼 수 있습니다. 코스피, 코스닥 지수차트에서 RSI가 30 이하로 떨어지는 것은 1년에 한두 번 정도만 발생할 정도로 매우 드뭅니다.

　시장이 급락하고 앞이 보이지 않을 때 RSI 지표를 보면 지금이 단기바닥인지 아닌지를 어느 정도 확인할 수 있습니다. 단, 개별종목은 변동성이 크기 때문에 지수차트에 비해서는 확률이 떨어지는 점은 유의하시기 바랍니다.

 염불리의 꿀팁

RSI는 지수의 단기저점을 확인할 수 있는 보조지표입니다. 상대강도지수라고 하는데 주가가 상승하면 RSI도 상승하고, 주가가 하락하면 RSI도 하락합니다. RSI 값이 70 이상이면 과매수, 30 이하이면 과매도입니다. 지수차트에서 RSI가 30 이하일 때는 단기바닥일 가능성이 높습니다.

Peer Group을 알면
목표가가 보이나요?

Peer Group이란 같은 지역이나 공동체 속에서 생활하는 비슷한 나이의 구성원들이 주로 놀이를 중심으로 형성한 동아리를 의미합니다. 또래집단이라고 생각하면 됩니다.

주식시장에서도 또래집단인 Peer Group이 존재합니다. 이 Peer Group을 활용하면 요리할 때 쓰는 계량스푼처럼 좀 더 명확하게 목표가(기대수익률)를 계산할 수 있습니다. 요리를 눈대중으로 할 수도 있지만 계량스푼을 활용하면 원하는 정확한 맛을 낼 수 있는 것처럼 Peer Group을 활용하면 목표가 계산이 쉬워집니다.

2020년 주식시장에서 가장 뜨거웠던 업종은 누가 뭐래도 전기차, 그중에서도 2차전지입니다. 전기차의 심장은 배터리(2차전지)입니다. 배터리는

전기차 제조원가의 40%를 차지합니다. 배터리
가 없으면 전기차는 달릴 수가 없겠죠. 전기차
용 배터리 시장이 커지고 있는 만큼 경쟁도 치
열한데요, 많은 업체들이 이 시장에 뛰어들어
시장을 장악하기 위해 고군분투하고 있습니다.

한국에는 LG화학(LG에너지솔루션), 삼성SDI, SK이노베이션이 있고, 중
국에는 CATL, BYD, SVOLT가 있습니다. 일본에는 파나소닉이 있고, 유럽에
는 노스볼트*라는 기업이 배터리를 제조하고 있습니다. 다양한 국가의 다
양한 기업들이 경쟁하고 있는데요, 이 기업들은 모두 2차전지 섹터에 속한
기업들입니다. 그리고 이 기업들을 우리는 '2차전지 Peer Group'이라고 부
릅니다.

2020년 9월 기준으로 전기차용 2차전지 시장 점유율은 CATL이 19.2GWh
(점유율 23.1%)로 1위이고, LG화학이 18.9GWh(22.9%)로 2위입니다. 파나
소닉은 17.6GWh, 삼성SDI는 5.1GWh, SK이노베이션은 4.6GWh입니다.
점유율로 보면 CATL과 LG화학은 0.2% 차이로 거의 차이가 없습니다.

그런데 주가는 조금 다릅니다. 시가총액을 비교해보겠습니다. Peer
Group의 가장 선두에 있는 CATL은 시가총액이 97조 원(2020년 11월)입니
다. 점유율 차이가 거의 없는 LG화학은 시가총액이 56조 원(2020년 11월)
수준입니다.

LG화학과 CATL은 비슷한 점유율을 갖고 있는데 기업가치는 LG화학이
CATL의 절반에 불과합니다. LG화학이 압도적으로 싸다고 할 수 있습니다.
CATL은 순수 배터리회사이고 중국이라는 거대한 시장을 배경으로 하고 있
기 때문에 LG화학보다 비싸게 거래되는 것은 인정할 수 있습니다. 하지만

LG화학은 테슬라, GM, 현대차, 폭스바겐 등 많은 자동차 OEM과 거래를 하고 있고, 특허건수는 22,000건으로 CATL의 2,000건보다 10배나 많습니다. CATL의 절반에 거래되는 건 너무 과도한 저평가인 거죠.

여기서 주식투자자는 바로 투자 아이디어를 생각해야 합니다. LG화학의 경쟁력에 문제만 없다면 둘 간의 가격차는 좁혀질 것이라는 것을요. LG화학의 시가총액은 56조 원이 아니라 70조~80조 원을 가도 이상할 게 없는 것이죠. 25~43% 정도의 상승 여력이 있는 것입니다. 시가총액 56조 원이면 주가는 80만 원 정도가 됩니다. 100만~1,115,000원까지 상승할 수 있고, 이 구간을 목표가로 설정할 수 있습니다.

여러 변수가 작용할 수 있기 때문에 이 방식이 100% 맞다고 할 수 없지만 Peer Group을 활용하면 목표가를 막연히 설정할 필요가 없습니다. 명확하게 목표가를 설정할 수 있고, 이에 따른 투자전략도 명확히 세울 수가 있습니다.

2차전지만이 아니라 자동차, 반도체, 음식료, 인터넷 등 모든 업종에 적용이 가능합니다. 단, Peer Group을 비교하실 때는 그 기업이 주력으로 하는 사업과 Peer Group의 주력 사업이 똑같아야 합니다. 그렇게 해야 정확한 비교를 할 수 있으니까요.

 염블리의 꿀팁

Peer Group은 또래집단입니다. 주식시장에도 또래집단이 존재합니다. 전기차 배터리를 생산하는 LG화학, CATL, 삼성SDI, 파나소닉, SK이노베이션은 Peer Group입니다. Peer Group 선두업체의 시가총액을 알면 목표가를 정확하게 계산할 수 있습니다.

주식을 매도하는 게 어려운데
특별한 비결이 없나요?

저자 직강 동영상 강의로 이해 쑥쑥!
QR코드를 스캔하셔서 동영상 강의를 보시고
이 칼럼을 읽으시면 훨씬 이해가 잘 됩니다!

아마 이런 경험을 한두 번쯤 해보셨을 거라고 생각하는데요. 어떤 기업에 투자해 수익률 +20%를 목표로 보유했고, 다행히 생각보다 빨리 +20% 수익률에 도달해 매도했는데 그 기업이 +100% 이상 올라서 멘탈이 흔들렸던 적이 있었을 겁니다.

매수도 그렇지만 매도도 언제 어떻게 하는 것이 옳은 것인지 판단하기는 너무 어렵습니다. 목표가에 도달했지만 더 갈 것 같아 매도를 안 했는데 다시 급락해서 수익을 도로 반납하는 경우도 있고, 매도했더니 더 급등하는 경우도 있기 때문에 판단하기가 쉽지 않습니다.

주식투자는 그래서 어렵습니다. 정답이 있다면 좋겠지만 아쉽게도 주식투자에 정답은 없습니다. 그래도 정답을 찾기 위한 노력은 해야 합니다. 수익이 많이 나서 매도하고 싶은 기업을 어떻게 해야 할지 알려드리겠습니다.

삼성전자를 예로 들어보겠습니다. 삼성전자를 6만 원에 매수했는데 목표가를 8만 원으로 잡았다고 생각해보겠습니다. 8만 원에 도달하면 +33% 정도 수익률을 기록하게 되는데, 사실 +33% 수익이면 굉장한 수익률입니다. 누구나 매도하고 싶은 유혹을 느낄 수 있는 수익률이죠. 여기서 과연 '목표대로 매도할 것이냐, 조금 더 보유할 것이냐'를 잘 결정해야 합니다.

여러분에게 목표대로 매도하는 것보다는 상황을 더 보고 매도할 것을 권유드리고 싶습니다. 6만 원 하던 삼성전자가 8만 원까지 갔다는 것은 기업가치에 큰 변화가 생겼다는 것이고, 일회성 상승이 아닐 가능성이 높다는 것입니다. 더 큰 상승을 할 수도 있는 상황에서 단지 목표가만 생각하고 매도하는 것은 더 큰 수익을 창출할 수 있는 기회를 놓칠 수도 있습니다.

그럼 언제 매도를 해야 할까요? 매도할 때 고려해야 할 3가지 기준이 있습니다. 보유한 기업보다 더 높은 수익률을 안겨줄 기업의 발견, 투자 아이디어 훼손, 매크로* 이슈입니다. 이 기준에 해당될 때 매도를 고려하는 것이 좋습니다.

매크로

Macro는 대형(큰)이라는 의미로 사용되며 주식시장에서는 글로벌 경제를 의미하는 용어로 자주 사용됨

삼성전자를 지속 보유했을 때보다 경쟁사인 SK하이닉스가 더 높은 수익률을 줄 것으로 판단한다면 매도하는 것이 더 바람직합니다. 대체종목이 더 낫다면 교체하는 것은 현명한 판단입니다. 물론 현금이 많아서 SK하이닉스도 같이 사면 좋겠지만 자금이 한정되어 있다면 더 수익률이 높을 수 있는 종목으로의 교체 매매는 매도의 이유가 될 수 있습니다.

다음으로 투자 아이디어 훼손인데요. 삼성전자는 메모리반도체, 스마트

삼성전자보다 더 나은 기업이 있을까?

삼성전자 핵심 사업부에 문제가 생겼나?

미중 무역분쟁 같은 경제이슈가 있나?

폰, 중소형 OLED 디스플레이 1등 기업입니다. 특히 반도체 매출비중이 높아서 반도체 업황에 영향을 많이 받는데요. 메모리반도체는 보통 11분기 동안 상승하고 6분기 동안 하락하는 특징을 가지고 있습니다. 만일 메모리 반도체 업황이 현재 7분기 동안 상승하고 있는 상황이라면 적어도 3~4분기는 더 호황이 이어질 수 있다고 볼 수 있습니다. 그렇다면 투자자 입장에서는 앞으로 9개월 정도는 더 보유해도 된다는 결론이 나옵니다.

하지만 중국의 어떤 기업이 대규모 투자와 기술개발로 삼성전자의 점유율을 위협해 삼성전자의 실적에 악영향을 주는 상황이 발생했다면 그때는 매도를 고려해야 합니다. 메모리반도체 업황호조, 1위 기업으로서의 막대한 이익창출이라는 투자 아이디어가 훼손되었기 때문입니다.

기업마다 업황도 실적도 전망도 다 다릅니다. 투자자는 항상 고민해야 합니다. 내가 투자한 기업이 계속 성장할지, 성장이 훼손될 사건이 발생했는지 등 투자 아이디어에 대해 계속 고민해야 합니다. 투자 아이디어의 훼손만 없다면 지속보유하는 것이 바람직하지만, 훼손되었다면 목표주가와 관계없이 매도를 고민해야 합니다.

마지막으로 매크로 이슈입니다. 매크로는 주식시장과 개별기업에 영향을 줄 수 있는 경제 상황이라고 생각하면 됩니다. 2018년과 2019년, 미국과 중국의 예기치 못한 무역분쟁으로 한국의 수출은 악영향을 받았고 반도체, 자동차, 석유화학 등의 대표 수출업종은 실적도, 주가도 하락세를 보였습니다. 삼성전자 역시 수출기업으로 이러한 매크로 이슈에서 자유로울 수 없습니다. 한국경제에 충격을 줄 수 있는 매크로 이슈가 갑작스럽게 발생한다면 이 역시 매도를 고려해야 합니다.

주식투자에서 가장 어려운 것이 매도입니다. 언제 어떤 가격에 어떤 이유로 팔아야 하는지 정답이 없기 때문입니다. 더 나은 기업의 발견, 투자 아이디어 훼손, 매크로 이슈라는 3가지 매도원칙을 기준으로 삼고 매도를 고민해보시기 바랍니다. 미국의 성공한 주식투자자 워런 버핏, 피터 린치 등이 장기투자를 통해 큰 수익을 내는 비결도 이러한 원칙에 있습니다. 단순한 목표가격이 아닌 명확한 투자원칙을 갖고 투자하기를 다시 당부드립니다.

 염불리의 꿀팁

> 매도할 경우에는 3가지 상황을 고려하기 바랍니다. 더 가치가 있는 기업을 발견했거나, 보유한 기업을 투자했던 투자 아이디어가 훼손되었거나, 글로벌 경제환경 악화 등 매크로 이슈가 발생했다면 매도를 고려해야 합니다.

기업분석을 5분 만에 끝내는 방법이 있다면서요?

저자 직강 동영상 강의로 이해 쑥쑥!
QR코드를 스캔하셔서 동영상 강의를 보시고
이 칼럼을 읽으시면 훨씬 이해가 잘 됩니다!

기업을 분석하려면 시간이 상당히 많이 소요됩니다. 잘 아는 기업도 자세히 분석하기 위해서는 증권사 보고서도 봐야 하고 사업, 분기 보고서 등도 면밀히 살펴봐야 합니다. 특히 주식투자를 처음하는 분들은 방법도 모르기 때문에 더 힘들 수밖에 없습니다. 그래도 기업을 알고 투자해야 합니다. 투자하는 기업이 무슨 사업을 하는지, 이익은 내는지, 어떤 업종인지, 시가총액이 얼마인지 등 기본적인 사항은 알고 투자해야 합니다.

지인을 통해 추천받은 기업에 투자해서 수익이 나거나 손해를 보더라도 그건 투자자의 몫입니다. 따라서 스스로 공부를 해야 합니다. 기업분석이 어렵다면 기초적인 부분만이라도 검토해서 투자하기 바랍니다. 5분 만에 간단히 기업분석 하는 법을 알려드리겠습니다.

이노션 기본 기업정보 화면

증권정보

이노션 214320 >
62,000 ▲ 1,300 (+2.14%)

+MY등록

1일 3개월 1년 3년 10년 일봉 주봉 월봉

62,500
62,000
61,500
61,000
60,500
60,000

10:00 12:00 14:00

2020.12.15. 장마감

전일종가	고가	저가
60,700	62,000	59,800
거래량	외국인소진율	시가 총액
64,042	29.26%	1조 2,400억

코스피
2,756.82 ▼5.38 (-0.19%)

📊 종목토론   📈 일별시세   📋 기업개요
📄 관련뉴스   🕐 재무정보   👤 MY종목

ⓘ 네이버는 본 정보의 정확성에 대해 보증하지 않으며, 본 정보를 이용한 투자에 대한 책임은 해당 투자자에게 귀속됩니다.

출처: 네이버

    네이버 검색창에 '이노션'을 입력하고 검색을 해보겠습니다. 이노션이라는 기업을 전혀 모른다고 가정하고 분석을 해보겠습니다. 재무정보를 클릭하면 이노션의 기업정보 화면이 나옵니다. 가장 위쪽의 화면을 보면 이노션은 광고업종에 속한 기업임을 알 수 있습니다. 시가총액, 외국인 지분율을 알 수 있고, 아래쪽에서 주요주주를 확인할 수 있습니다.

    기업개요란에서는 이노션이 어떤 기업인지 확인할 수 있습니다. 광고기획사로 현대차 그룹 계열사입니다. 제일기획에 이어 국내 두 번째 규모이고, 현대차 그룹에서 안정적인 광고수주를 받고 있습니다. 현대차 그룹의 신

이노션 🔊 📈 214320 | INNOCEAN | KOSPI : 서비스업 | WICS : 광고

| EPS **3,211** | BPS **38,672** | PER **18.90** | 업종PER **17.95** | PBR **1.57** | 현금배당수익률 **2.47%** | 12월 결산 |

* **PER**: 전일 보통주 수정주가 / 최근 분기 EPS(TTM)
* **PBR**: 전일 보통주 수정주가 / 최근 분기 BPS(TTM)
* **TTM**: 최근 4분기 합산
* PER, PBR값이 (-)일 경우, N/A로 표기됩니다.

* **현금배당수익률**: 최근 결산 수정DPS(현금) / 전일 보통주 수정주가
* **WICS**: WISE Industry Classification Standard, modified by FnGuide
* TTM 데이터가 없는 경우, 최근 결산 데이터로 표시됩니다.

시세 및 주주현황

[기준:2020.12.14]

주가/전일대비/수익률	**60,700원** / -1,800원 / -2.88%
52Weeks 최고/최저	77,000원 / 41,300원
액면가	500원
거래량/거래대금	71,738주 / 44억원
시가총액	12,140억원
52주베타	0.93
발행 주식 수/유동비율	20,000,000주 / 69.09%
외국인지분율	29.26%
수익률 (1M/3M/6M/1Y)	+0.50%/ +14.96%/ +19.49% /-10.60%

* 수정주가(K차트포함), 보통주 기준, * 52주베타 : 주간수익률 기준

주가/상대수익률 ① ② ③

─ 이노션 ─ KOSPI대비(좌) ─ 서비스업대비(좌)
■ 거래량

[기준: 2020.12.14]

신용등급	BOND	CP
KIS	AA- [20180504]	
KR	AA- [20190429]	
NICE		

주요주주	보유주식수(보통)	보유지분(%)
⊞ 정성이 외 2인	5,739,000	28.70
NHPEA IV Highlight Ho···	3,600,000	18.00
국민연금공단	2,699,998	13.50
롯데컬처웍스	2,060,000	10.30

* 보유지분 : 보유지분주식수/지수산정주식수*100

출처: 네이버

차가 많이 나온다면 광고매출이 늘어날 수 있을 것임을 유추할 수 있습니다.

가장 아래에는 Financial Summary가 있는데 이것은 재무사항을 아주 간단하게 요약해놓은 표입니다. 여기서 가장 중요한 것은 매출액과 영업이익입니다. 매출이 꾸준히 증가하는지 영업이익도 증가하는지, 아니면 적자가 나는지 꼭 확인하시기 바랍니다. 적자가 지속되는 기업인데도 모르고 투

기업개요

[기준:2020.09.21]

- 2005년 설립된 동사는 광고업(광고대행, 광고물 제작, 뉴미디어/디지털 마케팅, 프로모션, 옥외광고 등)을 영위하는 현대자동차 그룹의 수덕 광고계열사임.
- 광고 취급액이 제일기획에 이어 국내에서 두 번째로 많음. 현대기아차그룹 계열사인 덕분에 안정적인 매출이 가능함.
- 2018년 1월에 미국 광고제작 대행사인 `D&G`를 793억원에 인수했고, 2019년말에는 호주 디지털 마케팅 회사인 '휠컴그룹'을 1,836억원에 인수함.

출처: 네이버

Financial Summary | 주재무제표 ▽ | 검색 | IFRS ? | 산식 ? | * 단위 : 억원, %, 배, 주 * 분기: 순액기준

주요재무정보	연간				분기			
	2017/12 (IFRS연결)	2018/12 (IFRS연결)	2019/12 (IFRS연결)	2020/12(E) (IFRS연결)	2020/03 (IFRS연결)	2020/06 (IFRS연결)	2020/09 (IFRS연결)	2020/12(E) (IFRS연결)
매출액	11,387	12,392	12,743	12,550	3,440	2,365	2,825	3,458
영업이익	967	1,182	1,219	1,073	272	160	270	372
영업이익(발표기준)	967	1,182	1,219		272	160	270	
세전계속사업이익	1,045	1,287	1,281	1,176	307	213	273	379
당기순이익	757	924	946	847	227	134	207	276
당기순이익(지배)	615	768	736	655	171	99	152	212
당기순이익(비지배)	142	155	209		56	35	55	
자산총계	16,265	17,409	20,755	21,572	19,993	17,321	19,582	21,572
부채총계	9,409	9,991	12,945	13,304	12,298	9,610	11,726	13,304
자본총계	6,856	7,418	7,810	8,268	7,694	7,710	7,856	8,268
자본총계(지배)	6,723	7,275	7,637	8,053	7,473	7,618	7,734	8,053

출처: 네이버

자하는 투자자들이 상당히 많습니다. 기업의 실적이 어떻게 변화하고 있는 지는 꼭 확인하고 투자해야 합니다. 그 아래에는 부채총계와 자본총계가 있

는데 부채보다는 자본총계가 많은 것이 좋습니다. 부채총계가 많다면 남의 돈이 많다는 의미이기 때문에 부담이 될 수도 있습니다.

이노션은 매출액을 매년 1.2조 원 정도로 유지하고 있으며, 영업이익은 1,100억 원 정도로 유지하고 있습니다. 부채는 1.3조 원이고 자본총계는 0.8조 원으로 부채가 많은 점은 부담입니다. 실적 안정성은 높은데 실적이 계속 정체되고 있다는 것을 알 수 있습니다.

기업을 아주 간단히 분석해보았는데요, 어렵지는 않죠? 투자자라면 적어도 이런 간단한 분석 정도는 하고 투자해야 합니다. 내가 투자하는 기업이 투자에 적합한 대상인지 최소한의 검증은 하고 투자해야 합니다.

 염블리의 꿀팁

내가 투자하려는 기업이 어떤 사업을 하고 있고, 최대주주는 누구이고, 시가총액은 어느 정도 되고, 매출액과 영업이익은 어느 정도이고, 이익은 꾸준히 증가하는지 감소하는지, 부채는 자본보다 많은 것인지 정도는 최소한 알고 투자해야 합니다. 5분만 투자해도 최소한의 투자검증은 가능합니다.

양질의 투자정보 사이트는
어떻게 알 수 있나요?

주식시장에는 수많은 정보들이 있습니다. 지금 이 시간에도 엄청난 양의 투자정보들이 쏟아지고 있습니다.

투자자가 그 많은 정보를 알기도 어렵지만 그중에서 양질의 정보를 골라내는 것은 더욱 어려운 일입니다. 하지만 한 단계 더 진화한 주식투자자가 되기 위해서는 양질의 정보, 도움이 되는 정보를 골라낼 수 있어야 합니다. 부지런해야 좋은 투자성과를 거둘 수 있습니다.

여기서 소개하는 19개의 투자정보 사이트는 투자자 여러분에게 도움이 되는 양질의 정보를 제공하는 사이트입니다. 이 사이트들이 여러분의 주식투자에 조금이라도 도움이 되기를 바랍니다.

1) Company Guide comp.fnguide.com

Fnguide에서 운영하는 기업정보 사이트입니다. 네이버 검색을 통한 기업정보보다 더욱 자세한 내용들을 확인할 수 있습니다. 요약리포트, 실적속도, 캘린더 등 유용한 정보가 많으니 꼭 활용하시기 바랍니다.

2) 전자공시 dart.fss.or.kr

기업의 모든 공시 정보를 확인할 수 있습니다. 주식투자자라면 자주 들러야 합니다.

3) 한국IR협의회 kirs.or.kr/information/tech2020.html

코스닥 기업에 대한 보고서를 확인할 수 있는 사이트입니다.

4) BIGFINANCE bigfinance.co.kr/html/landing/index.html

무료로 기업, 주식시장 등에 대한 다양한 데이터를 제공하는 사이트입니다. 대부분의 정보를 무료로 확인할 수 있지만 어떤 정보들은 유료회원 가입이 필요합니다.

5) 박회계사의 투자이야기 blog.naver.com/donghm

공모주 분석에 있어서는 국내 최고인 박동흠 회계사의 블로그입니다. 공모주 정보는 여기서 확인하시기 바랍니다.

6) 38커뮤니케이션 38.co.kr

비상장 기업에 대한 정보를 확인할 수 있는 곳입니다. 기업공개부터 장외시장 거래, 비상장 기업 주주동호회 등 다양한 정보가 있습니다.

7) 인베스팅닷컴 kr.investing.com
해외 증시, 환율, 원자재, 경제지표 발표 일정, 실시간 해외 선물지수 등 글로벌 시장에 대한 다양한 정보를 실시간으로 확인할 수 있는 사이트입니다.

8) 피터케이 blog.naver.com/luy1978
오랜 직장생활 후 퇴직하고 전업투자자가 되어 큰 부를 이루신 피터케이님의 블로그입니다. 개인투자자가 어떻게 투자하면 되는지 유용한 조언을 해주고 있습니다.

9) 와이민, 투자자로서의 삶 blog.naver.com/yminsong
현직 증권사 애널리스트가 직접 운영하고 있는 블로그입니다. 투자정보, 투자마인드 등 투자에 도움이 될 수 있는 많은 정보들이 있습니다.

10) 피터린치아들 blog.naver.com/bluedog10
자산운용사 CIO가 직전 운영하는 블로그입니다. 업종, 기업, 데일리 투자전략 등 투자에 활용가능한 정보가 가득합니다.

11) Valuefs valuefs.com
재무제표 및 기업분석에 대해 깊은 통찰력을 지닌 '체리형부'라는 닉네임의 투자자가 개설한 비영리 목적의 투자정보 사이트입니다. 2020년

10월에 개설되었고 2년간 무료로 운영되고 2년 후에는 유료로 전환됩니다.

12) 베가스풍류객 blog.naver.com/wkwn70

미국 주식투자에 관심이 있다면 이 사이트를 방문하시기 바랍니다. 라스베이거스에 거주하는 투자자로 미국 기업, 시장에 대한 다양한 정보를 제공하고 있습니다.

13) 한경컨센서스 consensus.hankyung.com

주요 증권사의 기업, 업종, 시장 분석 리포트를 무료로 확인할 수 있습니다.

14) 유통/화장품/산업 및 기업분석 blog.naver.com/forsword

현직 애널리스트인 하나금융투자의 박종대 연구원이 직접 운영하는 블로그입니다. 화장품과 유통업의 흐름에 대해 날카롭게 진단해주고 있습니다.

15) 버틀러 www.butler.works/report-company

한국 주요 기업들의 재무제표 데이터를 한눈에 볼 수 있는 사이트입니다. 무료로 운영되고 있으며 기업들의 다양한 재무 정보를 시각화해서 보여주기 때문에 유용합니다. 재무제표에 관심있는 분들은 꼭 접속해 보세요.

16) 와이즈리포트 wisereport.co.kr

국내 46개 증권사의 기업, 산업, 시황, 전략 등과 관련된 다양한 리포트를 실시간으로 제공하는 사이트입니다. 증권사 보고서는 주식투자의 나침반 역할을 해주는 수단입니다. 무료는 아니고, 한 달에 10만 원 정도의 비용을 지불하고 이용해야 하지만 모든 증권사의 보고서가 실시간으로 제공된다는 점이 장점입니다.

17) Seung's 투자와 생각 blog.naver.com/tmdejr1267

개인투자자들을 위해 자신만의 투자 생각을 객관적으로 잘 공유해주는 블로그입니다. 기업, 산업, 주식 공부 등에 관해 고민해볼 수 있는 내용들이 많아 유용합니다.

18) Hodolry의 블로그 blog.naver.com/hodolry

산업 공부를 하고 싶은 분들은 꼭 이 블로그를 참고하시기 바랍니다. 특히 IT와 관련해 공부하기 좋은 블로그입니다. 반도체, 2차전지 등 기초 강의도 가끔씩 진행하니 관심 있는 투자자들에게 유용할 것입니다.

19) 송종식의 IT와 가치투자 이야기 investor-js.blogspot.com

프로그래머이자 개인투자자인 송종식님의 블로그입니다. IT에 관한 내용만 아니라 투자에 관한 다양한 내용들이 담겨 있습니다. 개인투자자들이 어떻게 투자해야 하는지를 객관적이고 냉정하게, 그리고 진심을 담아 이야기해주는 곳이니 꼭 방문해보기 바랍니다.

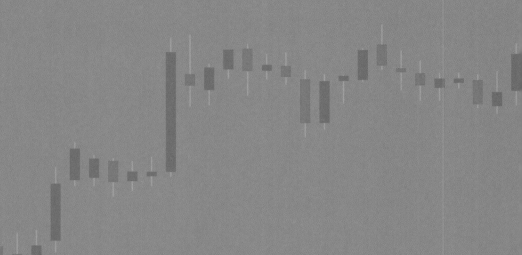

9장

주식투자를 하다 보면 꽃길이 아닌 가시밭길도 자주 만나게 됩니다. 의도치 않게 위험한 기업에 투자해서 큰 손실을 보는 경우도 생기기 마련입니다. 주식시장에서 장기간 안정적인 수익을 내기 위해서는 애초에 가시밭길을 걸을 수 있는 상황을 차단해야 합니다. 9장에서는 주식투자자들이 반드시 피해야 하는 기업유형과 투자 유의사항을 설명해놓았습니다. 이번 장을 통해서 투자 위험요소를 사전에 제거하고 안전하게 투자하기를 바랍니다.

주린이도
꼭 알아야 할
주의사항 6가지

관리종목과 상장폐지는
얼마나 위험한 건가요?

국내 바이오 기업 중에 한때 시장을 주도했던 신라젠이라는 기업이 있는데요, 항암제 펙사벡 임상이 연이어 성공하면서 주가가 10배 넘게 올랐고, 한때 코스닥 시가총액 2위까지 올라서기도 했습니다. 하지만 2019년 8월 항암제 펙사벡의 임상 3상 실패와 시험중단으로 주가가 폭락하면서 한때 15만 원 이상에서 거래되던 주가가 12,100원까지 하락했고, 지금은 거래가 중단되었습니다(2020년 11월 말 기준).

2020년 6월 증권거래소는 신라젠에 대해 상장 적격성 실질심사 대상으로 결정하면서 거래를 중지시켰는데요, 상장 적격성 실질심사는 기업의 상장 유지에 문제가 있는지를 종합적으로 따지는 심사과정입니다. 증권거래소는 일정규모 이상의 횡령과 배임이 발생하거나 기업의 존속에 심각한 영향을 줄 수 있는 손실, 분식회계 등의 사유가 발생하면 거래를 중지시키고 상장폐지를 심의, 의결할 수 있습니다. 한 마디로 상장폐지 가능성이 매우 높으니 거래를 중지시키고 고민해서 최종 판단하겠다는 것이죠.

상장폐지는 코스피, 코스닥이라는 국내 주식시장에서 거래를 하지 못하고 시장 밖으로 쫓겨난다는 의미입니다. 기업에게는 거의 사형선고와 같은 의미라고 생각하면 됩니다.

상장폐지가 된다고 해서 기업이 소멸되는 것은 아닙니다. 기업은 존속하게 되지만 주식시장에서 거래만 못하는 것입니다. 코스피, 코스닥 시장이 아닌 장외시장에서는 거래가 가능합니다. 하지만 장외거래는 제약이 많습니다. 거래 상대방을 찾기도 어렵고, 차익에 대해서는 양도세도 부담해야 합니다. 상장폐지가 된 기업은 시장에서 불미스러운 일로 퇴출된 기업이라는 낙인이 찍히기 때문에 기업의 신뢰도에도 악영향이 발생합니다.

상장폐지가 결정되면 7일간의 정리매매 기간을 주는데, 마지막으로 매도할 기회를 주는 겁니다. 정리매매 기간에는 상한가와 하한가가 적용되지 않기 때문에 상장폐지가 결정된 직전의 주가 대비 1/10 수준에서 거래되는 경우가 많습니다. 상장폐지가 결정된 기업의 주식을 들고 있다면 엄청난 손실을 볼 수밖에 없습니다.

관리종목은 상장폐지 전 단계라고 보시면 됩니다. 네이버 지식백과에 보면 관리종목을 이렇게 정의하고 있습니다. '상장폐지 기준에 해당될 우려가 있다는 것을 예고해 투자자에게는 투자에 유의토록 주의를 환기하고 기업에는 정상화를 도모할 수 있도록 하기 위해 지정된다. 상장법인이 갖추어야 할 최소한의 유동성을 갖추지 못했거나, 영업실적 악화 등의 사유로 부실이 심화되어 상장폐지 기준에 해당할 우려가 있는 종목이 지정된다. 관리

코스닥 상장폐지 요건

구분	관리종목	퇴출
매출액	최근년 30억 원 미만(지주회사는 연결기준) * 기술성장기업, 이익미실현기업은 각각 상장 후 5년간 미적용	2년 연속 [실질심사] 이익미실현기업 관련, 관리종목 지정 유예기간 중 최근 3사업연도 연속으로 매출액이 5억 원 미만이면서 전년 대비 100분의 50 이상의 매출액 감소가 공시 등을 통해 확인되는 경우
법인세비용차감전계속사업손실	자기자본 50% 이상(&10억 원 이상)의 법인세비용차감전계속사업손실이 최근 3년간 2회 이상(&최근연도계속사업손실) * 기술성장기업 상장 후 3년간 미적용, 이익미실현 기업 상장 후 5년 미적용	관리종목 지정 후 자기자본 50% 이상(&10억 원 이상)의 법인세비용차감전계속사업손실 발생 [실질심사] 이익미실현기업 관련, 관리종목 지정 유예기간 중 최근 3사업연도 연속으로 매출액이 5억 원 미만이면서 전년 대비 100분의 50 이상의 매출액 감소가 공시 등을 통해 확인되는 경우
장기영업손실	최근 4사업연도 영업손실(지주회사는 연결기준) * 기술성장기업(기술성장기업부)은 미적용	[실질심사] 관리종목 지정 후 최근 사업연도 영업손실
자본잠식/자기자본	•(A)사업연도(반기)말 자본잠식률 50% 이상 •(B)사업연도(반기)말 자기자본 10억 원 미만 •(C)반기보고서 제출기한 경과 후 10일 내 반기검토(감사)보고서 미제출 or 검토(감사)의견 부적정·의견거절·범위제한한정 * 자본잠식률 = (자본금−자기자본)/자본금 X100	•최근년말 완전자본잠식 •A or C 후 사업연도(반기)말 자본잠식률 50% 이상 •B or C 후 사업연도(반기)말 자기자본 10억 원 미만 •A or B or C 후 반기말 반기보고서 기한 경과 후 10일 내 미제출 or 감사의견 부적정·의견거절·범위제한한정 [실질심사] 사업보고서 또는 반기보고서의 법정제출 기한까지 당해 상장폐지 기준 해당사실을 해소했음을 입증하는 재무제표 및 이에 대한 감사인(정기재무제표에 대한 감사인과 동일한 감사인에 한함)의 감사보고서를 제출하는 경우
감사의견	반기보고서 부적정, 의견거절, 감사범위 제한으로 인한 한정	감사보고서 부적정, 의견거절, 범위제한한정

시가총액	보통주 시가총액 40억 원 미만 30일간 지속	관리종목 지정 후 90일간 "연속 10일 & 누적 30일간 40억 원 이상"의 조건을 미충족
거래량	분기 월평균 거래량이 유동주식수의 1%에 미달 * 월간거래량 1만 주, 소액주주 300인 이상이 20% 이상 지분보유 등은 적용배제	2분기 연속
지분분산	소액주주 200인 미만 or 소액주주 지분 20% 미만 * 300인 이상의 소액주주가 유동주식수의 10% 이상으로서 100만 주 이상을 소유하는 경우는 적용배제	2년 연속
불성실공시	–	[실질심사] 1년간 불성실공시 벌점 15점 이상
공시서류	분기, 반기, 사업보고서 법정제출 기한 내 미제출	·2년간 3회 분기, 반기, 사업보고서 법정 제출 기한 내 미제출 ·사업보고서 제출기한 후 10일 내 미제출 ·분기, 반기, 사업보고서 미제출 상태유지 후 다음 회차에 미제출
사외이사 등	사외이사 / 감사위원회 요건 미충족	2년 연속
회생절차/ 파산신청	•회생절차 개시신청 •파산신청	[실질심사] 개시신청 기각, 결정취소, 회생계획 불인가 등
기타 (즉시퇴출)	기타 상장폐지 사유발생	•최종부도 또는 은행거래 정지 •해산사유(피흡수합병, 파산선고) •정관 등에 주식양도 제한 두는 경우 •유가증권 시장 상장의 경우 •우회상장 시 우회상장 관련 규정위반 시 (심사종료 전 기업결합 완료 및 보호예수 위반 등)

출처: 증권거래소

종목에 지정되면 일정기간 매매거래가 정지될 수 있으며, 주식의 신용거래가 금지될 수 있다.'

상장폐지가 될 수도 있는 기업이니 투자에 주의하라는 의미입니다. 관리종목에 편입된 기업들 중에서는 기업이 정상화되어 관리종목에서 해제되면 주가도 크게 상승하지만 상장폐지되는 경우도 많은 만큼 관리종목에 편입된 기업들은 되도록 투자에 유의하시기 바랍니다.

코스피와 코스닥은 상장폐지와 관리종목 규정이 조금 다릅니다. 코스닥이 코스피에 비해 조금 더 까다로운 편입니다. 상장폐지나 관리종목에 해당되는 기업들의 대부분은 실적 악화와 경영진의 배임, 횡령, 그리고 감사보고서 의견거절*이 많습니다. 매출액이 급감하고 대규모 적자가 지속적으로 발생하는 기업, 경영진의 도덕성에 문제가 발생한 기업이라면 투자에 각별히 주의해야 합니다.

한때 자율주행 기업으로 유명했던 에스모라는 기업이 있습니다. 라임 사모펀드 사건으로 유명해진 기업인데요, 현재(2020년 11월 말) 상장폐지실질심사 대상으로 거래가 정지된 상태입니다. 2018년 15,000원 하던 주가는 407원까지 하락했습니다. 2017년까지 매년 50억 원 이상의 흑자를 내고 건실한 재무구조를 유지하고 있었지만 2018년 매출이 감소해 영업이익이 적자로 전환했고, 2019년에는 당기순손실이 무려 577억 원을 기록하며 기업가치가 크게 훼손되었습니다. 그 후에도 실적은 지속 악화되었고. 경영진의 횡령으로 상장폐지 사유가 발생했습니다.

이처럼 잘나가던 기업도 한 순간입니다. 투자자들은 보유한 기업에 대한 감시를 게을리해서는 안 됩니다. 이는 우리가 잘 아는 대형기업도 마찬가지입니다. 세계적인 해운회사로 성장하던 한진해운도 실적 악화와 과도한 부채로 상장폐지가 된 적이 있습니다. 첫째도, 둘째도 실적입니다. 실적을 확인하고 실적악화가 장기화될 것인지 파악해서, 장기화될 것이라면 기업이 보유한 현금은 많은지 체크하시기 바랍니다. 현금이 부족하면 그 기업은 대규모 적자를 감당할 수 없기 때문입니다.

또한 경영진의 행동을 잘 감시하시기 바랍니다. 횡령, 배임 등의 문제가 자주 발생한다면 관리종목, 상장폐지 가능성이 매우 높아지기 때문입니다.

주식투자에 왕도는 없습니다. 여러분이 투자한 기업에 대해 관심을 계속 갖고 계속 확인하시기 바랍니다. 여러분의 생각과 반대로 기업이 행동한다면 과감히 탈출해야 합니다.

 염블리의 꿀팁

관리종목과 상장폐지는 주식투자자들이 가장 피해야 할 대상입니다. 기업의 실적이 크게 악화되고 경영진에 문제가 생기면 의심해야 합니다. 관리종목과 상장폐지는 회생할 기회를 주지 않기 때문입니다.

불성실공시 기업을
주의해야 한다면서요?

주식시장에 상장되어 있는 기업은 투자자들에게 기업의 중요한 경영사항, 재무사항 등 주가에 영향을 줄 수 있는 내용들을 알려야 하는 의무가 있습니다. 상장기업은 공시를 통해 중요한 사항을 알려야 하는데, 이러한 공시 의무를 성실히 이행하지 않는 것을 불성실 공시라고 합니다. 이미 공시한 내용을 번복하거나 부인하는 공시번복, 기존 공시내용을 일정비율 이상 변경하는 공시변동, 정해진 기한 내에 공시를 하지 않는 공시불이행 등이 있습니다.

공시번복은 이미 공시한 내용에 대한 전면취소, 부인 또는 이에 준하는 내용을 공시한 경우입니다. 예를 들어 A라는 바이오 기업이 신약개발 기술을 글로벌 제약사에 수출했다고 공시를 했는데 나중에 계약이 파기될 경우,

공시내용에 대한 전면취소 사항이 발생하면서 공시번복으로 불성실공시법인이 됩니다.

공시변경은 이미 공시한 내용 중에서 중요한 부분에 대해 변경이 발생한 경우입니다. 예를 들어 B라는 반도체 장비회사가 1,000억 원이 넘는 대규모 장비 공급계약을 체결했다고 공시했는데 나중에 300억 원으로 계약규모를 수정하면, 처음 공시보다 수치에서 큰 차이가 발생했기 때문에 불성실공시법인으로 지정됩니다.

공시불이행은 주요 경영사항 등을 공시기한 이내에 신고하지 않았거나 주요경영사항 등을 거짓으로 공시했을 경우를 의미합니다. A라는 드라마 제작사가 글로벌 유명 미디어 회사로부터 거액의 투자를 받을 것이라는 소문이 증권시장에 퍼지게 되면 그때부터 주가는 큰 변동성을 보이게 되는데요, 이때 거래소는 A기업에게 조회공시를 요구하게 됩니다. 특정날짜를 정해주고 이 기한 안에 이런 소문과 관련해서 사실인지 아닌지를 공시하라고 요구합니다. 조회공시를 요구받은 A기업은 거래소가 정해준 날짜 안에 반드시 그 내용과 관련한 답변을 해야 합니다. 그렇지 않으면 불성실공시법인으로 지정됩니다.

불성실공시법인에 대한 규제사항

불성실공시 회수	내용
1회	4~8점의 벌점 부과(5점 이상 시 1일간 매매 중지)
2년간 3회 이상	상장적격성 실질심사 대상 지정(상장폐지 심사)
1년간 누적 벌점 15점 이상	상장적격성 실질심사 대상 지정(상장폐지 심사)

증권거래소는 불성실공시법인에 벌점을 매기는데요, 보통 1회에 4~8점의 벌점이 부과됩니다. 5점 이상의 벌점을 부과받은 경우에는 1일간 매매가 중지됩니다. 2년간 3회 이상 불성실공시 법인으로 지정되면 상장적격성 실질심사 사유에 해당되어 상장폐지가 될 수 있습니다. 최근 1년간 누적 벌점이 15점 이상인 경우에도 상장폐지가 될 수 있습니다.

공시는 기업의 의무입니다. 투자자들에게 성실하게 기업의 중요한 경영사항들을 알려야 합니다. 공시를 번복하고 약속을 지키지 않는 기업은 거짓말을 한 것과 같습니다. 불성실공시법인에 대해서는 투자를 주의하시기 바랍니다.

 염블리의 꿀팁

주식시장에 상장되어 있는 기업은 투자자들에게 기업의 중요한 경영사항, 재무사항 등 주가에 영향을 줄 수 있는 내용들을 알려야 하는 의무가 있습니다. 이를 공시라고 하는데 거짓으로 공시를 하거나 공시기한을 지키지 않거나 하는 등의 불성실행위를 하면 벌점을 부과하고, 심할 경우에는 상장폐지도 될 수 있습니다.

주식담보계약체결 공시에
함정이 있을 수 있나요?

2019년 12월 2일 미디어 회사인 '팍스넷'의 주가가 갑자기 하한가를 기록했는데요, 많은 투자자들이 굉장히 의아해했습니다. 하한가를 갈만한 이유가 없었기 때문입니다. 주가가 급등하고 급락할 때는 어느 것이든 간에 이유는 있습니다. 이유가 명확히 알려지는 경우도 있지만 알 수 없는 경우도 많이 있습니다. 팍스넷의 하한가가 그런 경우입니다.

팍스넷은 2019년 9월 20일 최대주주변경을 수반하는 주식담보제공계약체결 공시를 하나 냅니다. 내용을 살펴보면 최대주주인 피엑스엔홀딩스가 보유한 팍스넷 지분 15.31%(1,696,068주)를 담보로 제공하고 110억 원을 빌린다는 내용입니다. 주식을 담보로 주고 금융기관에서 그에 해당하는 돈을 빌렸다고 생각하시면 됩니다. 주택담보대출과 비슷한 거죠.

2019년 12월 2일에 나온 팍스넷 전자공시			
요약정보			
발행회사명	(주)팍스넷	발행회사와의 관계	–
보고구분	신규		
보유주식등의 수 및 보유비율		보유주식등의 수	보유비율
	직전 보고서	–	–
	이번 보고서	1,607,975	12.30
보고사유	채무자가 대출의 기한이익을 상실하여 채권자인 당행이 담보물에 대한 처분권한을 취득하게 됨(당행이 담보물을 소유하게 된 것은 아님).		

출처: 전자공시

금융기관은 상상인플러스저축은행, 상상인증권, 상상인저축은행 3곳이며 각각 80억 원, 48억 원, 48억 원을 담보로 설정했습니다. 담보제공기간은 2019년 9월 20일부터 2019년 12월 20일입니다. 사실 주식을 담보로 최대주주가 돈을 빌리는 경우는 많이 있습니다. 이 자체가 문제될 것은 없지만 간혹 큰 사고가 발생하기도 합니다.

12월 2일 팍스넷은 주식등의 대량보유상황보고서라는 제목의 공시를 하나 내는데요, 상상인플러스저축은행이 9월 20일 담보로 받은 주식 1,607,975주를 처분한다는 내용입니다. 담보제공기간은 12월 20일까지인데, 12월 2일에 기한이익 상실을 사유로 담보권을 행사하겠다고 공시를 한 것입니다.

기한이익 상실이란 금융기관이 채무자에게 빌려준 대출금을 만기 전에 회수하는 것을 의미합니다. 기한 전이라도 채무자의 신용위험이 커졌다고 판단되면 금융기관은 일시에 자금을 회수할 수 있기 때문입니다. 담보를 제

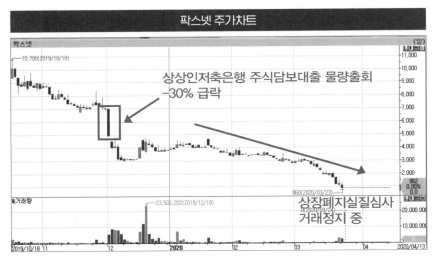

상상인저축은행의 팍스넷 지분 전량 처분

일자	종가	대비	거래량	개인	외국인	기관계	금융투자	투신	보험	은행	종금	연기금 등	사모펀드	내외국인	기타
2019/12/03	4,055	▼ 875	9,069,425	372,367	104,393									-1,129	-475,581
2019/12/02	4,930	▲ 2,100	5,620,205	1,153,075	4,560									2,954	1,160,589
2019/11/29	7,030	▼ 80	240,480	129	-1,559									1,472	-42

상상인저축은행의
팍스넷 담보지분 전량 매도

출처: 이베스트투자증권 HTS

공한 기업이 삼성전자였다면 당연히 금융기관은 기한이익을 상실했다고 판
단하지 않고 만기까지 기다렸겠지만, 상상인저축은행은 팍스넷의 최대주주
피엑스엔홀딩스의 신용리스크가 커졌다고 판단해서 주식을 처분하겠다고
결정한 것입니다.

주식담보계약은 해제되었고, 상상인저축은행은 피엑스엔홀딩스가 보

팍스넷 주가차트

상상인저축은행 주식담보대출 물량출회
-30% 급락

상장폐지실질심사
거래정지 중

출처: 이베스트투자증권 HTS

유한 팍스넷 지분을 취득하게 된 것입니다. 그리고 공시가 나온 당일에 상상인저축은행은 팍스넷 지분을 장중에 대량매도했고, 다음날까지 이틀에 걸쳐 다 정리를 합니다. 주가는 이틀간 거의 50% 폭락세를 보였습니다. 기업가치와 상관없이 수급적인 이슈로 인해 엄청난 주가하락을 기록하게 된 것이죠. 팍스넷 주주분들 입장에서는 너무 화가 나겠지만 상상인저축은행은 금융기관으로서 담보권을 행사한 것이라 주주분들이 할 수 있는 일은 딱히 없습니다.

주식담보계약체결은 흔합니다. 기업의 최대주주가 주식을 담보로 돈을 빌리는 경우는 많이 있습니다. 돈을 제때 갚는다면 문제가 되지 않지만 그렇지 않으면 팍스넷의 사례처럼 엄청난 주가하락이 나올 수도 있습니다.

투자자분들은 꼭 보유한 기업의 공시를 확인하고 이런 위험에 대비하시기 바랍니다. 알고 투자하는 것만이 여러분의 자산을 지켜줄 수 있습니다.

 엄블리의 꿀팁

주식담보계약체결 공시는 대주주가 보유한 주식을 담보로 돈을 빌렸다는 것을 알리는 공시입니다. 신용도가 좋은 대주주가 상속세를 내기 위해 주식담보계약을 체결하는 경우도 있고, 갑작스럽게 자금이 필요해 주식담보계약을 체결하기도 합니다. 하지만 팍스넷처럼 돈을 갚지 못해 담보물량이 쏟아지는 경우도 있기 때문에 주식담보계약체결 공시는 꼼꼼히 확인하시기 바랍니다.

감사보고서를 살필 때
어떤 점에 유의해야 하나요?

상장기업은 1년에 한 번씩 기업의 재무제표가 적정하게 작성되었는지 확인하기 위해 회계감사를 받습니다. 독립된 외부 감사인이 재무제표를 꼼꼼히 살펴보고 적정성을 판단해 감사의견을 표명합니다.

　매년 3월이 되면 상장기업은 반드시 감사인의 의견이 담긴 감사보고서를 제출해야 합니다. 감사보고서를 제출하지 않거나 늦게 제출하면 제재를 받기도 합니다. 감사보고서에 나와 있는 감사의견은 총 4가지인데 적정, 한정, 부적정, 의견거절입니다.

　첫째, 적정의견은 감사인이 감사범위에 제한을 받지 않고 회계감사 기준에 의거해 감사를 한 결과 해당기업의 재무제표가 기업 회계기준에 따라 작성되었기에 신뢰할 수 있다는 의견입니다. 감사결과 재무제표에 이상이 없다는 의미입니다. 감사의견이 적정이라고 해서 기업이 우량하다는 의미는 아닙니다. 부실기업이라고 할지라도 회계 기준에 의거해서 재무제표를 작성했다면 적정의견을 받을 수 있습니다.

둘째, 한정의견은 감사인이 수행할 수 있는 감사 범위가 부분적으로 제한된 경우 또는 감사를 실시한 결과 기업회계 준칙에 따르지 않은 몇 가지 사항이 있지만 해당 사항이 재무제표에 큰 영향을 미치지 않는다는 의견입니다. 몇 가지 문제가 발견되었지만 재무제표에 미치는 영향은 제한적이라는 의미입니다. 한정의견이 담긴 감사보고서를 제출하면 코스피 상장기업은 관리종목으로 지정되고, 코스닥 상장기업은 상장폐지 대상이 됩니다.

감사보고서 감사의견

감사의견	내용	영향
적정	재무제표가 기업회계기준에 맞게 작성되어 신뢰할 수 있다는 의견	영향 없음
한정	감사인이 수행할 수 있는 감사의 범위가 부분적으로 제한되어 재무제표의 일부를 신뢰할 수 없다는 의견	코스피 상장기업은 관리종목으로 지정 코스닥 상장기업은 상장폐지 대상으로 지정
부적정	기업회계기준에 위배되는 사항이 재무제표에 중대한 영향을 미쳐 기업경영 상태가 전체적으로 왜곡되었다는 의견	코스피 상장기업은 상장폐지 대상으로 지정 코스닥 상장기업은 상장폐지 대상으로 지정
의견거절	감사보고서를 만드는 데 필요한 증거를 얻지 못해 재무제표 전체에 대한 의견 표명이 불가능한 경우	코스피 상장기업은 상장폐지 대상으로 지정 코스닥 상장기업은 상장폐지 대상으로 지정

셋째, 부적정 의견은 기업회계기준에 위배되는 사항이 재무제표에 중대한 영향을 미쳐 기업경영 상태가 전체적으로 왜곡되었다는 의견입니다. 한정은 일부분의 문제로 재무제표에 미치는 영향이 제한적이지만, 부적정은 위반사항이 기업의 재무제표에 상당한 악영향을 끼칠 수 있다는 의미입니다. 즉 이 상장기업의 재무제표를 신뢰할 수 없다고 생각하면 됩니다. 부적정 의견이 담긴 감사보고서를 제출한 기업은 코스피, 코스닥 모두 상장폐지 대상이 됩니다.

의견거절은 감사인이 감사보고서를 만드는 데 필요한 증거를 얻지 못해 재무제표 전체에 대한 의견 표명이 불가능한 경우나 기업의 존립에 의문을 제기할 만한 사항이 발생했을 경우 또는 감사인이 독립적인 감사업무를 수행할 수 없는 경우를 의미합니다. 회계감사를 제대로 수행할 수 없어 의견을 낼 수 없는 상태라고 생각하시면 됩니다. 의견거절의 감사보고서를 제출한 기업 역시 코스피, 코스닥 모두 상장폐지 대상이 됩니다.

감사의견 의견거절로 인한 케어젠의 상장폐지 공시

기타시장안내

제목 : (주)케어젠 상장폐지 관련 안내

동 사는 금일(2019.03.18) "감사보고서 제출" 공시에서 최근 사업연도의 재무제표에 대한 감사인의 감사의견이 범위제한으로 인한 '의견거절'임을 공시하였습니다.

동 사유는 코스닥시장상장규정 제38조의 규정에 의한 상장폐지사유에 해당되며 이와 관련하여 동사가 상장폐지에 관한 통지를 받은 날부터 7영업일(2019.03.27) 이내에 이의신청을 할 수 있으며 이의신청이 없는 경우에는 상장폐지절차가 진행될 예정입니다.

코스닥에서 나름 우량 기업으로 인정받던 케어젠이라는 기업이 있었는데요, 2019년 3월 15일 감사보고서를 제출했는데 감사의견에 '의견거절'이라고 적혀 있었습니다. 거래는 즉시 정지되었고 상장폐지실질심사 대상이 되었습니다. 1년 간의 거래정지 기간 동안 많은 주주분들은 상장폐지의 공포에 불안한 나날을 보냈을 것입니다. 다행히 2020년 4월에 감사보고서 의견이 '적정'으로 수정되었고 상장폐지를 모면하면서 다시 거래가 재개되었습니다.

감사보고서는 기업들에게는 저승사자와 같습니다. 대부분의 기업들이 적정의견을 받지만 일부 기업들에게는 감사보고서를 제출하는 3월달이 악몽이 될 수 있습니다. 재무구조가 부실하거나 불성실공시를 자주 했던 기업들은 특히 3월에는 주의를 하는 게 좋습니다.

 염불리의 꿀팁

감사보고서는 공인회계사가 기업의 재무제표를 감사해 그 내용이 적절한지에 관한 의견을 표명하는 보고서입니다. '적정, 한정, 부적정, 의견거절'의 4가지가 있습니다. 이 중에서 '한정, 부적정, 의견거절'이 담긴 감사보고서를 제출한 기업은 관리종목에 편입되거나 상장폐지가 될 수 있으니 주의가 필요합니다.

자본잠식은 위험하다는데
어떤 의미인가요?

저자 직강 동영상 강의로 이해 쑥쑥!
QR코드를 스캔하셔서 동영상 강의를 보시고
이 칼럼을 읽으시면 훨씬 이해가 잘 됩니다!

제가 치킨집을 오픈했다고 가정해보겠습니다. 제가 가지고 있는 돈이 1억
원이고 은행에서 1억 원을 빌려서 창업을 했다면 자본금은 1억 원, 부채는
1억 원이 될 것이고, 자본과 부채의 합인 총자산(자본+부채 = 자산)은 2억 원
이 될 것입니다.

　　2억 원의 자금을 가지고 닭도 구입하고 인테리어도 하고 가게임대도
하고 닭튀기는 기계도 구입해서 영업을 했더니 1년간 3,000만 원의 이익
을 냈습니다. 이 3,000만 원의 이익에서 제가 1,000만 원(배당)을 가져갔고
2,000만 원은 그대로 남겨뒀다고 하면, 이 2,000만 원은 이익잉여금이 됩
니다. 즉 이익잉여금은 연간 이익에서 주주들에게 배당금을 지급하고 남은
금액이라고 생각하면 됩니다.

다시 처음으로 돌아가서 제가 치킨집을 시작할 때 처음 마련한 자금은 내 돈 1억 원, 빌린 돈 1억 원입니다. 내 돈 1억 원은 자본금입니다. 이 자본금에 이익잉여금 2,000만 원을 더하면 1억 2,000만 원이 되는데 이것을 자본총계라고 부릅니다.

그 다음해에 다시 영업을 잘해서 또 3,000만 원의 이익을 냈습니다. 배당금 1,000만 원을 제하고 다시 2,000만 원은 그대로 남겨두었다면 자본총계는 얼마가 될까요? 전년도 1억 2,000만 원의 자본총계에서 이익잉여금 2,000만 원을 더하면 1억 4,000만 원이 됩니다. 바로 이 1억 4,000만 원이 두 번째 해의 자본총계가 됩니다.

치킨집을 예로 들었지만 기업들도 똑같습니다. 계속 이익을 낸다면 자본총계는 증가하게 됩니다. 처음 기업을 설립한 자본금은 거의 변하지 않지만 정상적인 기업이라면 자본총계는 계속 증가해야 합니다.

그런데 이 반대의 경우가 있습니다. 자본총계가 자꾸 감소해서 자본금보다 적어지는 경우가 있습니다. 이를 자본잠식이라고 합니다.

치킨집을 했는데 장사가 잘 안 돼서 1년에 5,000만 원의 적자를 봤다고 가정해보겠습니다. 적자라서 배당을 줄 수 없습니다. 5,000만 원의 적자는 이익잉여금이 아니라 결손금*으로 바뀌게 됩니다.

자본금이 1억 원인데 5,000만 원의 결손금이 발생했기 때문에 자본총계는 5,000만 원이 됩니다. 앞에서 자본총계는 당연히 자본금보다 큰 것이 정상임을 확인했습니다. 자본총계가 적자로 인해서 자본금보다 적어지는 이 상황을 '자본잠식에 빠졌다'고 표현합니다.

결손금

기업이 적자를 냈을 경우 기업의 자본총계가 감소하게 되는데, 그 감소분을 누적해서 기록한 금액을 의미

이제 자본총계는 5,000만 원입니다. 자본금은 그대로 1억 원입니다. 다음해에 6,000만 원의 적자를 기록했다면 어떻게 될까요? 자본총계 5,000만 원에서 결손금 6,000만 원을 빼면 −1,000만 원이 됩니다. 자본총계가 마이너스가 되는 상황이 발생한 것입니다. 이를 완전자본잠식이라고 합니다.

완전자본잠식은 국내증시에서는 상장폐지 사유가 됩니다. 실제로 한진

한진중공업 재무제표					
IFRS(연결)				Annual	
	2015/12	2016/12	2017/12	2018/12	2019/12
매출액	30,636	28,133	16,477	16,979	16,288
영업이익	-2,234	-793	-19	617	838
영업이익(발표기준)	-2,234	-793	-19	617	838
당기순이익	-3,923	-3,134	-2,780	-12,836	3,062
지배주주순이익	-3,922	-3,134	-2,780	-12,838	3,058
비지배주주순이익	-1	0	0	2	4
자산총계	57,548	52,789	42,067	27,336	24,702
부채총계	45,767	43,613	36,295	34,418	22,252
자본총계	11,780	9,176	5,773	-7,082	2,450
지배주주지분	11,788	9,184	5,779	-7,077	2,451
비지배주주지분	-7	-7	-7	-5	-1
자본금	5,114	5,303	5,303	5,303	4,164
부채비율 ❓	388.51	475.29	628.81	완전잠식	908.28

마이너스가 된 자본총계

출처: 전자공시

투자유의안내

1. 제목	한진중공업(주) 주권 상장폐지 우려 안내(2019.02.13)
2. 내용	한진중공업(주)은 '자본잠식 50%이상 또는 매출액 50억원 미만 사실발생' 공시(2019.02.13)에서 최근 사업연도말(2018년 12월말) 현재 자본금 전액 잠식 사실을 공시하였습니다. 자본금 전액 잠식과 관련하여 동사 주권은 2018사업연도 사업보고서 제출기한일(2019.04.01)까지 동 사유 해소사실을 입증하는 자료를 제출하지 못하는 경우에는 유가증권시장상장규정 제48조에 따라 상장폐지기준에 해당될 수 있음을 알려드립니다.(동 사유 해소를 입증하는 자료를 제출하는 경우에는 유가증권시장 상장규정 제49조에 따라 상장적격성실질심사 대상에 해당되는지 여부를 검토) 또한 동 기간동안 동사 주권에 대하여 매매거래가 정지됨을 알려드립니다. (한국거래소)
3. 기타 투자판단과 관련한 중요사항	- ※ 관련공시 2019-02-13 자본잠식 50% 이상 또는 매출액 50억원 미만 사실 발생

출처: 전자공시

중공업은 완전자본잠식으로 2019년에 거래가 정지되었고 상장폐지 경고를 받았습니다. 실적악화, 재무 리스크 증가로 2018년 4만 원이 넘던 한진중공업 주가는 2019년에 4,000원대까지 하락하게 됩니다.

자본잠식은 투자자들이 가장 경계해야 할 위험 신호입니다. 자본금보다 자본총계가 작은 기업이 있다면 투자대상 목록에서 반드시 제외해야 합니다. 다시 이익을 내서 자본잠식을 해소하는 기업들도 있지만 자본잠식으로 상장폐지까지 가는 경우도 있는 만큼 각별히 주의해야 합니다.

미국의 전설적인 투자자 워런 버핏도 자본총계의 중요성을 강조했습니다. 그는 정상적인 기업이라면 자본총계가 매년 꾸준히 증가해야 한다고 언급했습니다. 자본총계란 다시 말씀드리지만 자본금(기업을 처음 설립할 때 투여된 자기자본)에다가 이익잉여금(기업이 1년간 벌어들인 이익에서 배당 등을 제하고 남은 돈)을 더한 금액입니다.

기업이 꾸준히 이익을 창출한다면 자본총계는 당연히 증가하게 됩니다. 반대로 이익을 내지 못하고 대규모 적자를 내게 된다면 자본총계는 크게 감소하고 자본금보다 자본총계가 작아지는 자본잠식에 빠질 수도 있습니다. 자본잠식은 주식투자자가 절대 간과해서는 안 될 리스크 요인임을 꼭 인지하시기 바랍니다.

 염블리의 꿀팁

자본잠식은 자본총계가 자본금보다 작은 상태를 의미합니다. 이익을 꾸준히 내는 기업은 자본총계가 자본금보다 많습니다. 적자를 내는 기업은 자본총계를 감소시키고 자본잠식에 빠지게 됩니다. 자본잠식이 커져서 자본총계가 마이너스가 되면 완전자본잠식이 되고, 상장폐지가 될 수도 있습니다.

미상환전환사채와
신주인수권부사채는 안 좋나요?

저자 직강 동영상 강의로 이해 쑥쑥!
QR코드를 스캔하셔서 동영상 강의를 보시고
이 칼럼을 읽으시면 훨씬 이해가 잘 됩니다!

2019년 1월 4일 에이프로젠KIC라는 기업의 주가가 갑작스럽게 하한가를 기록했는데요, 많은 투자자들이 도대체 무슨 악재가 있길래 갑자기 급락을 했을까 의아해 했었습니다. 원인은 전환사채의 대규모 주식전환 때문이었습니다.

에이프로젠KIC는 2017년 12월 22일과 2018년 1월 15일에 대규모의 전환사채를 발행했습니다. 전환청구 가능기간은 각각 2018년 12월 22일~2020년 11월 22일, 그리고 2019년 1월 15일~2022년 12월 15일이었습니다. 전환가액은 2,172원이고, 전환 가능한 주식수는 각각 2,300만 주였습니다.

이에 9,000원을 상회하던 주가는 2018년 12월 22일부터 전환사채가

에이프로젠KIC 주가차트

에이프로젠 KIC

9,740(2018/11/05)

2018년 12월부터 전환사채
물량부담 우려로 약세지속

2019년 1월 4일 하한가

2,515(2019/02/22)

2,820
+4.44%
▲120

55,663,128(2019/01/07)

거래량

-71,314(2018/10/22)

출처: 이베스트투자증권 HTS

2,300만 주의 주식으로 전환된다는 우려로 6,000원대까지 하락했습니다. 2019년 1월 15일부터는 2,300만 주의 주식이 추가로 상장된다는 우려가 작용하면서 2019년 1월 4일에는 하한가를 갔고, 그 후에도 주가는 지속하락해 2,700원대까지 약세를 보였습니다.

자사주 소각을 통한 주식수 감소는 주식의 공급을 줄이기 때문에 주가에 긍정적인 영향을 줍니다. 하지만 전환사채와 신주인수권부사채는 반대로 주식의 공급을 늘리기 때문에 주가에 부정적인 영향을 주며 악재로 작용하게 됩니다.

전환사채와 신주인수권부사채는 채권이지만 주식이 될 수 있는 채권이라고 앞에서 이야기했던 적이 있습니다. 주식이 될 수 있다는 것은 주식수가 늘어날 수 있다는 의미입니다. 어느 기업이 전환사채를 발행했는데 1년 후에 100만 주를 주식으로 전환할 수 있는 조건이라면 주식수는 잠재적으로 100만 주가 늘어날 수 있습니다.

주식수가 늘어난다는 것은 공급이 증가한다는 의미입니다. 공급이 증가하면 당연히 가격은 하락하게 됩니다. 즉 주가에는 부정적으로 작용할 수밖에 없습니다.

그러므로 전환사채나 신주인수권부사채를 발행한 기업에 투자할 때는 어느 시점에 주식수가 얼마나 증가할 수 있을지 항상 확인해야 합니다. 조금만 주의를 기울이면 알 수 있는 위험 신호입니다.

지금부터는 기업의 미상환전환사채, 신주인수권부사채를 어떻게 확인할 수 있는지 알려드리겠습니다. 전자공시에서 각 기업의 가장 최근 분기보고서(혹은 반기보고서)를 클릭한 후 재무에 관한 사항에서 7번째 항목인 '증권의 발행을 통한 자금조달에 관한 사항'을 클릭하시기 바랍니다. 이 항목에서 미상환전환사채 발행현황, 미상환 신주인수권부사채 발행현황 항목을 확인합니다. 미상환전환사채나 신주인수권부사채가 없는 기업은 여기에 표시되지 않습니다.

다음 페이지의 자료는 HMM이라는 기업의 '증권의 발행을 통한 자금조달에 관한 사항'입니다. 미상환전환사채 발행현황을 보면 6건의 전환사채가 발행된 것을 확인할 수 있습니다. 191회부터 197회까지 6건의 전환사채에 대한 내용이 표시되어 있는데요, 제191회 무기명식 이권부 무보증 사모 전환사채를 보면 발행일은 2017년 3월 9일이고 만기일은 2047년 3월 8일입니다. 전환청구 가능기간은 2018년 3월 9일부터 2047년 2월 8일까지입니다. 전환가액은 7,173원이며 전환 가능 주식수는 83,647,009주입니

HMM 2021년 3분기 분기보고서의 미상환전환사채 발행현황

나. 미상환 전환사채 발행현황

미상환 전환사채 발행현황

(기준일 : 2021년 09월 30일)

(단위 : 원, 주)

종류\구분	회차	발행일	만기일	권면(전자등록)총액	전환대상 주식의 종류	전환청구 가능기간	전환조건 전환비율(%)	전환가액	미상환사채 권면(전자등록)총액	전환가능주식수	비고
제191회 무기명식 이권부 무보증 사모 전환사채	191	2017.03.09	2047.03.08	600,000,000,000	보통주식	2018.03.09 ~ 2047.02.08	100	7,173	600,000,000,000	83,647,009	사모
제192회 무기명식 이권부 무보증 사모 전환사채	192	2018.10.25	2048.10.25	400,000,000,000	보통주식	2019.10.25 ~ 2048.09.25	100	5,000	400,000,000,000	80,000,000	사모
제194회 무기명식 이권부 무보증 사모 전환사채	194	2019.05.24	2049.05.24	100,000,000,000	보통주식	2020.05.24 ~ 2049.04.24	100	5,000	100,000,000,000	20,000,000	사모
제195회 무기명식 이권부 무보증 사모 전환사채	195	2019.06.27	2049.06.27	200,000,000,000	보통주식	2020.06.28 ~ 2049.05.26	100	5,000	200,000,000,000	40,000,000	사모
제196회 무기명식 이권부 무보증 사모 전환사채	196	2019.10.28	2049.10.28	660,000,000,000	보통주식	2020.10.29 ~ 2049.09.27	100	5,000	660,000,000,000	132,000,000	사모
제197회 무기명식 이권부 무보증 사모 전환사채	197	2020.04.23	2050.04.23	720,000,000,000	보통주식	2021.04.24 ~ 2050.03.22	100	5,000	720,000,000,000	144,000,000	사모
합계	-	-	-	2,680,000,000,000	-	-	-	-	2,680,000,000,000	499,647,009	-

※ 제191회 무기명식 이권부 무보증 사모전환사채(영구 전환사채)는 채권자(한국해양진흥공
사) 전환권 행사에 따라 21.10.28 전량 전환되었습니다.

다. 2018년 3월 9일이 지났기 때문에 이 전환사채는 언제든 주식으로 전환될 수 있습니다.

가장 최근에 발행된 197회 전환사채는 전환청구 가능기간이 2021년 4월 24일 이후입니다. 전환 가능 주식수는 144,000,000주입니다. 191회부터 197회까지 발행된 전환사채의 전환 가능 주식수를 합치면 499,647,009주입니다. HMM의 2021년 12월 기준 총 주식수는 489,039,496주입니다. 현재 상장된 주식수보다 많은 주식이 언제든 상장되어 총 주식수에 추가될 수 있다는 의미입니다.

만일 전환사채를 주식으로 전환해 5억 주에 달하는 HMM 주식이 상장된다면 HMM의 주당가치는 50% 이상 할인될 수밖에 없습니다. 이는 결국 주가에 큰 부담이 될 수밖에 없습니다.

이렇게 기업의 분기·반기보고서에서 주식으로 전환될 물량과 전환시점을 파악할 수 있습니다. 전환시점이 다가오면 주가는 수급부담으로 약세를

보이는 경우가 많습니다. 전환되는 주식수가 너무 많으면 악재로 작용해 주가가 급락할 수도 있기 때문에 이 부분을 꼼꼼히 확인해 위험에 미리 대비하시기 바랍니다.

 염불리의 꿀팁

공급, 즉 주식수가 증가하면 주당가치는 하락하게 됩니다. 전환사채, 신주인수권부사채는 주식으로 전환할 수 있는 채권입니다. 발행 후 1년 후부터 주식으로 전환이 가능하며 주식으로 전환 시 주식수가 증가하게 되어 주가에 부담이 될 수 있습니다. 각 기업의 최근 분기·반기보고서에서 미상환전환사채, 미상환신주인수권부사채를 확인해 위험에 대비하시기 바랍니다.

2022년 상반기 이후(코로나19 이후) 주목해야 할 변수와 투자유망 산업

2020년, 2,201포인트에서 시작했던 코스피 지수는 그 해 3월 19월 1,457포인트까지 하락하면서 많은 투자자들을 충격에 빠뜨리기도 했습니다. 하지만 글로벌 중앙은행들의 무제한 돈풀기와 달러 스와프 같은 국제 공조가 힘을 발휘하며 2021년 1월 7일 코스피는 역사적인 3,000포인트 시대를 열었습니다. 그 후 강세장이 이어지며 한때 3,300포인트까지 상승세를 보이기도 했지만 2021년 7월부터 국내증시는 글로벌 증시의 상승세에 동행하지 못하고 뒤쳐지며 5개월 연속 하락해 코스피는 2,800포인트까지 떨어지기도 하였습니다. 2022년은 더욱 어려운 흐름이 펼쳐졌는데요, 1월 오스템임플란트의 횡령사건을 시작으로, 시가총액 100조 원에 달하는 LG에너지솔루션 상장으로 인한 주식 공급 증가, 러시아의 우크라이나 침공, 오미크론 확진자 증가에 따른 중국 상해시 전면 봉쇄, 미국의 빅스텝(한번에 0.5% 금리를 올리는 것) 등의 예상치 못한 악재로 코스피는 2,550포인트까지 하락하며 거의 1년간 하락하는 모습을 보였습니다.

2020년은 코스피 지수가 27% 상승하는 강세장이 연출되었기 때문에 많은 투자자들이 쉽게 수익을 낼 수 있었습니다. 하지만 2021년은 하반기부터 정반대의 시장이 연출되었습니다. 상반기에 강세장을 보였던 증시가 하반기에는 미국시장의 신고가에도 불구하고 중국 경기둔화, 규제 리스크, 대규모 IPO(신규상장) 등의 여러 악재들로 인해 급락하면서 손실을 기록한 투자자들이 많이 늘어났습니다.

수능시험으로 비유한다면 2020년은 '물수능', 2021년은 '불수능'으로 비교할 수 있겠네요. 2022년 시장도 난이도가 높은 시장 흐름이 이어지고 있는데요, 예상치 못한 여러 악재들로 인해 투자자들이 대응할 수 없는 어려운 장세가 지속되고 있습니다.

2021년 미국 주식시장이 20% 상승할 때 한국 코스피 지수는 겨우 4% 정도의 상승세만을 보였는데요, 특히 하반기에는 한국 주식시장이 고점에서 10%나 하락하는 약세 흐름을 보이자 많은 국내 투자자들이 미국 주식시장으로 투자 대상을 변경하는 경우도 많았습니다. 그런데 미국 주식시장도 2022년의 예기치 못한 악재에 큰 충격을 받고 급락세를 보였습니다. 2022년 상반기 말 기준 미국 나스닥은 연초 대비 -28%나 급락했고, 넷플릭스는 고점대비 -70%, 엔비디아는 고점대비 -40% 급락하는 등 오히려 한국 증시보다 더 크게 하락하는 모습을 보였습니다. 한국시장보다는 투자환경이 다소 낫다고 여겨졌던 미국시장도 2022년에는 속절없이 무너지고 말았습니다.

매우 어렵고 예측도 되지 않는 현재의 주식시장. 과연 앞으로는 어떤 그림이 펼쳐질까요? 2022년 상반기 이후의 주식시장을 한번 전망해보도록 하겠습니다.

2022년 한국, 미국 등 글로벌 증시를 짓누르고 있는 악재는 3가지입니다. 러시아의 우크라이나 침공으로 인한 에너지 가격 급등, 중국 대도시 봉쇄에 따른 중국 경기침체, 과도한 물가상승으로 인한 미국 연준의 공격적인 금리인상입니다. 문제는 이 3가지 악재가 동시다발적으로 발생했다는 점입니다. 그로 인해 시장은 숨 쉴 틈도 없이 무너졌고, 글로벌 경기가 큰 침체에 빠질 것이라는 우려가 점점 커지고 있습니다. 그럼 이 악재들을 분석해보고 해결 가능한 악재인지 고민을 해보도록 하겠습니다.

첫째, 러시아의 우크라이나 침공입니다. 2021년 말부터 러시아가 우크라이나를 침공할 것이라는 소문은 공공연히 돌고 있었지만 '설마' 했습니다. 냉전시대도 아니고 러시아 푸틴도 상식은 있을 것이라고 생각했지만 푸틴은 생각이 달랐습니다. 국제 사회의 경고에도 불구하고 러시아는 우크라이나를 2022년 2월에 침공하고 말았습니다.

전쟁은 그 자체로도 악재지만 더 큰 문제는 러시아·우크라이나 지역이 글로벌 원자재 시장에서 '큰 손'이라는 점입니다. 러시아는 세계 천연가스 1위 수출국이자 원유 3위 수출국이며 질소 비료 수출은 세계 1위입니다. 철강 반제품 수출은 세계 1위이고 니켈은 2위, 석탄은 3위 수출국입니다. 우크라이나는 세계적인 철강 공장이 있고, 세계 4대 곡창지역 중의 하나인 '흑토'가 있는 국가입니다.

물가는 공급과 수요의 법칙에 의해 결정됩니다. 천연가스, 원유, 석탄, 밀 등 주요 원자재 공급이 전쟁으로 인해 급감하자 에너지, 농산물 등 주요 물가는 급등하고 말았습니다. 수요는 일정한 반면 글로벌 원자재 시장에서 큰 비중을 차지하고 있는 러시아·우크라이나 전쟁은 공급을 크게 축소시켰고, 이는 가격에 즉각 반영되었습니다.

2021년까지 대한민국은 지속적인 수출 증가로 무역수지 흑자기조를 유지하고 있었지만 에너지 가격 급등이라는 갑작스런 변수에는 대응할 방법이 없었습니다. 2021년 12월부터 2022년 4월까지 우리나라의 무역수지는 3월을 제외하고 모두 적자를 기록했습니다. 에너지를 100%를 수입하고 있는 한국경제에 원자재 가격의 상승은 매우 큰 부담 요인입니다. 에너지 가격 상승, 이로 인한 물가 고공행진은 기업의 이익을 감소시키고 개인의 소비 지출을 줄일 수 있기 때문에 주식시장에도 부정적으로 작용하고 있습니다.

　둘째, 중국 주요 도시들에 대한 봉쇄입니다. 2022년 들어 대부분의 국가들이 코로나19 방역규제를 완화하며 코로나19의 그늘에서 벗어나고 있는 상황에서 중국은 정반대의 상황이 연출되었습니다. '제로 코로나'정책을 고수하고 있던 중국에게 코로나19 확진자 수 증가는 가만히 두고 볼 수 없는 문제였는데요, 인구 1,700만 명의 도시인 선전시에 코로나19 확진자가 급증하자 중국 정부는 도시 봉쇄령을 내렸고 선전시의 주민들은 집 밖에 나가지 못했습니다. 그 즉시 선전시의 경제활동은 정지버튼을 누른 것처럼 멈추고 말았습니다. 또한 4월에는 인구 2,500만 명의 대도시인 상해시에서 대규모 확진자가 발생하자 선전시처럼 봉쇄령을 내렸습니다. 상해시에 대한 무기한 봉쇄 조치는 중국 경제와 글로벌 경제에 큰 충격을 주고 말았습니다. 중국의 화폐인 위안화 가치는 급락했고, 중국 경기의 바로미터인 소매판매는 22년 4월 기준으로 −11%나 감소하고 말았습니다. 오미크론은 전염성이 매우 강하기 때문에 통제한다고 해서 확진자가 줄어들기는 어렵습니다. 하지만 중국의 시진핑 주석은 '제로 코로나' 정책을 밀어붙였고 결국 상해시는 거의 2달간 봉쇄되고 말았습니다.

　한국은 중국 수출 비중이 무려 25%에 달하는 국가로 중국 의존도가 매우 높습니다. 중국 대도시 봉쇄에 따라 중국 소비가 감소하고 물류가 마비되면 한국경제는 당연히 큰 충격을 받을 수밖에 없습니다. 이는 미국 기업들도 마찬가지입니다. 2022년 1분기 호실적을 발표했던 애플도 중국 봉쇄로 인해 2분기 실적에 대해 자신이 없다고 언급했고 결국 주가는 급락하고 말았습니다.

　셋째, 미국의 공격적인 금리인상입니다. 2021년 많은 전문가들과 시장참가자들은 "미국이 금리를 2022년 한 번 올리고 본격적인 금리인상은 2023년부터 시작할 것"이라고 전망했습니다. 2022년 초만 해도 2022년 금리는 두 번 정도 올릴 것이라는 것이 시장의 전반적인 예측이었습니다. 그런데 변수가 생기고 말았습니다. 러시아의 우크라이나 침공으로 인해 국제 원자재 가격이 급등하자 미국의 물가도 급등세를 보였습니다. 미국의 소비자 물가지수는 8%를 넘었고 에너지·음식료 가격을 제외한 근원 소비자 물가지수도 6%를 상회했습니다. 한국도 소비자 물가지수가 5%에 육박하는 상승세를 보였습니다. 일본을 제외한 대다수 국가들의 물가 지표에 비상등이 켜진 것입니다.

이러한 고물가를 잡기 위해 미국 연준은 금리를 공격적으로 올리기 시작했습니다. 3월 FOMC에서 코로나19 이후 처음으로 금리를 0.25% 인상했고, 5월에는 0.5%를 한번에 올리는 '빅스텝'을 단행했습니다. 심지어 한번에 0.75%를 인상하는 '자이언트스텝'도 논의가 되고 있습니다.

금리를 이렇게 과격하게 인상하면 수요가 둔화되어 경기침체가 올 수도 있습니다. 하지만 파월 연준의장은 단호합니다. 고용이 둔화되고 소비가 줄어들어도 감내할 수 있다면서 물가를 잡기 위해 무슨 짓이라도 하겠다고 언급했습니다. 전쟁, 중국 봉쇄로 글로벌 증시가 매우 힘겨워하는 상황에서 연준은 급격한 금리인상을 결정했고 성장주를 대표하는 미국 나스닥 지수는 고점에서 무려 30% 가까이 급락하고 말았습니다.

이러한 3가지 악재가 복합적으로 작용하는 복합 위기 국면은 앞으로도 지속될까요? 아니면 결국 해결될 문제일까요?

전쟁, 중국 봉쇄, 금리인상은 상식적으로 생각해도 영원히 지속될 악재는 아닙니다. 전쟁은 언젠간 종료될 것이고, 중국 상해시는 6월 1일 기점으로 도시 기능 정상화를 발표했고, 금리인상도 물가상승이 제한되면 멈출 가능성이 높습니다. 다만 그 시기가 정확히 언제가 될지 알 수 없다는 것이 투자자들의 어려움일 것입니다. 그렇다면 이러한 악재가 반영된 것인지가 중요할 것입니다. 언젠간 해결될 악재인데, 악재가 충분히 반영되었고 주가가 저평가되었다면 투자를 미룰 이유는 없을 것입니다.

먼저, 전쟁 리스크는 여전히 지속중이나 더 이상의 확전은 없고 소강상태입니다. 상황이 변한 건 아니지만 더 악화되지는 않고 있습니다. 중국은 '제로 코로나' 정책을 유지하고 있지만 확진자 수가 2만 명에서 1천 명으로 감소하며 대도시 봉쇄를 풀기 시작했습니다. 미국은 2022년 하반기까지 공격적인 금리인상을 단행할 것입니다. 하지만 이미 글로벌 주식투자자들은 미국이 공격적으로 금리를 올려 연말에는 기준금리가 2.5%까지 상승해 있으리라는 것을 알고 있습니다. 따라서 악재들은 충분히 반영되었다고 판단하고 있습니다.

2022년 6월 기준으로 코스피 12FWD(앞으로 1년 후) PER는 9배 수준입니다. 한국 주식시장이 지난 10년간 평균 10.2배에서 움직였기 때문에 코스피 2,650포인트는 절대적으로 저평가되었다고 할 수 있습니다. 평균 PER 10.2배까지만 상승해도 코스피의 상승 여력은 13%에 달합니다. 지수 기준으로는 2,994포인트입니다. 앞서 말한 글로벌 시장의 3가지 악재가 조금씩 완화되고 투자심리가 호전된다면 3,000포인트는 적정한 수치라고 볼 수 있습니다. 따라서 2,700포인트 이하에서 주식비중을 늘리는 전략은 합리적이라고 생각합니다.

2020년 화려하게 불타올랐던 주식시장은 2022년 상반기 현재 불이 꺼져 있습니다. 금리인상으로 시작된 유동성 파티도 어느새 종료되었습니다. 거품이 낀 비싼 성장주들은 몰락했고, 많은 투자자들이 무시했던 전통산업(정유, 농업, 조선, 음식료, 해운 등) 관련 기업들의 주가가 화려하게 비상했습니다. 전쟁이 끝나고 중국 봉쇄가 풀리고 금리상승이 지속되어도 고물가·고금리 환경은 앞으로도 지속될 가능성이 높습니다. 유동성이 풍부했던 과거처럼 쉬운 투자 환경은 당분간 보기 어려울 것입니다. 고물가·고금리라는 비용이 증가하는 환경에서 많은 기업들이 어려움을 호소하며 도태될 가능성이 높습니다.

2022년 상반기 이후 주식투자에 있어서 그 어느 때보다 기업선별이 중요합니다. 고금리·고물가 환경을 이겨낼 기업을 찾는 것이 앞으로의 주식투자 성과를 결정할 것입니다. 이제 진짜 주식 공부가 필요한 시기입니다. 힘들더라도 이 책과 함께, 더불어 다양한 주식투자 관련 서적들을 읽으면서 꾸준히 공부를 해나가시길 바랍니다.

고물가·고금리 환경을 이겨 낼 투자유망 산업을 다음 페이지의 표에 담아봤습니다. 물론 이 표에 소개한 기업들이 정답은 아닙니다. 변수가 많기 때문에 언제든 상황은 바뀔 수 있습니다. 꼭 기업별로 각자 분석을 해보시고 투자 결정을 하시길 바랍니다.

우리는 계속 고민하고 공부하면서 정답을 찾는 노력을 해야 합니다. 설사 오답을 쓰더라도 정답을 찾는 훈련을 꾸준히 하신다면 장기적인 성과는 매우 좋을 것입니다. 여러분들의 주식투자 성공을 기원하면서 이 글을 마치겠습니다. 항상 응원하겠습니다. 감사합니다.

고물가·고금리 환경을 이겨낼 투자유망 산업

테마	산업	주요 기업
반도체	반도체 생산	삼성전자, SK하이닉스, DB하이텍
	전공정 장비	원익IPS, 주성엔지니어링, 피에스케이, 유진테크, 엘오티베큠
	후공정 장비	이오테크닉스, 테크윙
	소재	솔브레인, 원익머트리얼즈, 한솔케미칼, 디엔에프, 덕산테코피아
	후공정 서비스	네패스, 테스나, 엘비세미콘, 네패스아크
	부품	원익QNC, 아이원스, 월덱스, 케이엔제이
	인프라	유니셈, GST, 엘오티베큠, 에스티아이
	검사(소켓)	ISC, 티에스이
	EUV	동진쎄미켐, 에스앤에스텍, 에프에스티
	패키지기판	삼성전기, 대덕전자, 심텍, 티앤엘
	전력반도체	SK, RFHIC, LX세미콘
리오프닝	오프라인 결제	빅솔론, 삼성카드, 나이스정보통신
	패션	영원무역홀딩스, 한섬, 에스제이그룹
	임플란트	덴티움
	마스크 OFF	루트로닉, 파마리서치, 제이시스메디칼, 인모드(미국기업, INMD)
	의료기기	인터로조, 휴비츠, 제이브이엠
자동차	완성차	현대차, 기아
	부품	현대모비스, 현대오토에버, 에스엘
음식료	라면	삼양식품, 농심
	가공식품	CJ제일제당, 대상, 오리온
LNG	강관	세아제강, 세아제강지주
	조선	현대중공업, 한국조선해양, 한국카본, 세진중공업
	관이음쇠(피팅)	성광벤드, 태광
인프라	건설기계	두산밥캣, 진성티이씨
	철강	POSCO홀딩스, 현대제철
	비철금속	고려아연, 풍산, LS

재건축	부동산신탁	한국자산신탁, 한국토지신탁, LF
	건자재	벽산, KCC
고유가	정유	GS, S-Oil
	해외건설	삼성엔지니어링, GS건설, DL이앤씨
농산물	비료	남해화학, 유니드
배터리	2차전지 셀	삼성SDI, SK이노베이션
	2차전지 소재	포스코케미칼, SKC
	2차전지 장비	피엔티, 원준
소액주주	지주	SK
고배당	금융	JB금융지주, BNK금융지주, 삼성카드, 삼성증권, 한국자산신탁
	제조	KT&G, POSCO홀딩스, 금호석유우, 현대차2우B, 삼양옵틱스, GS우
콘텐츠	드라마	스튜디오드래곤, 제이콘텐트리
新 냉전	방산	LIG넥스원, 한화에어로스페이스
현금 多	순현금 기업	영원무역홀딩스, 삼영전자, 한국철강, 빅솔론, KT&G

■ 독자 여러분의 소중한 원고를 기다립니다

메이트북스는 독자 여러분의 소중한 원고를 기다리고 있습니다. 집필을 끝냈거나 집필중인 원고가 있으신 분은 khg0109@hanmail.net으로 원고의 간단한 기획의도와 개요, 연락처 등과 함께 보내주시면 최대한 빨리 검토한 후에 연락드리겠습니다. 머뭇거리지 마시고 언제라도 메이트북스의 문을 두드리시면 반갑게 맞이하겠습니다.

■ 메이트북스 SNS는 보물창고입니다

메이트북스 홈페이지 matebooks.co.kr

홈페이지에 회원가입을 하시면 신속한 도서정보 및 출간도서에는 없는 미공개 원고를 보실 수 있습니다.

메이트북스 유튜브 bit.ly/2qXrcUb

활발하게 업로드되는 저자의 인터뷰, 책 소개 동영상을 통해 책에서는 접할 수 없었던 입체적인 정보들을 경험하실 수 있습니다.

메이트북스 블로그 blog.naver.com/1n1media

1분 전문가 칼럼, 화제의 책, 화제의 동영상 등 독자 여러분을 위해 다양한 콘텐츠를 매일 올리고 있습니다.

메이트북스 네이버 포스트 post.naver.com/1n1media

도서 내용을 재구성해 만든 블로그형, 카드뉴스형 포스트를 통해 유익하고 통찰력 있는 정보들을 경험하실 수 있습니다.

STEP 1. 네이버 검색창 옆의 카메라 모양 아이콘을 누르세요. STEP 2. 스마트렌즈를 통해 각 QR코드를 스캔하시면 됩니다.
STEP 3. 팝업창을 누르시면 메이트북스의 SNS가 나옵니다.